Nem tudo está perdido

Elisa Masselli

Nem tudo está perdido

Revisão
Cristina Marques

Capa
Arthur Emílio de Oliveira
Mídia Publicidade

Diagramação
Luciano Bernardes

2ª Edição
20.000 exemplares
Março de 2009

Publicação e distribuição
MENSAGEM DE LUZ EDITORA

Av. Presidente Costa e Silva, 609 - sala 309
Boqueirão - Praia Grande - SP - CEP 11701-000
Telefax: (13) 3592-2794 / 3592-3704
Site : www.mensagemdeluz.com.br
E-mail : info@mensagemdeluz.com.br

Sumário

Idealizando o futuro 9
Conhecendo o trabalho 17
Surge o amor 24
Surpresa 30
A festa 36
A proposta 48
Desmascarando 67
Uma estranha visita 85
A vida continua 92
Armadilhas do destino 102
Repensando a vida 113
Presença indesejada 117
Conseguindo a paz 124
Fatalidade 135
A ajuda sempre vem 150
A acusação 157
Encontrando um caminho 168
Decisão tomada 174
Relembrando 194
Colocando o plano em ação 206

Encontro com a verdade *215*
Depressão *230*
Motivo da obsessão *236*
Constatando a verdade *245*
Decisão do mal *258*
A força do amor *261*
A verdade a Deus pertence *270*
Ganância *277*
Epílogo *283*

Idealizando o futuro

Telma entrou em casa correndo, gritando e trazendo em suas mãos um papel. Estava feliz e, ao encontrar a mãe, disse de uma só vez:

— Mamãe! Mamãe! Eu consegui! O juiz me deu este papel e com ele posso começar a trabalhar! E, quando eu fizer quatorze anos, vou poder tirar a minha carteira profissional. Não disse que tudo ia ficar bem?

— Que bom, minha filha! Mas você é tão novinha para começar a trabalhar...

— Novinha nada, mamãe. Já fiz treze anos e está mais do que na hora! Só vou ganhar meio salário mínimo, mas vai ajudar! A senhora não acha?

— Claro que vai. Além do mais, pensando bem, embora seja muito novinha, o que ia ficar fazendo em casa? Acho muito bom que comece a trabalhar e a aprender uma profissão. Vou ficar mais tranqüila sabendo que está trabalhando ao invés de ficar saindo com as amigas. Ainda bem que você entende que a nossa situação não é muito boa. Estamos passando por um período muito ruim. O que seu pai recebe de salário não é quase nada.

— E ainda gasta uma boa parte com os amigos e a bebida, não é, mamãe?

— É sim, mas, tirando isso, ele sempre foi um bom pai. Comprou esta casa, temos onde morar.

— *Tá* bem que ele comprou a casa. Mas chega bêbado quase todos os dias. E, quando isso acontece, briga sem motivo e bate na senhora. Quantas vezes ele já bateu na senhora, mamãe? Não entendo por que continuou... e continua ao lado dele...

— É que apesar de tudo eu sempre gostei muito dele, e o pior é que não tenho profissão. Se me separasse dele, como a gente ia sobreviver? Já pensou nisso?

— Como pode gostar de um homem que bate na senhora? Não entendo mesmo. Eu nunca vou ser igual à senhora, vou me casar com um homem muito rico e que possa me dar uma boa vida. Se ele me maltratar, eu o abandono! Nunca vou ser judiada, mas não vou mesmo, mamãe!

— Deus te ajude, Telma. Desejo de coração que sua vida seja bem melhor que a minha, mas você é ainda muito criança, não entende nada da vida.

— A minha vida vai ser muito boa e rica, mamãe! A senhora vai ver. Posso ser criança, mas de uma coisa tenho certeza: a minha vida será muito diferente da sua! Mas isso agora não tem mais importância, vou arrumar um emprego e tudo vai mudar. Pelo menos a Sueli e o Marquinhos vão ter um pouco mais de conforto. Até já trouxe um jornal, vou ver se tem alguma coisa aqui por perto. E, também, agora já são três horas da tarde... não vai adiantar nada eu sair para procurar emprego. Mas amanhã saio bem cedo e sei que vou encontrar.

— Faça isso e que Deus te abençoe.

Telma foi para a sala. O rádio estava ligado, mas ela não prestou atenção. Estava querendo arrumar um emprego e, tinha certeza, arrumaria. Abriu o jornal na página dos classificados e começou a procurar. Depois de ler alguns anúncios, encontrou um que lhe pareceu ser bom, foi para a cozinha com o jornal na mão.

— Acho que encontrei, mamãe! Este aqui é perto de casa, estão pedindo uma moça para aprendiz. Amanhã bem cedo eu vou até lá! Pensando bem, não vou esperar até amanhã, vou agora mesmo!

— Não seria melhor deixar para amanhã?

— Não sei nem do que se trata, vou até lá só para ver. Se me atenderem hoje, tudo bem, se não, volto amanhã.

— Está bem, minha filha. Vá e que Deus te ajude a conseguir o emprego.

Telma estava feliz; sentia que dali para a frente poderia se tornar independente. Foi para seu quarto e, enquanto se arrumava, pensava... *não precisarei mais aturar as implicâncias do meu pai, pois sim, que ele é muito implicante, principalmente comigo.*

Não entendo por que faz isso, mas aprendi a conviver com a situação e, sempre que ele implica, não me importo porque tenho certeza que vai ser por pouco tempo, só até eu arrumar um homem rico que me tire desta casa. Terminou de se arrumar e olhou no espelho que havia em uma das portas do guarda-roupa... *Preciso me arrumar muito bem, quero me apresentar bem para causar boa impressão e conseguir o emprego.*

Depois de pronta, foi para a cozinha, onde sua mãe preparava o lanche da tarde. Ao entrar, sorriu e perguntou:

— Estou bem, mamãe?

— Está linda, minha filha! — a mãe se voltou e respondeu, também com um sorriso.

— Vou até lá e tento ser entrevistada hoje mesmo. Se não conseguir, volto amanhã.

— Vá com Deus e que Ele te abençoe.

Ela saiu radiante. Sentia que conseguiria aquele emprego, precisava dele, mas, também, se não conseguisse, não tinha importância, tentaria no dia seguinte e em todos os dias, até conseguir. O mais importante já tinha, que era o papel do juiz autorizando-a a trabalhar.

Pelo anúncio do jornal, a rua ficava no seu bairro, mas ela não sabia onde. Perguntou para algumas pessoas e descobriu qual era. Encaminhou-se para lá. Ao chegar no endereço, encontrou uma casa com um letreiro que dizia: Escritório de contabilidade.

Ela não sabia o que aquilo significava. Nunca havia visto ou ouvido aquele nome, mas, mesmo assim, tocou a campainha.

Uma porta se abriu e surgiu um rapaz, que perguntou secamente:

— Pois não?

— Estou aqui por causa do anúncio — ela respondeu com a voz trêmula.

— Você tem carteira profissional?

— Não, só o papel do juiz. Peguei hoje.

— Pode abrir o portão e vir até aqui.

Ela obedeceu. Suas pernas tremiam muito, estava nervosa, pois aquela era a primeira vez que se candidatava a um emprego. Lentamente subiu alguns degraus que a levariam até a porta. O rapaz olhava sério para ela, sem mover um músculo do rosto e parecendo ser muito brabo, mas ela não se importou, aproximou-se e levantou os olhos para ele ao ouvi-lo dizer:

— Deixe-me ver o papel.

Telma abriu a bolsa, tirou o papel e entregou para aquele rapaz mal-humorado. Ele, olhando para o papel e afastando-se para que ela entrasse, disse com cara de poucos amigos:

— Pode entrar. Sente-se e espere um pouco. Doutor Roberto vai atendê-la.

Ela, ainda tremendo, sentou-se na primeira cadeira que encontrou e, enquanto ele saía da sala, acompanhou-o com os olhos. Notou que, embora sua atitude fosse ríspida, ele era um rapaz bem bonito... *Ele já é velho, deve ter quase trinta anos, mas é muito bonito...*

Ficou ali, sentada, olhando os belos quadros que decoravam a sala. Olhou também para uma porta, que devia dar para um corredor, de onde vinha muito barulho de máquina de escrever. Sentiu vontade de sair correndo, mas pensou: *Já que estou aqui, só me resta esperar. Vamos ver o que vai acontecer. Tomara que eu consiga esse emprego.*

Na parede à sua frente viu um relógio. E foi olhando tudo à sua volta. Mas os olhos voltavam-se sempre para o relógio, que parecia parado. Ela começou a ficar aflita. *Está demorando muito*. Tinham passado apenas cinco minutos quando a porta em que o rapaz entrou foi novamente aberta e, por ela, saiu uma moça que disse:

— Queira me acompanhar. O doutor Roberto vai te atender.

Telma levantou-se e, tremendo muito, acompanhou-a. Como ela havia imaginado, por detrás da porta havia realmente um grande corredor com muitas outras portas. Caminhou, acompanhando a moça, e percebeu que, em cada uma daquelas salas, muitas pessoas trabalhavam. Nunca havia entrado em qualquer tipo de escritório, por isso tudo lhe encantava. A moça parou diante de uma das portas, bateu levemente e entrou.

— Doutor, essa é a moça que veio para a entrevista.

— Obrigado, Nara, pode se retirar.

Nara saiu e ele, ainda olhando para o papel em suas mãos, em que o juiz autorizava Telma a trabalhar, perguntou:

— Seu nome é Telma, não é?

— Sim, senhor.

— Sente-se e vamos conversar. Já trabalhou em um escritório?

— Não, senhor, só hoje consegui o papel do juiz — respondeu timidamente, sentando-se em uma cadeira que ele lhe apontou.

— Quer dizer que não tem prática em escritório de administração e contabilidade?

— Não, senhor, para ser sincera é a primeira vez que entro em um escritório.

— Você estuda?

— Não, só tenho o diploma do primário. Terminei quando tinha onze anos, mas até agora não consegui ir para o ginásio.

— Devia continuar os estudos, pois é muito importante.

— Sei disso, fiz prova de admissão para poder entrar no ginásio, mas não consegui. Não sei se o senhor sabe, mas é muito difícil se entrar em um ginásio do Estado, além do mais, mesmo que passasse, teria que estudar durante o dia e não posso fazer isso, preciso trabalhar para poder levar dinheiro para casa.

— Isso é terrível. Uma menina como você não precisaria ter uma preocupação como essa e a escola pública deveria atender a todos, mas infelizmente isso não acontece. Quem sabe, um dia, haverá escola para todas as crianças...

— Também espero por isso, estudei até ao quarto ano em um colégio de freiras, no Círculo Operário, porque foi de graça. Depois que recebi meu diploma do primário, não consegui passar na prova de admissão do grupo escolar.

— É uma pena, esperamos que um dia isso mude. Mas, por outro lado, já que não tem escola, é melhor que, para jovens assim como você, exista essa autorização do juiz para trabalharem, pois, além de aprender uma profissão, vão ter dinheiro para levar para casa e não vai sobrar muito tempo livre para fazer bobagem. O trabalho nunca fez mal a ninguém.

— Também penso assim, doutor. Eu não tenho nada para fazer em casa e, com o meu dinheiro, posso ajudar com as despesas em casa ou, ao menos, comprar alguma coisa que goste, e para meus irmãos também.

— Bem, sendo assim, poderá começar como aprendiz. Terá toda a oportunidade de aprender e poderá, se quiser, subir de cargo.

Tenho por formação dar oportunidade para todos aqueles que desejam aprender. Muitos dos meus funcionários começaram assim, como aprendizes, e hoje exercem cargo de confiança, que é o que mais me interessa: poder confiar em todos eles. Também comecei, assim como você, sendo apenas um aprendiz. Hoje, tenho não só este escritório, mas outros três. Já que nunca trabalhou, não temos mais o que conversar. Venha amanhã às oito horas e traga este papel do juiz. Terá trinta dias de experiência. É o suficiente para ver se continua trabalhando, ou não.

Após terminar de falar, levantou-se, entregou o papel do juiz para Telma e estendeu a mão, despedindo-se. Ela, timidamente, pegou na mão dele bem devagar, desviando os olhos. Ele, sorrindo, disse:

— Primeira lição, nunca desvie os olhos quando alguém a cumprimentar ou estender a mão para você, aperte com vontade. É desagradável apertar uma mão trêmula. Demonstra insegurança, e isso não é bom.

Telma não sabia o que dizer. Ela estava realmente insegura, aquele homem que estava à sua frente era o seu futuro patrão, dono daquele imenso escritório, e devia ter muito dinheiro, portanto era um homem poderoso. Ele percebeu que ela estava sem ação. Sorrindo, estendeu a mão novamente e desta vez ela, olhando em seus olhos, apertou com vontade, dizendo:

— Obrigada, doutor. Amanhã vou estar aqui na hora marcada e fazer tudo para aprender.

— Está bem. A primeira lição parece que aprendeu. Agora pode ir.

Telma levantou-se e abriu a porta para sair. Assim que a porta se abriu, encontrou Nara, que a esperava e a acompanhou até a porta de saída. Já na porta, perguntou:

— Deu tudo certo? Você vai trabalhar com a gente?

— Vou, sim. Amanhã estarei aqui às oito horas.

— Que bom, sei que vai gostar.

— Obrigada.

Telma saiu e, já na rua, levantou os olhos, olhou novamente para a placa. Riu sozinha, pensando: *Não sei nada do que se faz em um escritório de contabilidade, muito menos num de administração, só sei que vou aprender o que me ensinarem e que um dia terei um igual a esse, com placa e tudo!*

Começou a andar rápido, precisava chegar logo em casa e contar tudo para a mãe. Estava realmente feliz. Assim que chegou no portão de sua casa, parou. Começou a ouvir gritos que vinham de dentro de sua casa e pensou, nervosa: *estão brigando novamente. Ele deve ter chegado bêbado outra vez e está dizendo todas aquelas barbaridades. Meu Deus, quando isso vai terminar? Por que minha mãe não o abandona?*

Devagar abriu o portão, caminhou pelo quintal e, entrando pela porta da sala, que estava aberta, viu sua mãe chorando, sentada em uma das cadeiras que ficavam ao redor da mesa da sala. Mal sentados em outra, Sueli e Marquinhos choravam abraçados. Ela correu para onde eles estavam e os abraçou. Ficou olhando para sua mãe, que continuava chorando, e para seu pai, que andava de um lado para outro. Com muita raiva, não disse nada, mas pensou: *Não sei, neste momento, qual dos dois eu odeio mais. Ele, por estar bêbado, ou ela, que, além de aturar tudo isso, ainda fica chorando. Eu nunca vou permitir uma coisa dessas! Se meu marido for bêbado dessa maneira, eu o abandono, e ele não vai ter nem o meu endereço! Mas não adianta eu dizer nada, já estou acostumada com essas brigas. Daqui a pouco ele vai dormir e amanhã acorda como se nada tivesse acontecido. Não vai beber por dois ou três dias, mas depois começa tudo de novo! Não suporto mais esta vida! Ainda bem que consegui o emprego. Sei que daqui a alguns anos vou ter condições de sair desta casa levando minha mãe e meus irmãos.*

Como ela havia previsto, o pai se encaminhou para o quarto. Após algum tempo, Sara, sua mãe, levantou-se da cadeira, enxugou os olhos e foi até a porta do quarto, olhou e constatou que ele estava dormindo. Voltou para a sala.

— Agora ele adormeceu, Telma, e amanhã tudo será diferente. Ele vai pensar no que fez e não vai beber mais...

Telma não agüentou mais, levantou-se e disse nervosa:

— O que a senhora está dizendo? Ele não vai beber nunca mais? Claro que vai! A senhora sabe disso! Foi sempre assim, desde que eu era criança! Fui criada no meio de brigas! As crianças estão aí, assustadas e chorando! A senhora não vê o mal que nos fez e continua fazendo?

— Sei disso, mas nunca pude fazer nada! Nunca tive para onde ir, ao menos ele nunca deixou que nada faltasse para vocês. Se eu saísse do lado dele, como criaria vocês?

— Não sei, poderia arrumar um trabalho!

— Trabalhar no quê? Não tenho uma profissão, só aprendi a ser dona de casa! Não sei o que fazer... — Sara recomeçou a chorar.

— Não adianta a senhora ficar chorando. Precisa é encontrar uma maneira de sairmos desta casa! Não suporto mais esta vida! — Telma gritou, indignada.

— Não temos para onde ir. Além do mais, existem homens que, além de bater na mulher, batem também nos filhos... e isso ele não faz.

— Era só o que faltava! Se ele se atrever a bater em mim ou nas crianças, juro que eu mato ele! Eu juro!

— Não fale assim, Telma! Ele, apesar de tudo, é o seu pai. Você tem que respeitar.

— Respeitar?! Não acredito que a senhora pense realmente isso! Não pode ser!

— Claro que pode ser, sim! Os pais, sejam como forem, merecem respeito. Você não pode se esquecer que mora na casa dele e que foi ele quem, além de ter te dado vida, te criou até hoje.

Telma não aceitava o que sua mãe falava, mas sabia que ela tinha razão. Realmente ele a criara, e ela morava na sua casa... Saiu da sala e foi para o quarto em que dormia com os irmãos. Ao deitar-se já estava chorando... *não queria que fosse assim, queria um pai carinhoso. Ele nunca deixou faltar casa e comida, mas nunca nos deu carinho. Quando não está bêbado, não conversa, chega do trabalho, janta e vai dormir. Quando está bêbado, briga por qualquer coisa e bate muito na mãe. Ainda bem que arrumei emprego, sinto que tudo vai mudar...*

Depois de chorar muito, adormeceu.

Conhecendo o trabalho

Na manhã seguinte, ainda não eram seis horas quando ela acordou e olhou várias vezes para o relógio. Não havia dormido muito bem. As horas pareciam não passar. Por um instante, sentou-se em sua cama, na parte de cima do beliche onde ela e seus dois irmãozinhos dormiam, mas em seguida, cuidando para não fazer barulho e acordá-los, desceu de lá. Abriu a porta do guarda-roupa e ficou olhando. Não tinha muita roupa. Sua mãe só lhe comprava um ou dois vestidos por ano. A sorte é que era fim de janeiro e ela tinha ganhado um vestido no Natal. Sabia que o outro, talvez, só viria na Páscoa. Havia outros, dos anos anteriores, mas estavam gastos e tinham perdido a cor original por causa das muitas vezes que foram lavados. Pegou aquele que era o mais novo e olhou para ver se não estava amassado. Era todo branco, com bolinhas vermelhas, com cintura baixa, decote princesa e muito rodado. Era a última moda. Ela havia visto em uma revista, copiou o modelo e dona Zica costurou. Dona Zica costurava toda a roupa da casa, pois comprar pronto, em loja, era muito caro e sua mãe, ela sabia, não tinha como pagar. Foi o que aconteceu quando ela viu aquele vestido verde que estava na vitrine daquela loja, mas sabia que nunca teria dinheiro para comprá-lo. Por isso, ficou feliz com aquele que dona Zica lhe fez. Ao lado do vestido, no guarda-roupa, havia várias anáguas que sua mãe tinha engomado. Olhou para o par de sapatos brancos, que ela ganhou junto com o vestido. Sabia que, assim como o vestido, sapatos, só no próximo ano. Aquele vestido ela só usava quando saía com sua amiga Hortênsia, acompanhada por Sueli, e somente durante o dia. Com o vestido nas mãos, pensou: *Está tudo em ordem. Hoje é o meu primeiro dia de trabalho, preciso causar boa impressão e tenho de aprender tudo o que me ensinarem. Não posso perder esse emprego. Doutor Roberto foi muito gentil e Nara também. Só aquele rapaz parece que não gostou. Quem será ele? Ele é estranho, mas muito bonito. Hoje vou saber. Agora vou tomar um banho e me vestir.*

Tomou banho depressa e, quando terminou de se vestir, olhou para o espelho que ficava na porta do guarda-roupa. Embora só tivesse treze anos, seu corpo estava formado. Alta, com cabelos longos e negros, que deslizavam por suas costas. A única coisa que a entristecia era eles serem lisos, e todas as suas amigas tinham cabelos crespos, facilitava colocarem fitas ou presilhas, o que, nos dela, era impossível. Seus olhos eram grandes, castanhos claros. Era realmente bonita e sabia disso. Vários rapazes tentaram namorá-la, mas nunca quis. Todos eram pobres, e ela queria um que fosse rico, para poder sair daquela casa o mais rápido possível. Se não encontrasse um rapaz rico, ficaria solteira. Não queria ter a mesma vida que a mãe. Após se olhar no espelho, sorriu e foi para a cozinha. Sua mãe estava terminando de coar o café. Seu pai e as crianças continuavam dormindo.

— Bom-dia, mamãe.

— Bom-dia, minha filha. Chegou o dia, tomara que tudo dê certo e que você goste do trabalho...

— Vai dar tudo certo e vou gostar do trabalho, mamãe! Não precisa se preocupar. O doutor Roberto foi muito gentil, disse que vai me dar oportunidade de aprender tudo e que só dependerá da minha vontade. Por isso, sei que vou ficar com esse emprego. Vou aprender e crescer naquele escritório!

— Deus te ajude, mas agora tome o seu café. Precisa ir bem alimentada. Como vai ser o almoço? Não temos dinheiro para você poder comer fora.

— O escritório é aqui perto e vai dar para eu vir almoçar em casa. Isso vai ser bom, porque poderei contar para a senhora como foi a parte da manhã. Agora, diz como estou.

A mãe achou-a linda, só o cabelo ainda precisava de um jeito. A mãe disse isso a ela e, enquanto Telma voltava para o quarto, ainda falou:

— Enquanto isso, vou esquentar, na frigideira, este pão de ontem.

Logo Telma voltou com o cabelo, agora sim, bem penteado. Sentou-se para tomar café. Estava radiante. Terminou de tomar o café, beijou a mãe e saiu.

Caminhou lentamente, era muito cedo. Foi olhando o céu, as árvores, e os pássaros que rodopiavam entre elas. O dia estava lindo. O sol já nascera e demonstrava que seria um dia típico de verão. Enquanto caminhava, pensava em como seria o trabalho: *Ouvi muitas máquinas de escrever e nelas sei que não vou poder trabalhar, pois não estudei datilografia, mas é só questão de tempo, logo poderei me matricular em uma escola e aprender. Com o trabalho, vou ter dinheiro para isso.*

Chegou diante da casa onde era o escritório. Desta vez olhou com mais atenção: *Olhando aqui do lado de fora, não se pode imaginar o quanto ela é grande por dentro. Essa placa é linda! Um dia vou ter uma igual.*

Estava olhando, quando Nara se aproximou:

— Bom-dia, Telma, chegou cedo.

— Bom-dia Nara, parece que cheguei mesmo, estou muito ansiosa e quero começar logo.

— Entendo. Também estava assim no meu primeiro dia e aqui, também, foi o meu primeiro emprego. É ainda um pouco cedo, mas... vamos entrar?

Nara abriu o portão e entrou, Telma a acompanhou. Nara tocou a campainha e um porteiro abriu a porta:

— Bom-dia, Nara.

— Bom-dia, Raul. Esta é a Telma e vai começar a trabalhar com a gente.

— Bom-dia, Telma, sei que vai gostar de trabalhar aqui.

— Bom-dia, Raul. Tenho certeza que sim.

Entraram. Nara fez com que Telma a acompanhasse por aquele corredor que ela já conhecia. Entrou em uma sala que ficava em frente à sala do doutor Roberto. Sentou-se em uma cadeira atrás de uma mesa e mostrou outra à sua frente para que Telma se sentasse também.

Telma obedeceu. Assim que se sentou, Nara disse:

— Vou me casar no mês que vem e vou sair da empresa.

Meu noivo não quer que eu trabalhe mais. Por isso o doutor Roberto está te contratando. Eu trabalho diretamente com ele e vou te ensinar todo o meu trabalho.

— Será que vou conseguir?

— Claro que sim! Não é complicado. Está vendo esta agenda? Nela terá que marcar todos os compromissos do doutor e, no dia marcado, avisá-lo para que não perca nenhum. Ali está o arquivo, vou te ensinar como arquivar documentos, para que, quando ele te pedir algum, você saiba onde encontrar. Você tem datilografia?

— Não, meu pai não tem dinheiro para pagar, você sabe como é caro...

— Sei, sim, mas acho bom que, assim que puder, você faça um curso. No início acho que o doutor não vai exigir, mas com o tempo você vai precisar datilografar alguns documentos.

Estavam conversando, quando o rapaz mal-humorado apareceu na porta.

— Bom-dia.

— Bom-dia, Plínio. Esta aqui é a Telma. Ela está começando hoje e estou lhe ensinando a rotina do trabalho.

— Faça isso, espero que você se dê bem, Telma.

— Pretendo me esforçar — ela respondeu, tremendo por dentro. Aquele rapaz lhe causava mal-estar e ela não sabia explicar o porquê.

Ele se afastou, ela olhou para Nara e perguntou:

— Quem é ele? Parece que está sempre mal-humorado...

— É o Plínio, sobrinho do doutor Roberto. Está fazendo a Faculdade de Administração. Por isso só fica aqui no escritório na parte da tarde ou quando está em férias, como agora. Ele ajuda o tio, que não tem filhos, e também está aprendendo, para um dia ocupar o lugar dele. Ele parece mal-humorado, mas, na realidade, não é. Com o tempo você vai conhecê-lo melhor e verá que é um ótimo rapaz.

— Será mesmo? Não sei se me enganei, mas pareceu tão estranho... mesmo assim é muito bonito...

— Bonito?! Coloca bonito nisso! Todas as moças do escritório estão apaixonadas por ele, mas ele não dá bola para nenhuma delas. Parece que está namorando uma moça muito rica. Alguém aqui do escritório já os viu no cinema. Dizem que ela é muito bonita!

— É mesmo? Como será que ela o agüenta, sempre com essa cara...

— Não sei, mas ele não é mal-humorado, não. Foi impressão sua. Ele é até engraçado e, assim que o conhecer melhor, verá que ele é diferente do que você está pensando. Eu já o conheço há muito tempo.

— Você trabalha aqui há muito tempo?

— Trabalho já há sete anos. Comecei novinha, como você. Só vou sair porque o meu noivo não quer que eu trabalhe mais. Vou te confessar que, quando comecei a trabalhar, também me impressionei com o Plínio. Ele tinha só dezessete anos e estava terminando o colegial. Mas, com o tempo, vi que ele não estava interessado nem mim nem outra qualquer. Só pensava nos estudos. Desisti e hoje ele é um bom amigo. Convenceu o tio a me dar algum dinheiro para o meu enxoval.

Telma ouvia o que Nara lhe contava. Não entendia o motivo, mas não se sentia à vontade na presença de Plínio, diferente de como se sentira na presença do doutor Roberto.

O dia foi passando e o doutor não chegou. Nara foi ensinando o trabalho e Telma se esforçando para aprender. Ela não estava achando difícil, bastava só prestar atenção e isso ela fazia. Em dado momento, perguntou:

— O doutor não vem hoje, Nara?

— Não pela parte da manhã, mas à tarde estará aqui.

Era quase onze horas, quando Nara disse:

— O nosso almoço é das onze horas até o meio-dia. Você vai almoçar aqui?

— Não, minha casa é aqui perto, vou almoçar lá.

— Está bem, eu moro longe, por isso trago marmita. Quando for onze horas, pode ir.

Assim que o ponteiro do relógio marcou onze horas, Telma se levantou e foi para casa. Saiu correndo, queria chegar logo para contar a mãe como havia sido sua primeira manhã de trabalho. Estava eufórica, havia gostado muito. Só conhecera Nara e Plínio e tinha visto alguns dos outros funcionários, mas não teve contato com eles. Sentia, porém, que se daria bem com todos.

Quando chegou em casa, sua mãe já estava com o almoço pronto e ansiosa esperando por ela.

— Então, Telma, como foi o trabalho?

— Por enquanto estou gostando. Ainda não conheci todas as pessoas que trabalham lá, mas as que conheci foram muito gentis.

Nara está me ensinando. Não parece difícil, mas ela acha que eu vou ter que aprender a escrever a máquina.

— Você sabe que não temos como pagar, mas, se o emprego der certo, com uma parte do seu salário, poderá pagar a escola.

— Também já pensei isso, mas agora preciso comer rápido, tenho que estar de volta ao meio-dia.

— Que bom que está feliz, minha filha. Também estou por você. Agora, almoce.

Telma começou a comer, mas não comeu muito, estava alegre e agitada, queria voltar logo para o escritório.

Assim que terminou de comer, saiu imediatamente, não queria chegar atrasada. Quando chegou de volta ao escritório ainda faltavam dez minutos para o meio-dia. Foi até o refeitório, onde algumas pessoas conversavam e outras ainda comiam. Entrou devagar. Nara, assim que a viu, disse:

— Esta é a Telma, pessoal, começou a trabalhar hoje.

Todos se levantaram e a cumprimentaram dizendo seus nomes. Ela foi apertando a mão deles da maneira como o doutor Roberto havia lhe ensinado, mas não conseguia guardar seus nomes. Em seguida, todos foram se encaminhando para o local de trabalho. Ela acompanhou Nara, que continuou lhe ensinando o trabalho e, em dado momento, disse:

— Assim que você ouvir uma campainha, é sinal que o doutor está precisando de você. Deve ir até a sua sala imediatamente. Ele não gosta de esperar. Fica furioso!

— Está bem, não vou me esquecer disso.

Eram quase duas horas, quando ele chegou e foi diretamente para sua sala. Em seguida, Nara e Telma ouviram a campainha. Levantaram-se e foram até a sala dele que, ao vê-las, disse, olhando para Telma:

— Então você veio trabalhar, mesmo?

— Sim, senhor...

— Como ela está se saindo, Nara?

— Está um pouco nervosa, mas sinto que tem capacidade. Estou ensinando e ela parece estar aprendendo.

— Isso é bom. Você sabe que vou sentir muito a sua falta, Nara. Tente convencer seu noivo a deixar que você continue trabalhando. O trabalho é muito importante. Principalmente para a mulher.

— Já tentei, doutor, mas foi inútil. Argumentei que, com o meu dinheiro, poderíamos ter uma vida melhor, mas ele não aceitou. Disse que tem capacidade de cuidar de mim e das despesas da casa. O senhor sabe como é...

— Sei sim, embora não aceite. Um dia, isso vai mudar. A mulher tem a mesma capacidade do homem e é igual a ele. Tem o direito de ter seu próprio trabalho, crescer profissionalmente e ter seu dinheiro. Só assim ela não ficará na dependência do marido. Mas, enfim, se você aceita, que assim seja. E você, Telma, pretende se casar logo?

— Tenho só treze anos, doutor! Não estou pensando em namorado, muito menos em me casar. Tenho muito que aprender. Quero me tornar uma ótima profissional, ter o meu próprio dinheiro e cuidar da minha vida...

— Ainda bem, ao menos, se der certo, você ficará trabalhando aqui por pelo menos uns sete anos, até encontrar o homem da sua vida e se casar. Não é, Nara?

Nara não respondeu, apenas sorriu.

— Agora vocês podem sair. Devem ter muito trabalho.

Elas saíram, Nara continuou ensinando Telma e ela se esforçando para aprender. Sentia que conseguiria. Por uma ou duas vezes, Plínio entrou na sala procurando por algum papel. Telma fingiu não notar. Não entendia bem o motivo, mas seus olhos insistiam em olhar para ele.

Quando deu a hora de sair, ela não queria ir embora. Estava feliz, pois sentia que ali estava o seu futuro.

Saiu acompanhada pelos colegas de trabalho. Assim que eles se afastaram, ela continuou caminhando lentamente. Enquanto caminhava de volta para casa, foi pensando: *Ele é um homem maravilhoso! Pena que é muito velho. Deve ter uns cinqüenta anos. Se não tiver, falta pouco, mas aqueles cabelos grisalhos e os olhos verdes...é mesmo um homem muito bonito. Parece que entende e respeita as mulheres. Está sempre com um sorriso no rosto. Diferente do sobrinho, que parece estar sempre mal-humorado. Como eu gostaria que o doutor Roberto fosse o meu pai...*

Surge o amor

Quase trinta dias se passaram. Telma estava feliz. Sabia que havia feito um bom trabalho. Ao menos, aprendeu tudo o que Nara lhe ensinou. Nos últimos dez dias, a pedido do doutor Roberto, Nara deixou todo o trabalho com ela, queria ver se realmente havia aprendido. Telma sabia que sim, pois Nara não precisou lhe ajudar uma vez sequer. Naquele dia, uma sexta-feira, seria o último dia de trabalho de Nara. E ela se aproximou de Telma:

— Telma, como você sabe, hoje é o meu último dia de trabalho. Vou me casar no próximo sábado e espero que você compareça. Meu pai faz questão de dar uma grande festa. Sabe como é, sou sua única filha.

— É claro que entendo o desejo do seu pai, e, quando eu me casar, também quero uma grande festa. Vou comparecer, sim, mas terei de levar a minha irmãzinha. Tem algum problema? Meus pais não me deixam sair sozinha.

— Problema algum. Só quero sua presença. Nós nos conhecemos há pouco tempo, mas parece que faz uma eternidade. Gosto muito de você, Telma.

— E eu também de você, Nara. Quero te agradecer pelo muito que me ensinou.

— Nem pense nisso. Eu só fiz a minha parte, você foi quem se interessou e aprendeu tudo. O doutor Roberto está muito contente. Ele estava torcendo por você.

— Que bom! Eu realmente me esforcei e vou continuar me esforçando para sempre fazer o melhor.

— Garanto que não vai se arrepender. Aqui terá todas as chances para aprender e crescer profissionalmente. Estou triste por ter que sair, mas não tem outro jeito, meu noivo insiste nisso, e eu não quero começar a brigar antes de casar.

— Entendo, só preciso falar mais uma coisa.

— O que é? Está com alguma dúvida quanto ao trabalho?

— Não, você me ensinou tudo. Só preciso pedir desculpas, pois não vou poder te dar um presente de casamento. Gostaria muito, mas, como você sabe, a minha família não tem dinheiro e eu também não.

— O que é isso? Não preciso de presente! Tenho tudo o que preciso para começar a minha vida. Não se preocupe, só prometa que vai comparecer.

— Claro que vou! Não perderia, por nada, esse dia tão feliz e desejo que essa felicidade dure para sempre.

— Obrigada e, se depender do amor que sinto por ele, sei que vai durar.

Abraçaram-se e voltaram ao trabalho.

Faltava meia hora para o término do expediente. Plínio entrou na sala onde Telma e Nara trabalhavam e, com a voz nervosa, disse:

— Nara, alguma coisa aconteceu com a Marieta. Ela está no refeitório e parece que não está muito bem. Ninguém sabe o que fazer. Pediram que eu viesse te chamar para ver se pode fazer alguma coisa!

— Meu Deus do céu! O que aconteceu com ela?

— Não sei e ninguém sabe, vamos logo, Nara!

Pegou na mão dela e saiu arrastado-a. Telma se levantou e foi atrás deles.

Assim que chegaram ao refeitório, Nara parou na porta e ficou sem coragem de entrar. Uma das mesas estava toda enfeitada com flores brancas e sobre ela, sanduíches e refrigerantes. Os colegas de trabalho, juntamente com doutor Roberto, começaram a bater palmas.

Nara ficou parada sem saber o que fazer ou dizer. Telma abraçou-a por trás e empurrou-a para dentro. Os colegas começaram a abraçá-la e cumprimentá-la pelo casamento. Telma foi até um armário, abriu e, de dentro dele, tirou uma caixa embrulhada em papel de presente e entregou para Nara.

— Você sabe que temos pouco dinheiro e, por isso, cada um deu um pouco e compramos este presente. Esperamos que goste. Fui eu que escolhi.

Nara, chorando, pegou o pacote, colocou-o sobre uma outra mesa e o abriu. Dentro da caixa havia um aparelho de jantar, de uma porcelana muito bonita. Ela, não acreditando que eles tinham feito aquilo, disse emocionada:

— Obrigada a todos, sei que custou muito caro, e é lindo! Jamais imaginei que teria um igual.

Doutor Roberto se aproximou e lhe deu um envelope, dizendo:

— Aí dentro tem dinheiro para que você possa passar sua lua-de-mel em Poços de Caldas. Sei que o sonho de toda moça é passar a lua-de-mel naquela cidade. Aproveite.

— Obrigada, doutor, esse era o meu sonho, mas não tinha condições.

— Não tem o que agradecer, sempre foi uma boa funcionária e gostamos muito de você.

— Espero que todos compareçam ao meu casamento. Ficarei muito feliz.

— Agora, acho melhor começarmos a comer. Estou com fome — disse Plínio, já pegando um sanduíche e um copo de refrigerante.

Telma estranhou aquela atitude partindo dele. Nunca havia visto um sorriso naquele rosto. Parecia uma outra pessoa. Antes que ela dissesse qualquer coisa, ele se voltou para ela e sorrindo, disse:

— Telma, coma um destes sanduíches, está muito bom.

Ainda não acreditando que ele, pela primeira vez, tinha se dirigido a ela, seu coração bateu forte. Estava sentindo algo que não conhecia. Pegou um sanduíche. Os outros, sem nada perceber, também comeram.

Ficaram ali comendo e bebendo até mais de seis horas. Depois, um a um, foram embora. Após todos saírem, inclusive Roberto, Nara, Telma e Plínio saíram também.

— Bem, agora preciso ir embora, meu noivo deve estar preocupado. Está me esperando no ponto de ônibus que fica perto da minha casa. Até sábado, espero vocês dois.

— Eu irei — Plínio disse, enquanto a beijava na testa.

— Também irei, Nara. Pode esperar. Agora vá.

— Boa sorte para você, Telma, e que um dia possa estar tão feliz como estou hoje.

Telma ficou calada, não tinha o que dizer, somente a abraçou e a beijou.

Assim que Nara se afastou, Plínio disse:

— Também preciso ir. Até segunda, Telma.

— Até segunda, Plínio.

Ele se afastou e ela seguiu para o outro lado. Seu coração continuava batendo. Não sabia dizer o que era aquilo, mas sentia-se muito bem.

Chegou em casa. Como sempre, seu pai e sua mãe, estavam novamente brigando. Ela chorava, ele gritava. As crianças não estavam em casa. Telma se irritou, só que, desta vez, ficou calada. Estava impressionada com a atitude de Plínio. Não sabia dizer o que havia acontecido, mas sentia que ele a olhara de um jeito diferente. Foi para o quarto. Queria ficar longe daquela confusão, para pensar em tudo que havia acontecido. *O que será que houve? Por que ele agiu daquela maneira? Nunca me deu atenção. No princípio até que me interessei por ele, mas, vendo que não me olhava, desisti. Ele tem uma boca linda. Seus olhos, então. Não sei, mas acho que estou gostando dele de verdade. Será que ele também está sentindo o mesmo? Não sei, mas espero que sim...* — pensou enquanto se deitava.

Perdida em seus pensamentos, nem percebeu que os gritos haviam parado e que seu pai, como sempre fazia após uma briga, tinha ido dormir. Só se deu conta quando a porta do quarto foi aberta e por ela entrou sua mãe, com as crianças, que se aproximou, dizendo:

— Que aconteceu, Telma?

— Nada, mamãe, mas por que está perguntando isso?

— Você entrou em casa e veio direto para o quarto. Não se incomodou com a nossa briga, como sempre faz.

— Tem razão, mas o meu problema é maior. As brigas de vocês acontecem quase todos os dias, porém o que me aconteceu hoje está me deixando confusa.

— E o que foi, minha filha?

Telma contou tudo. A atitude de Plínio e o que ela estava sentindo.

— Acho que estou amando...

Sua mãe a abraçou e disse:

— Isso que está sentindo se chama descoberta, e você pensa que é amor. Você é muito criança e está sentindo isso pela primeira vez, mas acontecerá outras vezes. Está despertando para esse sentimento. Espero que encontre o seu verdadeiro amor e que ele te faça feliz.

— Não sei se é amor, mamãe, mas estou me sentindo muito bem. Acho que vou gostar dele para o resto da minha vida. Ele é bonito, educado e, ainda, para ajudar, tem muito dinheiro. Sempre achei que me casaria com um homem rico, nem que não gostasse dele, mas com Plínio é diferente. Eu gosto dele e, mesmo que não fosse rico, não teria a menor importância.

— Melhor assim, minha filha. Viver ao lado de uma pessoa de quem não se gosta é muito triste, acho que nem todo o dinheiro do mundo vale o sacrifício.

— A senhora tem razão. Estou preocupada com outra coisa.

— Com o quê?

— Eu não devia ter usado o meu vestido e os sapatos novos no primeiro dia de trabalho.

— Por quê?

— Não tenho outro para ir ao casamento da Nara. O meu vestido, todos já conhecem.

— O que tem isso?

— É uma festa, mamãe! Queria tanto ter um vestido e sapatos novos...

— Sei que queria, mas sabe que não temos dinheiro. Ainda não terminei de pagar as roupas e os sapatos que comprei para vocês no Natal. Não posso comprar outro.

— Pensei que, com o meu salário, eu poderia ter mais coisas.

— O teu salário é pouco. Usei para pagar o seu Joaquim, lá da venda. Sinto muito, minha filha, mas você vai ter que ir ao casamento com o vestido e os sapatos que te dei no Natal. Nara e os outros são seus amigos e não vão se importar com isso. Além do mais, você vai ver que muitas outras colegas de trabalho estarão vestindo roupas conhecidas. A vida está difícil para todos.

— Está bem, mamãe, mas eu queria muito uma roupa nova. Ainda mais agora...

— Agora por quê?

— Plínio está me notando, não queria que ele pensasse que só tenho um vestido...

— Ora, Telma, se ele gostar de você, isso não terá a menor importância. Não se preocupe com isso. Agora durma, amanhã é sábado e você precisa ir à igreja para se confessar e poder comungar na missa de domingo.

— Não sei, mas acho que não tenho pecado...

— Todos sempre têm algum tipo de pecado. Pense um pouco, vai ver que se lembrará.

A mãe beijou sua testa, olhou os meninos dormindo e saiu do quarto, dizendo:

— Agora vou me deitar. Preciso entrar no quarto bem devagar. Se seu pai acordar, vai começar a brigar novamente.

Em outros tempos, Telma ficaria furiosa com a mãe por ser tão submissa, mas naquela noite estava feliz e não queria se aborrecer. Ficou calada, desceu do beliche e trocou a roupa que estava vestindo por um pijama. Voltou a deitar-se e os pensamentos de novo tomaram conta de sua mente... *minha mãe tem razão, mas eu queria tanto um vestido novo... se meu pai não gastasse quase todo o seu salário com bebida e farra, poderia me comprar um vestido novo. Ele diz que só casa e comida já bastam, que não é preciso ter roupa nova, mas eu não concordo com ele. Por que tem que ser assim? Por que não posso ter um vestido novo? Bem, não adianta ficar pensando naquilo que não posso ter. Vou dormir e me conformar que preciso ir com o meu vestido, mesmo. Como minha mãe disse, acho que muitas das minhas colegas de trabalho vão com vestidos que já conheço.*

Fechou os olhos e em pouco tempo estava dormindo.

No sábado ela foi se confessar e no domingo foi à missa. Durante todo o fim de semana ficou em casa. Seu pai bebia quase todos os dias, mas não nos sábados e domingos. Ficava andando de um lado para outro e só parava para ouvir futebol no rádio. Telma não via a hora em que a segunda-feira chegasse. Queria ir para o escritório, encontrar com Plínio e ver se ele a olharia novamente com aquele mesmo olhar.

Surpresa

Na segunda-feira, assim que sua mãe a chamou, ela desceu do beliche, vestiu-se rapidamente e saiu para o trabalho. Enquanto caminhava, não parava de pensar... *Será que Plínio vai falar comigo de novo? Talvez ele só venha à tarde, preciso trabalhar muito para que o dia passe depressa.*

Foi o que fez. Atendeu Roberto e, quando não teve o que fazer, foi até as outras salas para ajudar algum colega. Além de ajudar, sabia que aprenderia um outro tipo de trabalho. Queria entender de todo serviço do escritório, pois desejava crescer profissionalmente.

A manhã passou. Ela foi almoçar e voltou antes da hora. Foi até o banheiro, passou um pó no rosto e batom. Sabia que era bonita, mas queria ficar mais ainda.

Estava distraída, trabalhando, quando ouviu uma voz que já conhecia:

— Boa-tarde, Telma. Tudo bem com você?

Ela levantou os olhos do papel que estava lendo e, com a voz trêmula, respondeu:

— Tudo bem, e com você, Plínio?

— Estou bem. A festa surpresa foi muito boa, não?

— Foi sim, a Nara ficou muito contente.

— Ela merece, é uma boa moça e sempre foi muito dedicada com o trabalho. Tomara que seja muito feliz.

— Tomara mesmo. Parece que eles se gostam muito.

— Isso é muito bom. Bem, agora preciso ir falar com meu tio. Até mais.

— Até mais, Plínio.

Ele saiu, ela engoliu em seco e todo seu corpo tremia. Sabia que ele viria trabalhar à tarde, mas nunca pensou que viria até a sua sala. Ele mal a olhava e só a cumprimentava quando se encontravam por acaso no corredor ou em uma das salas. Seu coração batia forte. Estava abismada, muito feliz, não conseguia deixar de pensar... *ele está mesmo interessado...*

Aquela tarde, por várias vezes, ele foi até sua sala. Telma estava eufórica, sentia que a qualquer momento ele conversaria a sério, mas isso não aconteceu. Antes do término do expediente, ele foi até a sala, despediu-se e foi embora. Ela ficou um pouco decepcionada, mas mesmo assim estava feliz: *Ele vai me pedir em namoro, sinto isso...*

A quarta-feira chegou, o dia do casamento estava perto. Telma estava feliz porque Plínio continuou atencioso e vindo várias vezes até a sua sala. A única coisa que a preocupava era o vestido que usaria no dia do casamento. Nesse ponto estava triste e uma lágrima desceu de seus olhos. Estava enxugando o rosto, quando Roberto entrou:

— Olá, Telma, o que você tem? Está chorando?

— Não, senhor, estou bem.

— Como está bem? Ninguém chora sem motivo. Que está acontecendo?

— Eu sou uma boba, só isso.

— Boba, por quê?

— Não tenho um vestido, nem sapatos novos para ir ao casamento da Nara.

— Só por causa disso está triste e chorando?

— Eu disse para o senhor que era uma boba...

— Não deve chorar por isso. A pessoa deve valer por aquilo que é, não pela roupa que usa.

— Minha mãe também diz isso, mas eu acho que na realidade não é bem assim. Gostaria muito de ir ao casamento com um vestido novo.

— Nem tudo pode ser como se deseja, mas, da maneira que está fazendo seu trabalho e no interesse que está demonstrando em aprender, sei que logo estará recebendo um salário bem maior e poderá comprar todos os vestidos que quiser. Enquanto isso não acontece, não deve se preocupar. Por tudo que conheço da Nara, sei que ela ficará feliz em te ver no casamento e nem notará com que roupa você vai estar. Agora preciso que encontre, e leve até a minha sala, o contrato da empresa do senhor Soares.

— Está bem, doutor, vou levar agora mesmo.

Ele saiu da sala, ela procurou e achou o documento que ele tinha pedido e foi até a sua sala. Quando entrou, ele levantou os olhos do papel que estava lendo e disse:

— Encontrou o contrato?

— Sim, senhor, está aqui.

— Sente-se, precisamos conversar.

Ela estranhou, mas obedeceu.

— Estou contente com seu trabalho. Você é esforçada, inteligente e aprendeu tudo rapidamente, acho que precisa aprender datilografia. Por isso vou matriculá-la em uma escola, mas, para isso, preciso saber se tem tempo disponível.

— Tenho, sim, pode ser à noite, depois que saio daqui.

— Está bem. Assim que a matrícula for feita, aviso você. Espero que aproveite mais essa oportunidade.

— Vou aproveitar! Vou aprender! Obrigada, doutor.

Ela ia se levantar quando ele disse:

— Tem mais uma coisa. Pegue este dinheiro e compre o vestido que quer e os sapatos também.

Ela arregalou os olhos, não acreditando.

— Como? — perguntou, levantando-se.

— É isso mesmo, estou te dando o dinheiro que precisa para comprar a sua roupa. Amanhã à tarde não precisa trabalhar. Vá comprar o vestido e os sapatos que quiser. Se esse dinheiro não der, basta me avisar.

— Doutor... eu não posso aceitar...

— Por que não?

— Não tenho como pagar e não posso ser descontada no meu salário, ele é muito importante para ajudar a minha família, por isso não posso aceitar.

— Se continuar aprendendo como tem feito até agora, quando terminar o seu tempo de experiência receberá um aumento de salário e poderá pagar um pouco por mês.

— Estou aqui há pouco mais de um mês, o senhor acha que eu vou continuar aqui na empresa?

— Durante esse pouco tempo, percebi como é esforçada.

Portanto continuará trabalhando aqui, sim. Não tenho filhos. Tive uma filha e gostaria de poder dar esse dinheiro a ela e vê-la tão feliz como estou vendo você. Mas não posso, ela se foi. E por isso, fico feliz em poder dar a você um vestido que vai fazê-la feliz. Não se preocupe. Só peço uma coisa, não comente com nenhum dos funcionários... se souberem, poderão se sentir no direito de querer também, e seria impossível atender a todos.

Quando terminou de falar, estendeu o dinheiro. Telma, tremendo muito, pegou e viu a quantidade de notas.

— É muito, doutor! Não vou precisar de tanto!

— Você não disse que sua família está passando por um momento difícil? A quantia que sobrar pode usar com ela. Agora, volte ao trabalho.

Ela saiu da sala sem entender muito bem o que havia acontecido. Já em sua sala voltou a olhar para o dinheiro. A quantia era muito alta! Ao mesmo tempo, estava atônita e feliz, pois, com aquele dinheiro, poderia comprar o vestido que havia visto naquela vitrine e namorado por tanto tempo. Poderia comprar um par de sapatos novos e até uma bolsa combinando. Nada mais lhe interessava. Para ela, tudo era fruto do seu empenho no trabalho. Queria que o dia seguinte chegasse logo. Compraria o vestido e poderia ir com ele ao casamento. *Plínio vai me achar mais bonita ainda! Na festa do casamento, sei que ele vai se declarar.*

Guardou o dinheiro e continuou trabalhando. Assim que terminou o expediente, saiu apressada, precisava chegar em casa e contar para sua mãe o que havia acontecido.

Entrou correndo e ofegante em casa. Tanto, que sua mãe se assustou:

— Que aconteceu, Telma? Por que está assim?

— Olhe aqui, mamãe! — disse quase gritando e mostrando o dinheiro.

— O que é isso? — a mãe perguntou abismada.

— É dinheiro, mamãe!

— Estou vendo que é dinheiro, mas o que significa?

— Significa que vou poder comprar um vestido para poder ir ao casamento da Nara!

— O que está dizendo? — a mãe perguntou gritando.

— O doutor Roberto me deu, disse que é para eu comprar o vestido.

— Deu? Você sabe que não pode ser descontada no salário. Precisamos do seu dinheiro.

— Disse que, assim que passar a experiência, vou receber um aumento de salário e vou poder pagar um pouco por mês.

— É uma quantia muito grande!

— Ele disse que, como não tem mais sua filha, quer me ver feliz.

— Não estou entendendo, por que faria isso?

— Não sei, mamãe, também não me importo! Vou poder ir à festa com um vestido novo. Ele também vai me matricular na escola de datilografia. Disse que está muito contente com o meu trabalho e que eu sou inteligente e esperta, por isso está me dando todas as chances para eu aprender sempre mais.

— Tem certeza que é só isso?

— Claro que tenho!

— Ele não te fez nenhuma proposta? Não está interessado em você?

— Não, mamãe! Ele não fez proposta alguma! Ele me julga como se fosse sua filha!

— Não estou entendendo e estou preocupada...

— Preocupada por quê? Por ele estar fazendo aquilo que o meu pai deveria fazer e que não faz porque não tem responsabilidade? Não se preocupa com seus filhos, só pensa na bebida, na farra! E a senhora aceita sem reclamar! O doutor me deu esse dinheiro e vou usar, vou comprar o meu vestido tão sonhado!

— Espere aí! Você é uma criança, não sabe o que está fazendo! Esse homem pode estar te enganando! Vou falar com ele!

— Não vai, não, mamãe! A senhora é que está com maus pensamentos! Ele é um bom homem, estou trabalhando. Ele só está me dando toda chance para que eu aprenda mais e me torne uma profissional! Deveria ficar contente com isso e não ver maldade onde não existe! Além do mais, quero ficar mais bonita para poder impressionar o Plínio! Só ele me interessa! A senhora acha que sou uma criança? Que não sei o que faço? Pois está enganada! Sei muito bem o que quero da minha vida e, pode ter certeza, ela não será igual a sua! Meus filhos não serão criados como os seus foram, pobres, no meio de brigas e bebedeiras! Nunca vou permitir isso!

Telma tocou no assunto que mais doía para sua mãe que, sem argumento, se calou. Sabia que a filha tinha razão. Sabia que sempre fora fraca e, por isso, tinha permitido que seu marido a subjugasse. Começou a chorar e foi para o seu quarto.

Telma também se sentiu mal e pensou: *Ela é a culpada por minha infância infeliz, mas não queria magoá-la. Gosto muito dela e, no fundo, sinto pena. Não devia ter falado aquilo, sei como ela se magoa, mas por que ela fica julgando as pessoas? Doutor Roberto é um homem muito bom.*

Em seguida foi para o quarto. Subiu no beliche, deitou-se e ficou chorando baixinho.

A festa

No dia seguinte acordou cedo. Levantou-se, vestiu-se e foi para a cozinha, onde sua mãe preparava o café. Entrou, notou que a mãe estava com os olhos vermelhos e que tinha chorado muito.

— Bom-dia, mamãe... — disse com a voz baixa.

— Bom-dia, minha filha.

— Desculpe por aquelas coisas que disse e por ter feito a senhora chorar. Eu estava nervosa...

— Não tenho o que desculpar, você tem razão. Eu deveria ter abandonado seu pai há muito tempo, mas não tive coragem. O que mais me dói é saber que você fará qualquer coisa para poder sair desta casa. Tenho medo que cometa o mesmo erro que eu.

— Não se preocupe, mamãe. Isso não vai acontecer. Não penso em me casar, sei que ainda sou muito nova e, quando me casar, será com um homem que, além de rico, será bom. Fiquei nervosa porque a senhora estava julgando o doutor Roberto sem o conhecer. Ele é bom com todos funcionários. Eu não contei que ele deu a viagem de lua-de-mel para a Nara?

— Talvez você tenha razão, mas fiquei com medo. Você é jovem e pode se deixar envolver por um homem experiente.

— Não se preocupe, nada de mal vai me acontecer. Sei muito bem o que quero da minha vida.

— Se ele te fizer alguma proposta, vai me contar?

— Claro que sim, mas pode ficar tranqüila, ele não vai fazer. É casado e me disseram que sua mulher, apesar de ter a mesma idade que ele, é uma mulher muito bonita.

— Está bem, mas tome o café, senão vai se atrasar.

Telma tomou o café, beijou a mãe e foi para o trabalho. Na hora do almoço, saiu e avisou que não voltaria à tarde. Nem foi para casa, queria chegar logo na loja e comprar o seu vestido. Abriu a bolsa, olhou o dinheiro que estava nela e pensou: *É muito dinheiro! Nunca vi tanto assim!*

Foi correndo para a loja onde havia visto aquele vestido verde. Quando chegou em frente à vitrine, parou e ficou olhando. *Ele é lindo! Como sonhei com ele... não acredito que vou entrar nessa loja e comprar esse vestido tão lindo...*

Entrou na loja. A balconista veio ao seu encontro.

— Pois não, posso lhe ajudar?

— Pode, sim. Quero aquele vestido que está na vitrine.

A balconista a olhou de cima a baixo e perguntou desconfiada.

— Aquele?

— Sim, aquele! — Telma respondeu, sem perceber o olhar desconfiado da moça.

— Ele é muito caro...

— Quero comprar! Pode, por favor, pegar.

— Está bem, será que vai servir?

— Vai, tenho certeza.

— Está bem, vou pegar.

A balconista, um pouco descrente, foi até a vitrine e trouxe o vestido. Telma seguiu-a com os olhos. A balconista entregou o vestido para Telma, que o pegou e levou-o até o rosto, encostando-o na pele, passando bem devagar e sentindo o seu cheiro. Nem a balconista nem ninguém entenderia o que ela estava fazendo.

E, olhando para ela com jeito mesmo de quem não entendeu nada, a moça apontou o provador e Telma se encaminhou para ele levando o vestido. Vestiu-o e parecia que ele havia sido feito para ela, que ficou se olhando no espelho, virando de um lado para outro. Ficou de costas e, sobre os ombros, olhou para trás: *Está perfeito! Eu sabia que ia ficar muito bom! É realmente muito lindo! Não acredito que estou vestida com ele e que vai ser meu!*

Ficou se olhando por um bom tempo, até que a balconista, preocupada, perguntou:

— Está tudo bem aí? O vestido serviu?

Telma voltou à realidade, sorriu e abriu a cortina do provador. A balconista não conteve o espanto:

— Ficou muito bom! Parece que foi feito para você!

— Também achei. Agora vou tirar e saber o preço.

Voltou ao provador, trocou de vestido e saiu com ele no braço. A balconista a encaminhou até o balcão. Disse o preço, acreditando que ela não teria como pagar. Telma tirou da bolsa o dinheiro e pagou. A moça embrulhou-o e deu o pacote para ela que, feliz, saiu levando o seu tesouro. A moça acompanhou-a com os olhos. Ainda aturdida, pensou: *E eu que, quando ela entrou na loja, pensei que com aquele jeito de pobre nunca poderia ter um vestido como aquele. Ainda bem, a minha comissão vai ser grande, mas de uma próxima vez preciso tomar mais cuidado, as aparências enganam. Eu poderia ter perdido essa cliente.*

Saindo dali, Telma foi até uma loja de sapatos. Entrou e pediu para experimentar um que já havia visto e que tinha gostado muito. Serviu como uma luva, e ia ficar lindo com o vestido. Aproveitou e comprou, também, uma bolsa que combinava com os sapatos. Contou o dinheiro que sobrou. Ainda tinha muito. Voltou à loja onde havia comprado o vestido. A balconista, ao vê-la, perguntou assustada:

— Voltou para devolver o vestido?

— Não, vim comprar aquela gargantilha com pedrinhas brilhantes e os brincos também.

A balconista respirou aliviada. Pegou na vitrine do balcão a gargantilha apontada por Telma e ajudou-a a colocá-la no pescoço. Telma experimentou também os brincos e, outra vez, olhou-se no espelho e sorriu... *sei que não são jóias verdadeiras, mas não tem importância, são lindas! Depois que colocar o vestido, os sapatos, a gargantilha e estes brincos, vou ficar muito bonita! Tenho certeza que Plínio vai se declarar! Ele não vai resistir...*

Saiu dali levando vários pacotes. Estava feliz, precisava chegar logo em casa para mostrar tudo à sua mãe.

Chegou em casa. Ainda era muito cedo e seu pai não havia chegado. Passou correndo pela mãe, dizendo:

— Espere um pouco, mamãe, já volto!

Correu para o quarto, colocou os pacotes sobre a cama de baixo. Tirou toda a roupa e colocou o vestido novo. Com o vestido, os sapatos, a gargantilha e os brincos, voltou para a sala. Sua mãe não se conteve:

— Filha, você está linda!

— Estou mesmo, não é?

— Parece uma princesa!

— Que bom que a senhora gostou! Agora sim, vou poder ir ao casamento sem me preocupar. Estou muito feliz!

— Que bom, minha filha! Que Deus te abençoe!

— Quem me abençoou foi o doutor Roberto, mamãe! Deus não teve nada a ver com isso!

— Não fale assim! Deus sempre está ao nosso lado e ajudando a gente!

— Se a senhora quiser acreditar nisso, está bem.

Andou pela sala de um lado para outro. Seus irmãos entraram correndo. Sueli, ao vê-la, disse espantada:

— Telma, como você está bonita!

Telma não resistiu, pegou a menina no colo e começou a chorar. A menina não entendeu por que ela chorava e, com a voz trêmula, perguntou:

— Por que você está chorando? Você está tão bonita!

Telma começou a rir e, entre lágrimas e risos, disse:

— É de felicidade, Sueli! Muita felicidade!

Depois voltou para o quarto e tornou a tirar vestido. Pegou o dinheiro que havia sobrado e foi ter com a mãe, que estava sentada, esperando por ela.

Entrou com o dinheiro na mão e disse, sorrindo:

— Este dinheiro sobrou, mamãe, é para a senhora.

— Esse dinheiro é seu!

— Comprei tudo que queria e não preciso de mais nada. Pode usar como quiser. Acho que a senhora também precisa de um vestido novo. Sempre usa todo o dinheiro que tem para comprar coisas para nós e nunca pensa na senhora.

— Obrigada, minha filha. Que Deus continue te abençoando.

Desta vez Telma não respondeu. Na realidade não acreditava muito em Deus. Ela via tanta desigualdade no mundo. Pessoas ricas e saudáveis, enquanto outras eram pobres e doentes. Suas amigas tinham pais carinhosos e nenhum deles bebia ou batia em suas esposas, enquanto o dela era pura violência. Só ia à igreja por que sua mãe, que era muito religiosa, queria.

Sara estava guardando o dinheiro, quando seu marido chegou. Ele, ao ver Telma em casa àquela hora, estranhou.

— Por que está em casa, Telma? Perdeu o emprego?

Telma percebeu que ele estava bêbado. E sabia que, quando ele estava assim, não podia irritá-lo, pois logo começaria uma briga... e ela estava feliz demais para se aborrecer; respondeu:

— Não, o expediente terminou mais cedo.

Em seguida foi para quarto. Empoleirou-se em seu beliche e ficou pensando na festa. Ouviu seu pai falando alto, mas não se importou. Seu único desejo era que o dia da festa chegasse logo.

Finalmente o dia chegou. Logo pela manhã, foi até uma cabeleireira do bairro, fez um penteado apropriado para um casamento e pintou as unhas. Voltou para casa e olhou novamente tudo o que havia comprado, pensou: *Está chegando à hora! Sei que Plínio vai se admirar quando me ver. Ele nem imagina que vou estar tão bonita...*

Na igreja, Telma estava sentada em um dos bancos, acompanhada por Sueli que usava o vestidinho que havia ganhado no Natal e que ninguém conhecia.

Eram seis horas e quinze minutos quando Nara entrou. Estava linda, não só pela beleza do vestido, mas por seus olhos, que brilhavam muito, demonstrando a felicidade que estava sentindo. Seu noivo, que há muito tempo a esperava, ao vê-la entrar, sorriu aliviado. A igreja estava toda enfeitada e com muitos convidados.

Ao ver Nara entrando, Telma se levantou e ficou olhando a amiga que vinha bem devagar, ao compasso da marcha nupcial. E não se conteve. Uma lágrima, causada pela emoção, escorreu pelo seu rosto. Ela havia chegado quinze minutos antes das seis horas. Roberto chegou um pouco depois. Estava sozinho. Ela ficou procurando por Plínio, mas não o encontrou. Após a cerimônia, Nara começou a sair e a caminhar pelo corredor da igreja. Assim que saísse, receberia os cumprimentos. Depois, os convidados iriam para a casa dela onde se realizaria a festa. Enquanto os noivos eram cumprimentados e Telma esperava a sua vez, Roberto se aproximou e disse:

— Você está muito bonita, Telma!

— Obrigada, doutor, mas o senhor sabe que é o responsável por isso!

— Nada disso. Se você não fosse tão bonita como é, roupa alguma faria esse milagre. Você pode estar vestida de qualquer maneira e sempre estará bonita.

Telma sentiu o sangue subir ao seu rosto, sabia que ele estava vermelho. Lembrou-se do que sua mãe havia dito, sobre as intenções dele. Ficou sem saber o que dizer, apenas sorriu. Chegou a sua vez de cumprimentar os noivos, fez isso e afastou-se. Roberto foi o próximo e, depois dos cumprimentos, acompanhou-a.

— Como você vai até a festa, Telma?

— Preciso tomar um ônibus.

— Nada disso! Você vem comigo no meu carro. Uma moça bonita como você não pode ficar andando de ônibus, muito menos quando está indo para uma festa.

— Estou com minha irmãzinha.

— Qual é o problema? Ela vem conosco.

Telma olhou para as pessoas que se aglomeravam nos poucos carros que estavam ali. Viu que alguns de seus companheiros de trabalho entravam neles. Percebeu que não haveria lugar para ela e Sueli. E, com sinceridade, não tinha vontade alguma de entrar em um ônibus, ainda mais vestida daquela maneira. Sorriu, dizendo:

— Está bem, vou com o senhor e obrigada pela carona.

Ele mostrou onde estava o carro. Viu uma das funcionárias que olhava os carros para ver se tinha um lugar.

— Marieta! Venha para o meu carro.

A moça sorriu e, agradecendo, entrou no carro. Outros dois rapazes vendo que havia mais lugares, se aproximaram. Roberto, ao vê-los, convidou-os para que entrassem também. Em poucos minutos todos conversavam alegremente. Telma percebeu a felicidade dos companheiros e pensou: *Sou mesmo uma cretina! Como pude pensar que ele estava com outras intenções? Ele é gentil com todos. Minha mãe me confundiu com aquela conversa.*

— Doutor, o senhor veio sozinho? — perguntou Marieta.

— Sim, minha mulher não estava se sentindo bem. Plínio não pôde vir para a cerimônia, mas virá para a festa.

Ao ouvir aquilo, no íntimo, Telma exultou de felicidade: *Ele vem! Estava preocupada, pensei que não viesse e, assim, que não estivesse interessado. Mas não! Ele está chegando! Quero ver a sua cara quando me vir vestida assim!* — Telma pensou, enquanto seu coração batia tanto, que parecia querer sair pela boca.

Quando chegaram à casa de Nara, a festa já estava animada. As pessoas riam felizes. O quintal, nos fundos da casa, estava coberto por uma lona, caso chovesse. Havia muito chope, refrigerantes e sanduíches de pernil com molho de cebola, tomate e pimentão. No centro de uma mesa, estavam um bolo enorme, docinhos para todos os gostos e uma garrafa de champanhe que seria aberta na hora em que o bolo fosse cortado. Tocava uma música alegre e as pessoas dançavam. Nara estava radiante e, abraçada ao noivo, atendia todos os convidados. Telma ficou junto a um grupo de colegas do escritório. Roberto também ficou ao lado deles e, com um copo de chope na mão, conversava com todos, nem parecendo ser o patrão. Telma conversava, mas não tirava os olhos da porta por onde Plínio deveria entrar.

Estava olhando quando viu Nara entrando por aquela porta. Ela vinha sorrindo e apontando para eles. Por de trás de seus ombros, pôde ver o rosto de Plínio que sorria. Sentiu seu corpo estremecer e seu coração bater forte, daquela maneira que sempre acontecia quando ela o via.

Nara se aproximou, dizendo:

— Viu, Plínio, não te disse que estavam todos aqui?

Plínio saiu de trás dela e respondeu:

— Estou muito feliz por estarem aqui e, pelo que parece, estão muito bem. Titio, o senhor sabe que não pode beber muito, cuidado...

— O que é isso, Plínio? As pessoas vão pensar que sou um alcoólatra!

— Não estou dizendo isso! Sei que não bebe, mas sabe que precisa ter cuidado com a pressão.

— Sei disso, mas hoje é um dia especial.

Por detrás de Plínio, apareceu uma linda moça, que tocou em seu ombro. Ele se voltou, abraçou-a e disse, sorrindo:

— Esta é Luísa, minha noiva. Foi por causa dela que me atrasei.

— Ela é muito linda, Plínio! — disse Marieta.

A moça ficou encabulada. Ele disse entusiasmado:

— Se não fosse, não seria minha noiva!

— Pretendem se casar logo?

— No fim do ano, estamos reformando nossa casa.

— Que bom, parabéns! Está na hora de comerem. Luísa, você quer um refrigerante? — Nara perguntou, pegando em seu braço.

— Gostaria muito. Está fazendo calor.

— Então venham, eu mesma vou servir vocês.

Nara saiu levando pela mão Luísa e Plínio.

Telma acompanhou-os com os olhos. Estava nervosa e sem saber o que fazer. Havia sonhado tanto com aquele dia e, naquele momento, parecia que o chão lhe faltava sob os pés.

— Preciso ir embora — disse, aproveitando para pegar Sueli que passava correndo.

— Mas ainda não são nem nove horas, Telma — disse um dos companheiros, aturdido com a atitude dela.

— Preciso ir, minha irmãzinha está com sono.

— Não estou, não! Quero comer bolo! Parece que está muito gostoso! — disse Sueli, tentando escapar da mão de Telma, que a segurava

— Não podemos esperar, sabe que não podemos chegar tarde. Senão o papai vai brigar... e você não quer isso, quer? — Telma disse, nervosa.

A menina pareceu entender, não sabia dizer o porquê, mas sabia que a irmã queria ir embora. Amuada, respondeu:

— Não quero que ele brigue, não...

— Por isso a gente vai ter que ir embora.

Antes que alguém dissesse alguma coisa, Telma, segurando Sueli pela mão, saiu, dizendo:

— Preciso, mesmo, ir embora. Na segunda-feira vocês me contam como foi o resto da festa.

Despediu-se de Nara e do noivo, que lamentaram ela ter de ir embora. Todos ficaram tristes, mas perceberam que não tinham o que fazer. Voltaram para o chope e o sanduíche.

Na rua, Telma não se conteve e começou a chorar.

— Você está feliz de novo, Telma? — Sueli perguntou.

— Não, Sueli. Desta vez é de tristeza mesmo...

Estavam já a uns poucos metros do ponto de ônibus, quando ouviu uma voz.

— Como você vai para casa, Telma?

Ela se voltou. Era Roberto.

— De ônibus — respondeu, passando as mãos pelos olhos e enxugando as lágrimas.

— Você está chorando? O que aconteceu?

— Não é nada, só que estou com muita dor de cabeça...

— Para estar chorando, a dor deve estar muito forte e isso

não é bom. Para doer assim, deve ser um problema sério. Precisa ir ao um médico!

— Vai passar, doutor. Estou acostumada.

— Mesmo assim, seria bom consultar um médico...

— Vou fazer isso. Agora preciso ir. Boa-noite, doutor.

— Nada disso, onde você mora?

— Perto do escritório.

— Vou te levar.

— Não precisa, o ônibus pára na esquina da minha casa.

— Mesmo assim, a essa hora uma moça não deve andar sozinha, é perigoso.

— Estou com a minha irmã!

— Não tem mais conversa, entre no carro e vamos embora. Eu nunca deixaria uma moça andar sozinha à noite. Entre — enquanto falava, abriu a porta da frente do carro.

— Ainda é muito cedo! O senhor não vai ficar na festa?

— Não, eu já estava indo embora. Só vim por causa da Nara, mas já estou velho para festas. Entre.

Telma percebeu que ele não a deixaria ir embora sozinha com a irmã. Fez com que Sueli entrasse e depois a seguiu. Ele deu a volta, entrou, ligou o carro e acelerou. Durante o caminho, foram conversando sobre o casamento e a festa.

— Eu gosto muito de casamentos, Telma. Acho uma cerimônia bonita. O próximo será do Plínio. Parece que vai ser uma grande festa. Ao menos ele e a noiva estão planejando muito bem.

Aquelas palavras entraram como espinhos no ouvido de Telma. Ela não aceitava que Plínio fosse se casar com outra. Outra vez uma lágrima começou a cair e ela, rapidamente, enxugou-a. Roberto, que prestava atenção ao trânsito, não percebeu e continuou falando. E ela, triste, só concordando com ele ou respondendo às suas perguntas. Queria que sua casa chegasse logo, precisava ficar sozinha para poder chorar à vontade.

O carro passou pelo escritório, que ficava na rua principal do bairro em que Telma morava. Ela foi ensinando o caminho, entrou por uma travessa, depois por outra até chegar em sua casa. Roberto estacionou, ela e Sueli, desceram.

— Boa-noite. Espero que sua dor de cabeça passe e que fique logo bem — ele disse, enquanto elas desciam.

— Vou ficar, doutor, e obrigada por tudo. O senhor está sendo mais que um pai.

— Não tem o que agradecer, se está feliz, também fiquei feliz em poder te ajudar! Até segunda.

Assim que elas desceram, ligou o carro e foi embora. Telma, segurando Sueli pela mão, entrou em sua casa, que ficava nos fundos do quintal e, por esse motivo, sua mãe não ouviu o barulho do carro. Assim que elas entraram, a mãe estranhou:

— Já chegaram? Tão cedo! Que aconteceu, Telma, a gente não tinha combinado que você ia ficar até as onze horas e que eu ia te esperar no ponto do ônibus às onze e meia?

— Não aconteceu nada, mamãe. A festa estava muito chata e eu quis vir embora.

— Estava chata nada! Eu estava brincando e gostando muito! Não sei por que você quis sair de lá, Telma! — Sueli gritou, quase chorando.

Sem responder, Telma foi correndo para o quarto. Sara, preocupada, foi atrás. Telma, por mais que quisesse, não conseguia parar de chorar.

— Que aconteceu, Telma? Por que você está assim?

Vendo que a mãe estava preocupada e que não a deixaria em paz, entre soluços, contou tudo. A mãe ouviu e, quando Telma terminou de falar, abraçou-a e disse, sorrindo:

— Foi isso que aconteceu? Ora minha filha, não fique assim, hoje você está triste, mas vai ver que tudo vai passar. Logo vai aparecer um outro rapaz e você vai esquecer esse.

— Nunca vou esquecer! É o homem da minha vida!

—Todas as mulheres já passaram por isso! Daqui a algum tempo, você vai ver que tenho razão e que, muitas outras vezes, vai dizer que encontrou o homem da sua vida...

— Se aconteceu isso com a senhora, por que se casou com meu pai? Não apareceu outro? — perguntou com ironia.

— Apareceu sim, mas eu achei que era ele. Talvez não tenha sido uma boa escolha, mas está feito. No final foi bom, porque ele me deu vocês três, o que me torna muito feliz.

— A senhora pode ser feliz, mas eu não! Se meu pai fosse um homem rico, como deve ser o pai daquela moça que Plínio está namorando, com certeza ele teria me escolhido! Como ele ia querer uma pobretona como eu?

— Todos sabem que rico não se mistura com pobre, mas, se ele gostar de você, isso não vai importar. Agora trate de dormir, amanhã será outro dia. Boa-noite, minha filha. Durma bem.

Antes que Telma dissesse qualquer coisa, Sara saiu do quarto. Sabia que, para Telma, o que aconteceu naquela noite parecia ser o fim do mundo, mas também sabia que não era, pois a filha era muito criança, e havia coisas que só o tempo poderia ensinar.

Na manhã do domingo, como sempre fazia, Telma foi à igreja. Lá, enquanto assistia a missa, chorou o tempo todo. Voltou para casa e ficou a maior parte do tempo em sua cama. Não conseguia deixar de se recordar de Plínio ao lado da noiva.

Ela estava no quarto, chorando, quando Sara entrou e disse com ar preocupado:

— Telma, você não pode continuar assim. Não quis comer e isso vai te fazer muito mal.

— Não estou com fome. Será que a senhora não consegue entender que estou sofrendo!

— Entendo sim, mas ficar sem comer não vai te ajudar a afastar a dor. Acho melhor você não voltar mais para o escritório. O dinheiro que recebe ajuda muito, mas acho melhor ficar distante desse moço. A presença dele só vai te fazer sofrer.

— Não voltar ao escritório?! Não trabalhar?! Não, mamãe, não posso fazer isso! Gosto do meu trabalho!

— Sei disso, mas sabe que vai ter que ver esse rapaz todos os dias. Não vai sofrer muito?

— Acho que vou, mas preciso trabalhar. Vai ser difícil arrumar outro emprego como esse! Estou tendo a oportunidade de aprender muito. Não vou mais olhar para ele. Agora será como antes. Só vou conversar o necessário. Depois de chorar tanto, eu o estou detestando!

— Pelo que me contou, ele nem sabe que você está gostando dele. Ele nunca disse que queria namorar ou que gostava de você...

— Nunca mesmo! Mas, mesmo assim, estou com muita raiva! Nunca mais vou conversar com ele, a não ser sobre o trabalho!

— Está bem, mas, se ficar difícil, largue o emprego. Conseguirá outro...

— Não vou sair do escritório, mamãe! Não vou!

Sara beijou-a na testa e saiu do quarto. Telma continuou o

resto do domingo nervosa, sem querer conversar com ninguém e o tempo todo pensando... *Minha mãe pode ter razão. Não sei qual vai ser a minha reação quando encontrar Plínio. Preciso me preparar e fazer de conta que nada aconteceu e entender que ele não teve culpa, só eu fui culpada. Imaginei algo que não existia.*

Depois de algum tempo, adormeceu.

A proposta

Na segunda-feira acordou cedo. Durante a noite, decidira que só ia pensar no trabalho. Sabia que havia imaginado um romance que, na verdade, só existiu em sua imaginação. Vestiu-se e foi para o trabalho. Quando chegou, encontrou os colegas comentando o casamento, a festa e como Nara estava bonita. Assim que a viram, Marieta se adiantou:

— Bom-dia, Telma. O que aconteceu realmente? Por que você foi embora tão cedo?

— Meu pai não gosta que eu saia de casa muito menos que chegue tarde. Foi um custo deixar eu ir ao casamento.

— Você estava muito bonita! Seu vestido é lindo!

— Muito obrigada, mas é sim, eu o namorei por muito tempo. Bom, gente, agora está é na hora de começar a trabalhar. Vou para minha sala, tenho muito trabalho.

Todos concordaram. Assim que entrou na sala, Telma sentou-se e começou a trabalhar. Sempre que a figura de Plínio surgia em seu pensamento, ela fazia um esforço enorme para esquecê-lo e concentrar-se no trabalho.

A manhã passou. Ela foi para casa almoçar e disse para a mãe que tudo estava bem. Voltou para o trabalho. Sabia que à tarde seria mais difícil, pois Plínio viria para o escritório. Roberto também não veio na parte da manhã. Deveriam chegar juntos.

Estava trabalhando quando viu Plínio entrando na sala:

— Boa-tarde, Telma. Está tudo bem?

Ela sentiu novamente o corpo estremecer e o sangue subir para seu rosto. Conseguiu se controlar e respondeu:

— Tudo bem. Deseja alguma coisa?

— Não, só vim ver como você está e dizer que estava muito bonita na festa.

Ela não esperava por aquilo, nervosa disse:

— Obrigada, também achei o meu vestido muito bonito.

— Eu queria falar com você, mas não pode ser aqui. Que tal a gente se encontrar na lanchonete, lá na praça?

— Falar?! O quê?

— Já disse que não pode ser aqui. Vou ficar te esperando lá na lanchonete às seis e quinze.

— Não vou poder ir, tenho horário para chegar em casa.

— Não vai demorar. Pode dizer que fez hora extra.

— Não costumo mentir.

— Não é mentira, é só uma desculpa.

— Não, não posso ir.

— Vou ficar te esperando até as sete, se não chegar, vou embora e nunca mais toco nesse assunto.

— Não precisa esperar, não tenho o que falar com você.

— Vou ficar esperando — disse, enquanto saía, piscando um olho.

Assim que ele saiu, Telma, abismada, se levantou e encaminhou-se para a porta, mas parou... *O que é isso? O que ele quer comigo? Não vou coisa nenhuma! Não vou mesmo! O melhor que tenho a fazer é voltar para o meu trabalho e, assim que terminar o expediente, vou embora!*

Voltou a sentar-se, mas não conseguiu mais se concentrar no trabalho. A curiosidade de saber o que Plínio queria falar não saía de seu pensamento, mas decidiu: *Não vou! Não me interessa mais! Ele pode ficar esperando o tempo que quiser! Não quero me iludir outra vez.*

A campainha tocou, ela se levantou e foi rapidamente para a sala de Roberto. Assim que entrou, ele perguntou:

— Está tudo bem, Telma? A dor de cabeça passou?

— Passou, sim, e estou muito bem.

— Que bom! Acabei de chegar. Como estão as coisas aqui no escritório?

— Está tudo bem, só telefonou o senhor Magalhães. Disse que precisa conversar, urgente, com o senhor.

— Não disse sobre o que quer falar comigo?

— Não, senhor. Só pediu que eu lhe desse o recado.

— Vou telefonar. Obrigado, pode voltar para sua sala.

Ela saiu, voltando para sua sala. Precisava terminar mais um trabalho ainda pendente. Apesar de ter que afastar o pensamento de Plínio, conseguiu terminar. Entregou para Roberto e, como eram seis horas, foi embora para casa.

Assim que chegou na rua, viu que o carro de Plínio não estava ali. *Será que ele está me esperando, mesmo? O que ele tem para me falar? Vou passar pela lanchonete, só para ver se ele está lá.*

Foi para a lanchonete. Ela ficava do lado oposto ao da sua casa. Enquanto se encaminhava para lá, foi pensando: *Vou passar bem depressa só para ver. Mas, e se ele estiver lá, o que vou fazer? Acho melhor não ir. Mas, se não for, não ficarei sabendo...*

Deu alguns passos... e parou. Sentia uma vontade enorme de ir, mas tinha medo que ele a visse. Foi até a esquina e voltou várias vezes, até que decidiu: *eu vou, preciso saber se ele está lá. Não vou conversar com ele, só vou ver se está lá e pronto...*

Estava indo bem devagar, quando viu Plínio caminhando em sua direção. Quis voltar, mas ele alongou o passo e segurou-a pelo braço.

— Espere, sabia que você não ia resistir à curiosidade. Não tenha medo do que vou te falar, sei que te deixará feliz.

— Estou curiosa, mesmo. Não consigo imaginar o que tem para falar comigo.

— Quer ir para a lanchonete ou prefere andar um pouco?

— Tanto faz, não posso demorar muito.

— Então, vamos até a lanchonete, ou melhor, podíamos pegar o meu carro e irmos para um outro lugar.

— Outro lugar, por quê?

— Aqui é muito perto do escritório, e alguém pode passar e nos ver.

— O que tem isso? Não estamos fazendo nada.

— Sei disso, mas as pessoas têm muita maldade, podem pensar coisas erradas.

— Que coisas? Só vamos conversar!

— Está bem, vamos para a lanchonete.

Assim que se sentaram, ele perguntou:

— Quer comer ou beber alguma coisa?

— Não, só preciso saber o que você tem para falar.

— Precisamos pedir qualquer coisa.

— Está bem, quero um refrigerante.

Ele pediu dois refrigerantes. Enquanto o garçom foi buscar, Telma perguntou:

— O que você quer falar comigo?

— Desde que a vi, no primeiro dia em que a recebi na porta e pedi os seus documentos, fiquei muito impressionado com sua beleza.

— Você?! Mal me olhou!

— Claro que olhei. Só não demonstrei, porque sei que não posso me envolver com funcionárias. Quando comecei a trabalhar no escritório, meu tio deixou isso bem claro.

— Por que está me dizendo isso agora?

— Desde o dia da festa surpresa, a que fizemos para a Nara, fiquei com vontade de falar com você, mas não tive coragem. No dia do casamento, você estava tão linda que quase não resisti.

— Não estou entendendo. Você é noivo!

— Fiquei noivo antes de te conhecer...

— O que está querendo dizer?

— Que estou apaixonado e quero que seja minha namorada.

— Está louco? E a tua noiva?

— Se você me aceitar, desmancho o noivado.

— Não é verdade! Você mesmo disse que vai se casar no fim do ano e que está reformando a sua casa!

— Eu ia, mas se me aceitar, não vou mais.

— Não posso me casar, só tenho treze anos!

— Não estou pedindo para se casar comigo agora! Sei que só tem treze anos, mas parece ter mais e é muito bonita. Vamos só namorar e teremos muito tempo para nos conhecer. Você também pode me conhecer melhor.

— Está dizendo que vai desmanchar o noivado?

— Depende só de você...

— Não consigo acreditar!

— Estou dizendo que depende só de você. Estou realmente muito apaixonado. Se ficar comigo, garanto que não se arrependerá. Desmancho o meu noivado.

— Não pode fazer isso! Tudo já deve estar preparado, pelo que soube, só falta a casa ficar pronta.

— Tudo isso foi antes de te conhecer! Será que não entende isso? Agora que te conheci, não posso mais me casar com alguém que eu não ame. É de você que eu gosto, Telma!

— Está mesmo falando a verdade?

— Claro que estou, sei que você sabe que é muito bonita...

— Lógico que sei, tenho espelho!

— Então, por que a desconfiança?

— Não sei... não sei...

— Não precisa responder hoje. Tem dois dias para pensar. Está bem assim?

— Está, vou pensar — disse, aturdida.

— Só tem uma coisa.

— O quê?

— Não comente com ninguém lá no escritório.

— Por que não?

— Se meu tio souber que estou apaixonado por você, não permitirá mais que eu continue no escritório. Ele me avisou que não quer que eu me envolva com ninguém lá do escritório.

— Está bem, não vou contar, mas também não sei se vou aceitar essa proposta.

— Pense bem. Sei que não se arrependerá.

Ela se levantou e, enquanto saía, disse:

— Agora vou embora. Estou atrasada, se não chegar na hora, minha mãe fica preocupada.

— Está bem, fico ansioso, esperando a tua resposta. Durma bem, meu amor.

Calada, saiu apressada, mas aos poucos foi diminuindo os passos. Precisava pensar em tudo o que havia acontecido. Não estava entendendo, mas também não queria entender. Estava feliz e pensava: *Sabia que ele me amava! Vi em seus olhos. Sou a mulher mais feliz deste mundo! Ele me ama mesmo, se não fosse assim, não desmancharia o noivado. Não sei o que fazer, se eu contar para minha mãe, ela não vai concordar. Minha vida está se transformando! Encontrei o homem da minha vida, que, além de ser muito bonito, é rico e poderá me dar tudo o que eu quiser! Será que isso está acontecendo mesmo? Claro que está! Ele falou com tanta sinceridade! Se estivesse mentindo eu perceberia...*

Com esses pensamentos enchendo seu coração de alegria, chegou em casa. Sara já estava preocupada, e Telma procurou não demonstrar o que estava sentindo.

— Como foi o dia, Telma? Conversou com o Plínio?

— Não, eu disse para senhora que tudo voltaria a ser como antes.

— Ainda bem, é melhor você ficar distante desse moço. Ele não sabe o que você está pensando. Vai se casar e você continuará levando sua vida. Logo aparecerá outro, você vai ver...

— Não sei se conseguirei gostar de outro como gosto dele. Ele é o amor da minha vida...

— Vai gostar, sim, não só de outro, mas de muitos mais. Agora vamos jantar! — disse Sara, sorrindo.

Telma foi para o quarto. Deitada em sua cama, ficou pensando: *Eu deveria contar para minha mãe o que aconteceu. Mas ela não vai entender. Vai dizer que ele está mentindo, mas sei que Plínio falou a verdade! Ele me ama mesmo!*

Estava distraída com seus pensamentos, quando ouviu o barulho de uma batida forte sobre a mesa e seu pai gritando:

— Já disse que não quero que você saia de casa, Sara! O Didi do bar disse que te viu no armazém!

— O que tem isso, Sílvio? Fui até o armazém comprar arroz e um pouco de batata para o jantar, que estavam faltando. Não fui a nenhum outro lugar...

— Quantas vezes vou ter que dizer que quem faz as despesas desta casa sou eu?

— Eu não percebi que o arroz e a batata tinham terminado! Só percebi, na hora do almoço, quando fui cozinhar...

— Você não faz nada o dia inteiro! O mínimo que pode fazer é olhar a dispensa e me avisar do que está faltando! Sabe que nunca deixei faltar comida nesta casa! Não quero saber que você saiu outra vez! Conheço você muito bem, sei o que vai fazer na rua!

— Isso não é justo! Sabe que sou uma boa esposa e que vivo somente para vocês e para esta casa. Você não sabe o que está dizendo, Sílvio...

Telma ouvia os gritos do pai e o choro da mãe, e esse era o que mais a irritava. Nervosa, pensava: *Por que ela sempre chora? Por que não reage? Preciso ter muito dinheiro para poder tirar ela e as crianças desta casa e desse homem! Vou conseguir! Sei que vou!*

Logo depois, viu que seu pai ia para o quarto e que, provavelmente, dormiria em poucos minutos. Foi sempre assim, depois de gritar muito, bater na mesa e nas paredes, ele se acalmava e ia dormir.

Telma ajeitou a cabeça no travesseiro. Demorou um pouco mas, finalmente, adormeceu. Acordou várias vezes. Não conseguia esquecer a proposta de Plínio... *se me casar com ele, poderei sair desta casa e levar minha mãe. Essa vai ser a solução para as nossas vidas. Ele é bom e me ama realmente.*

Pela manhã, quando acordou, já tinha tomado sua decisão: *vou aceitar e namorar com ele, sei que vou ter que esperar até os dezoito anos para poder me casar, mas isso não tem importância, durante esse tempo vou aprender tudo o que puder. Vou começar pela datilografia, depois penso no que vou estudar. Vou fazer qualquer coisa, mas vou sair desta casa!*

Levantou-se e foi trabalhar. Sabia que aquele dia seria diferente. Queria que Plínio chegasse logo, para lhe dar a resposta.

Fazia meia hora que estava trabalhando quando ouviu a campainha. Rapidamente foi para a sala de Roberto.

— Bom-dia, doutor.

— Bom-dia, Telma. Passei pela escola de datilografia, fica no meu caminho. Anotei o número do telefone. Telefone para lá e pegue o endereço certo; depois vá até lá e veja o valor da matrícula e das mensalidades. Fica aqui perto e poderá ir quando terminar o expediente. Sei que se dará muito bem.

— Obrigada, doutor! Pode ter a certeza que não vai se arrepender!

— Sei disso. É por isso que lhe dou a oportunidade — falou sorrindo.

O telefone particular dele tocou. Telma percebeu que estava na hora de sair. Pediu licença e voltou para sua sala.

Roberto atendeu ao telefone. Era Magalhães que, além de ser detetive, era também seu amigo de muito tempo:

— Tenho boas notícias, Roberto. Sua desconfiança está confirmada — Magalhães disse, parecendo animado.

— Tem certeza, Magalhães?

— Tenho, investiguei e é verdade.

— Onde ela vive e com quem?

— Vive perto daqui e tem três filhos. Pretende ir até lá?

— Por enquanto não, preciso de mais algum tempo para saber o que fazer e dizer. Procure saber mais e obrigado, nem preciso dizer como estou aliviado.

— Sei disso, mas o que pretende fazer?

— Nada, por enquanto, Magalhães. Preciso pensar.

— Certo, espero sua decisão. Bem, agora preciso desligar. Tenho muito trabalho.

— Está bem, Magalhães, também preciso trabalhar. Não esqueça de me telefonar assim que tiver mais informações.

— Claro que não esqueço, Roberto! Fique calmo, que agora está bem perto de você descobrir tudo.

Desligou o telefone. Roberto, com o olhar parado, pensava...*sinto que agora falta pouco para eu saber de tudo. Faz tanto tempo que espero essa notícia...*

Em sua sala, pelo telefone, Telma pegou o endereço da escola de datilografia. Ficou sabendo que, se efetuasse a matrícula, poderia começar naquele mesmo dia. Voltou à sala de Roberto e lhe mostrou o papel. Ele lhe deu um cheque com o valor da matrícula, dizendo:

— Hoje, quando sair daqui, vá até a escola, faça a matrícula e comece. Sei que aprenderá rápido.

Telma, com o cheque na mão, saiu radiante. Já em sua sala, pensava, radiante... *Na hora do almoço vou mostrar para minha mãe e, quando terminar o expediente, vou até a escola e aí poderei começar as aulas.*

Foi o que fez. Sara ficou contente ao saber que sua filha estava usando seu tempo para estudar.

— Estou feliz por você, mas não sei qual vai ser a reação do seu pai. Sabe como ele é em relação a você ficar até tarde fora de casa.

— Sei, mamãe, mas ele tem que entender que só vou estudar. Não vou ficar andando por aí. Por que ele só pensa maldade?

— Ele foi sempre assim, nunca confiou em ninguém. Mas vou conversar com ele, quem sabe não se importe.

— Acho melhor eu mesma falar. Vou falar com jeito.

— Se achar melhor, tudo bem, mas tome cuidado com a maneira como vai falar. Antes de voltar para o escritório, passe na marcenaria e fale com ele. Sabe que, a esta hora, ele ainda não começou a beber.

— Vou fazer isso. Agora preciso comer, estou morrendo de fome.

Comeu rápido e foi para a marcenaria onde seu pai trabalhava. Ficava no caminho para o escritório. Sempre, para não passar por lá, ela dava uma volta enorme, mas naquele dia ela precisava ir. Ele estava junto a uma máquina, cortando uma tábua em vários pedaços iguais. O barulho era imenso e havia muita poeira no ar. Ela, se aproximando, tocou em seu ombro para que a visse:

— O que está fazendo aqui, Telma? — perguntou, desligando a máquina.

— Preciso falar com o senhor.

— Falar o quê?!

Ela contou da escola de datilografia, mas inventou que, no escritório, todos os empregados eram obrigados a fazer. Só que precisava ser depois do expediente. O pai ficou pensando por um tempo, depois disse:

— Não gosto que você fique na rua até tarde da noite.

— Sei disso, papai, por isso estou aqui. Aprender datilografia vai ser muito bom para o meu futuro. Não posso perder essa chance. O senhor nunca vai ter dinheiro para pagar. Prometo que, assim que terminar a aula, eu volto bem depressa para casa. É aqui perto, vou estudar até as oito horas da noite e, no máximo, às oito e dez vou estar em casa. Não precisa se preocupar...

—Está bem, mas se chegar um minuto depois disso, não vai mais! — disse, coçando a barba.

— Não vou chegar, papai, e obrigada!

Abraçou e beijou seu rosto.

— Pare com isso, menina! Sabe que não gosto que me beije! — disse, furioso.

Ela se afastou. Não entendia por que ele era daquela maneira, mas, naquele momento, não se importou. Foi correndo para o escritório. Sabia que Plínio chegaria depois do almoço e queria contar a ele da sua decisão.

Realmente ele chegou e foi falar com ela:

— Então, como vai a minha princesa? — falou com a voz maliciosa.

— Estou bem.

— Já tem uma resposta?

— Sim, aceito namorar com você, desde que, realmente, desmanche seu noivado.

— Eu sabia que você aceitaria, já tinha percebido nos seus olhares, sabia que também estava interessada. Por isso, ontem à noite eu conversei com a Luísa e terminamos o noivado.

— Você fez isso?

— Claro que fiz, estou te amando de verdade...

— Não sabe como estou feliz!

— Agora que estamos namorando, você já pode me dar um beijo?

Ela estava sentada atrás da mesa. Ele começou a andar em sua direção. A campainha tocou. Ela se assustou:

— Seu tio está me chamando, preciso ir agora.

— Está bem, mas hoje à tarde estarei te esperando na lanchonete.

— Eu vou, mas não pode ser por muito tempo, preciso ir até a escola de datilografia — falou rápido, enquanto se encaminhava para a porta.

— Estarei lá te esperando e poderemos conversar.

Ela saiu rápido e entrou na sala de Roberto. Ele lhe pediu um documento, que ela logo encontrou e lhe entregou. Quando voltou à sua sala, sentou-se e ficou pensando em como seria sua aula de datilografia. V*ou me esforçar para aprender depressa. Sei que sou inteligente. Depois que aprender datilografia, vou conversar com o doutor e, quem sabe, ele consegue me arrumar uma vaga no ginásio ou, ao menos, para fazer um curso de admissão. Minha vida vai mudar e sinto que logo poderei tirar minha mãe e as crianças daquela casa e ir para longe daquele homem, que odeio!*

Finalmente o dia de trabalho terminou. Ela estava ansiosa e, feliz, foi correndo para a lanchonete. Plínio já estava ali, sentado. Ao vê-lo, ela sorriu e sentou-se a seu lado, na cadeira que ele lhe apontou.

— Ainda bem que chegou, Telma. Já faz um bom tempo que estou te esperando.

— Desculpe, mas, na hora em que estava saindo, o doutor me chamou e me atrasei um pouco. O pior é que não posso ficar muito tempo. Está na hora de eu ir para a escola. Você sabe que hoje é o meu primeiro dia.

— Sei, sim, e estou muito orgulhoso de você. Mas temos tempo para conversar um pouco. Não pode imaginar o quanto tenho pensado em você e como estou apaixonado.

— Está falando a verdade?

— Claro que sim! Você é linda e muito especial. Quero passar o resto da minha vida ao seu lado.

— Também te amo e sei que vamos ser felizes, mas agora preciso ir, Plínio.

— Espere, vou te acompanhar até a porta da escola e, se quiser, posso te esperar quando sair.

— Você faria isso?

— Se quiser, eu espero. Assim poderemos conversar mais um pouco.

— Está bem, Plínio. A aula demora só uma hora.

— Entre e estarei te esperando. Enquanto você fica na escola, vou até em casa, mas estarei aqui quando sair.

Ela entrou na escola. Seu coração batia feliz. Enquanto entrava, pensava: *Ele é maravilhoso e, quando eu tiver idade, vamos nos casar e seremos felizes para sempre.*

Assistiu à aula. No princípio gostou, mas, depois de bater à máquina várias vezes a mesma seqüência, começou a se cansar. Queria que a aula terminasse logo, para poder se encontrar com Plínio. Finalmente terminou e ela saiu correndo na esperança de encontrá-lo.

Ele estava ali com um sorriso que, para ela, era encantador. Assim que ela se aproximou, ele disse, meigo:

— Não via a hora em que saísse. Como foi a aula?

— No princípio foi boa, mas tive que praticar uma seqüência que é um pouco cansativa para os dedos.

— Sei que é. Também fiz isso, mas logo você estará escrevendo muito bem. Agora, vamos?

— Não posso ficar muito tempo. Meu pai já deve estar olhando o relógio. Ele é muito exigente quanto ao horário.

— Assim vai ficar difícil nos encontrarmos. Precisa encontrar uma maneira de termos mais tempo para nós. Quero muito ficar sozinho com você, para poder te beijar toda.

— Vou pensar nisso — disse sentindo o sangue subir ardendo ao seu rosto.

Ele percebeu e sorriu enquanto dizia:

— Não precisa ficar nervosa. Eu querer te beijar significa que gosto muito de você e que quero ficar ao seu lado, e te beijando, para o resto da minha vida.

— Sei disso, mas nunca fui beijada por ninguém.

— Sempre tem a primeira vez e sei que, quando isso acontecer, vai querer ser beijada a todo instante. Só não faço isso aqui, porque há muitas pessoas passando e não quero te constranger, mas sei que não faltará oportunidade.

Ela continuou calada, sem saber o que falar. Sabia que estava vermelha e fazia força para poder voltar ao normal. Ele, com a mão, segurou em seu queixo e fez com que levantasse a cabeça. Os olhos se encontraram e ele a beijou suavemente nos lábios. Ela sentiu o corpo estremecer, pois nunca havia sido beijada. Ele percebeu e, aproveitando aquele momento, disse:

— Não precisa ficar envergonhada. Esta foi somente uma amostra, mas, um dia desses, você poderá não ir à aula e poderemos ficar uma hora inteira sozinhos. Sei que não se arrependerá. Verá que esse beijo foi só o começo de um grande amor. Sentirá, ao meu lado, sensações que nunca imaginou.

— Estou sentindo que é isso que vai acontecer, mas não posso deixar de ir à aula. Preciso aprender logo para poder usar no escritório.

— Está bem, não insistirei. Você fará só o que tiver vontade e quiser. Só precisa saber que te amo muito.

— Estou acreditando em você, mas agora preciso ir embora. Não posso chegar tarde.

Ele beijou-a novamente, só que, desta vez, foi no rosto. Ela saiu rapidamente dali, pois sentia que, se ficasse mais um pouco, iria para onde ele quisesse. Amava aquele homem com todo o seu coração.

Mesmo querendo ficar ao lado dele, Telma saiu correndo. Estava atrasada e sabia que seu pai já devia estar olhando para o relógio. *A escola é muito importante para mim, não quero que ele encontre um motivo para me proibir de ir. Tomara que ele, hoje, não esteja brigando. Quero conversar com minha mãe e, se ele estiver brigando, isso vai ser impossível. Não vejo a hora de me casar com Plínio e poder sair daquela casa para sempre.*

Como minha mãe teve a coragem de se casar com um homem como ele? Não entendo... e acho que nunca vou entender.

Chegou ao portão da casa e já podia ouvir os gritos de seu pai. Ela entrou correndo, sabia que tanto a mãe como os irmãos deviam estar chorando. Seu pai sempre gritava muito, batia na mãe, mas nunca nela ou nas crianças. Mesmo assim, ela tinha muito medo dele.

Entrou em casa e, como havia previsto, sua mãe estava sentada em uma cadeira, e seu pai a chacoalhava de um lado para o outro e batia em seu rosto. As crianças, como sempre, estavam sentadas abraçadas, encolhidas em um canto da sala, e choravam muito. Telma se aproximou, segurou um dos braços do pai e disse, gritando:

— Que está acontecendo? Por que o senhor faz isso?

Ele largou o cabelo de Sara, voltou-se para Telma e, também gritando, disse:

— Quem é você para me falar assim? É uma outra vagabunda, assim como sua mãe! Vá para o quarto se não quiser apanhar também!

— O senhor não está vendo como as crianças estão assustadas? Não vê que faz a gente sofrer? Pare com isso! A mamãe faz tudo nesta casa e sempre esteve ao seu lado, mesmo sofrendo tanto! O que quer mais que ela faça?

— Cale a boca, menina! Você não sabe da reza nem um pouquinho! Já te disse: vá para o quarto e leve as crianças junto! Se me irritar ainda mais, vai sobrar pra todos!

Telma olhou para Sara que, assustada e com olhar suplicante, pedia que ela fizesse o que o pai pedia. Telma conhecia seu pai o suficiente para saber que ele faria o que falava e, antes que ele se voltasse contra ela e as crianças, pegou os irmãos pela mão e levou-os para o quarto. Seu pai continuou brigando e batendo na mãe.

As crianças choravam muito. Embora estivessem acostumados com aquela cena, pois isso acontecia desde há muito tempo, elas não podiam deixar de, cada vez, assustar-se e chorar. Embora também chorasse, Telma os acomodou na cama de baixo do beliche, onde dormiam apertados, e sentou-se ao lado deles dizendo:

— Agora vocês vão tentar dormir. Vocês sabem que é assim mesmo. Logo ele vai deitar e tudo vai ficar bem.

— Não vai, não, Telma! Ele vai bater mais nela e nunca vai parar. Eu tenho muita raiva dele! — Sueli disse, chorando.

— Infelizmente, acho que você tem razão, mas agora tente dormir.

Marquinhos, o menor, agarrado ao pescoço de Telma, chorando e tremendo muito, recusava-se a ficar na cama. Ela, abraçada ao irmão, balançava-o, tentando acalmá-lo:

— Não fique assim, Marquinhos. Logo ele vai parar e vai dormir. Não adianta chorar, também tenho uma coisa para contar a vocês. Estou namorando um moço muito rico, vou me casar e ele vai tirar todos nós desta casa. A gente vai morar em uma casa muito grande e bonita, longe do papai e das brigas.

— Está falando a verdade, Telma?

— Estou sim, Sueli. Ele é muito bonito e me ama muito. Por isso, vocês podem dormir. Sei que, assim que papai for dormir, a mamãe vem até aqui para dar boa-noite.

Os gritos na sala continuavam e Marquinhos também não parava de chorar. Telma o embalou até que adormeceu. Sueli, deitada, também chorava. Felizmente, os gritos pararam. Telma percebeu quando seu pai foi para o quarto e pensou: *Por hoje terminou. Será que eles não percebem o mal que estão fazendo para nós? Essas crianças não podem continuar vivendo desse jeito nesta casa. Vou conversar com o Plínio e ver se ele pode tirar a gente daqui agora. Sei que vai fazer isso.*

Sara entrou no quarto. Telma viu uma imensa mancha vermelha em seu rosto e disse:

— Seu rosto vai ficar todo roxo, mamãe. Como pode agüentar isso? Esse homem é um monstro. As crianças demoraram muito para dormir. Isso não pode continuar assim!

— O que quer que eu faça? Não vê que não temos para onde ir? Não temos dinheiro!

— Vou dar um jeito nessa situação. Vou embora desta casa levando as crianças. Se a senhora não quiser ir, pode ficar, mas nem eu nem eles vamos continuar neste sofrimento.

— Que está falando? Você, assim como eu, não pode fazer nada! É ainda uma criança, não tem como se sustentar, muito menos aos seus irmãos e, ainda, pela lei, não pode se responsabilizar nem por você mesma, que dirá por eles! Tente dormir. Um dia ele vai se dar conta de todo mal que faz para a gente, vai se arrepender e voltar a ser o homem que era. Não entendo por que ele mudou tanto. Quando nos casamos, ele era carinhoso e ficou feliz quando você e Sueli nasceram. Começou a mudar quando lhe disse que estava grávida mais uma vez e, mesmo eu estando grávida do Marquinhos, passou a me tratar muito mal. Com o passar do tempo, transformou-se nesse monstro. Até hoje não sei o que aconteceu para que ele mudasse tanto!

— Como pôde continuar ao lado dele? Por que não o largou, mamãe?

— Já te disse muitas vezes que não posso fazer isso. Vocês ainda são pequenos e precisam ser alimentados. Não tenho uma profissão. Mesmo que fosse trabalhar como empregada doméstica, que é a única coisa que sei fazer, não teria como dar casa e comida *pra* vocês.

— Mas agora eu estou trabalhando, mamãe. Com o meu dinheiro a gente pode deixar ele aqui nesta casa!

— Não se iluda, minha filha. O que recebe de salário não é nada, não dá nem *pra* suas próprias despesas. Não temos como viver sem seu pai. Continue estudando. Já começou com a datilografia e logo poderá ir *pro* ginásio. Depois, estudará mais e se tornará uma profissional. Aí sim, poderá ser dona da sua vida e, quem sabe, ajudar a gente!

— O que me dá mais raiva, na senhora, é esse conformismo. A senhora também não percebe o mal que está fazendo *pra* gente aceitando uma situação como essa. Por isso vou estudar e ter a minha profissão, para, quando me casar, não depender de um homem *pra* me sustentar e nem aos meus filhos. Estou namorando o Plínio. Já falei dele *pra* a senhora. Ele é muito rico e vai tirar a gente das garras desse monstro.

— Não se iluda, minha filha. Ele nunca vai se casar com você. Ele pertence a outro mundo. Estou feliz por ver que você está trabalhando e tem vontade de estudar. Sinto que a sua vida será diferente da minha, mas só com o seu estudo poderá conseguir isso, nunca através de um homem. Agora vá dormir. Amanhã será outro dia e tudo vai se ajeitar.

Dizendo isso, a mãe beijou-a na testa e saiu do quarto. Telma ficou olhando ela sair e, inconformada com aquela situação e entendendo que em muitas coisas a mãe tinha razão, pensou, chorando: *Ela tem razão. Por enquanto não podemos fazer nada... mas, assim que eu me casar, vamos embora desta casa e deixar esse monstro! Não vejo a hora que chegue amanhã, para eu poder conversar com o Plínio e ver se ele me ajuda... agora vou dormir.*

No dia seguinte, assim que Plínio chegou, foi até a sala de Telma. Ela estava distraída separando alguns documentos. Ele se aproximou, perguntando:

— Então, minha princesa, pensou muito em mim?

Ela levantou a cabeça e olhou para ele. Novamente seu coração bateu forte. Sorriu e respondeu:

— Sim... e quero muito falar com você sobre...

— Que bom, espero que seja sobre o que estou pensando, mas não podemos conversar sobre isso aqui. Estarei te esperando na saída da escola e, lá, conversaremos com mais calma. Se conversarmos aqui, alguém pode entrar e ouvir e, por enquanto, não quero que ninguém saiba o que está havendo entre nós. Está bem assim?

— Está, sim. Mas você não quer saber o que é?

— Quero sim, mas não podemos conversar aqui. À noite estarei te esperando. Agora preciso voltar para o meu trabalho. Mas não se esqueça que estarei pensando em você em todos os segundos. Só não te beijo aqui porque é perigoso, mas, assim que te encontrar à noite, vou te dar um beijo que nunca mais se esquecerá.

Saiu piscando um olho. Telma ficou calada. Seu coração batia com mais força ainda e pensou: *Ele é mesmo maravilhoso...*

Durante o resto do dia, ela trabalhou, mas não conseguia deixar de pensar nele, em seu sorriso, nem por um minuto.

Assim que terminou o expediente, ela foi para a escola e, embora soubesse que a aula era importante, não via a hora que ela terminasse para poder se encontrar com ele.

Finalmente a aula terminou. Saiu correndo para ver se ele estava lá. Ele estava e, assim que a viu saindo, foi ao seu encontro, com o sorriso que ela tanto gostava, dizendo:

— Você está cada vez mais bonita e eu estou ficando cada vez mais apaixonado.

Ela corou e não soube o que responder.

— Vamos até a lanchonete? — ele perguntou, sempre sorrindo.

— Vamos, mas sabe que não posso ficar muito tempo.

Foram até a lanchonete e se sentaram. Ele pediu dois refrigerantes e, enquanto tomavam, ele falou:

— Diga novamente que aceitou a minha proposta, que não foi em vão eu ter desistido de meu casamento com Luísa!

— Pensei muito e, se você realmente está disposto a esperar que eu complete dezoito anos, vou mesmo namorar com você.

— Que maravilha! Fiz bem em desistir do meu casamento e vou te esperar fazer dezoito anos! Não sabe como você me deixa feliz. Juro que, assim como está me fazendo agora, também vou te fazer a mulher mais feliz deste mundo! Só não te beijo aqui, na frente de todos, porque ia chamar muita atenção, mas estou feliz mesmo!

— Também estou muito feliz e espero que a gente seja mesmo muito feliz! — mas não teve coragem de dizer a ele que queria que a ajudasse a tirar os irmãos daquela vida horrível que tinham em casa.

Daquele dia em diante e, durante um mês, todas as noites ele a esperava e ficavam alguns minutos na lanchonete. Em uma dessas noites, ele disse:

— Estou muito feliz de estar namorando com você, mas gostaria que pudéssemos ficar juntos em algum lugar onde não tivesse ninguém nos olhando. Quero te abraçar muito, e beijar.

— Não podemos fazer isso, sabe que tenho horário para chegar em casa e, se não chegar, nem sei o que pode acontecer. Já te contei como meu pai é nervoso.

— Já disse sim, mas só um diazinho você podia faltar à aula e, assim, podíamos ir para um lugar que, sei, vai te agradar muito.

— Não posso fazer isso! Preciso aprender bem depressa a escrever à máquina.

— Um dia só que faltar à aula não vai fazer diferença. Já conhece as seqüências todas e sabe que só precisa treinar os dedos.

— Não sei, tenho medo que meu pai descubra... e, também, de ficar sozinha com você...

— Medo, mas por quê? Seu pai não vai descobrir e não farei nada que te faça mal. Só quero ficar sozinho com você, para poder te abraçar e beijar, só isso...

— É só isso, mesmo?

— Claro que é! Vou me casar com você e nada faria para te

faltar com respeito. Eu te amo muito. Já provei isso! Não disse que abandonei minha noiva por você?

— Disse, mas...

— Mas o quê? Que quer que eu faça mais para te provar o quanto te amo? Só que o amor pede que haja um pouco mais de intimidade. Nada que vá te prejudicar. Precisa confiar em mim, e se me ama, de verdade, precisa confiar...

— Está bem, vou pensar. Mas...

— Não tem mas... Como vou me casar com você se não acredita sequer que te amo? — ele disse muito nervoso.

— Está bem, vou provar que gosto mesmo de você. Amanhã vou faltar na aula e a gente vai para esse lugar que você falou.

— Essa é a minha menina! Quero que acredite, te amo muito e garanto que não vai se arrepender.

Ela não respondeu e conversaram mais um pouco. Em seguida, ela foi embora. No caminho para casa, os pensamentos martelavam em sua cabeça... *Não sei o que fazer. Sinto muita vontade de ficar com ele, já imaginei tantas vezes como me sentiria sendo beijada e abraçada por ele, mas tenho medo. Mas, por outro lado, se eu não for, ele pode pensar que não confio nele e eu confio! Ele nunca me faria mal. Não sei o que fazer! Não posso contar para minha mãe o que ele propôs, ela não vai entender e vai dizer uma porção de coisas, como disse do doutor. Acho que vou só uma vez... para ver o que acontece. Sei que ele me ama e vai me tirar daquela casa...*

Entrou em casa. Seu pai estava sentado em uma cadeira lendo um jornal. Ela passou por ele, calada. Jantou rapidamente e foi para o quarto. Queria dormir e, também, que aquela noite passasse depressa.

No dia seguinte, assim que Plínio chegou, como fazia todos os dias, foi para a sala de Telma.

— Então, minha princesa, decidiu ir ao lugar que te falei?

— Pensei bastante, confio em você e resolvi ir.

— Ótimo! Assim que terminar o expediente, vou te esperar lá na lanchonete. Garanto que não vai se arrepender.

Ela sorriu e ele saiu da sala. Assim que o expediente terminou, ela saiu e foi para a lanchonete. Ele estava esperando por ela e correu ao seu encontro, dizendo:

— Vamos para meu carro. Estou ansioso para ficar sozinho com você e sabe que não podemos demorar muito.

— Para onde vai me levar, Plínio?

— Para o apartamento de um amigo. Fica em outro bairro. Mas não se preocupe, na hora certa estaremos de volta e aqui, neste mesmo lugar, prometo!

Foram e, assim que entraram no apartamento, Telma se deslumbrou. Não era um apartamento de alto luxo, mas para ela, que morava em uma casa simples, num bairro comercial, o lugar pareceu luxuoso e riquíssimo.

Plínio, assim que abriu a porta, beijou-a com paixão. Ela, a princípio tentou resistir, mas não conseguiu, pois também ansiava por aquele beijo. Com carinho, ele a envolvia cada vez mais. Ela, sem experiência e confiando plenamente nele, entregou-se ao seu amor.

Ficaram ali até que ele disse:

— Já está na hora. Agora precisamos ir, sabe que não pode se atrasar. Você foi maravilhosa e eu te amo muito.

— Sei que não deveria ter feito isso, mas não me arrependo, porque te amo.

— Não precisa se arrepender, também te amo. Agora vamos.

Saíram e, na mesma hora de todos os dias, Telma chegou em casa. Sara percebeu que ela estava diferente, mas, como o pai estava nervoso e andando de um lado para outro, temendo que ele fosse brigar com ela, achou melhor fazer com que Telma jantasse e fosse para o quarto.

Telma foi e, já em sua cama, ficou relembrando os momentos de amor que passou ao lado de Plínio e desejando que outros dias como aquele se repetissem. Estava feliz.

Desmascarando

Aquela foi a primeira de muitas outras vezes. Depois daquela noite, Telma faltava à aula duas ou três vezes por semana. Plínio continuava carinhosos e amoroso com ela. Por muitas vezes, ela quis contar para a mãe o que estava acontecendo, mas não fazia isso por que, no íntimo, achava que era errado se encontrar com Plínio e ter-se entregado a ele. Quando tinha esses pensamentos, reagia: *Não é errado, ele me ama e eu também o amo com todo meu coração. Não vou contar agora, mas, quando ele for a minha casa e me pedir em casamento, ela vai ficar muito feliz. Ainda mais por saber que ele é muito rico e vai tirar a gente daquela casa.*

O que Telma não sabia era que faltava um mês para o casamento de Plínio e que ele enganava a ela e à noiva. Continuava se encontrando com Telma, que sequer desconfiava ser mentira ele ter rompido o noivado com Luísa. Naquela noite, enquanto estavam juntos no apartamento, ela disse:

— Plínio, preciso contar para minha mãe o que está acontecendo.

— Por que quer fazer isso? — perguntou, disfarçando seu nervosismo.

— Ela sabe que estamos namorando, mas não que estamos vindo aqui neste apartamento e nem tudo que aconteceu entre nós. Além do mais, se souber, vai poder ajudar os nossos encontros. Com ela do nosso lado, meu pai jamais vai descobrir.

— Vamos esperar mais um pouco. Ela não entenderia e precipitaria as coisas. Sabe que, enquanto eu não terminar a faculdade, não posso assumir um compromisso.

— Mas você ia se casar no mês que vem...

— Ia, mas, quando rompi com Luísa, conversei com meu tio e ele me convenceu que seria melhor eu me formar antes de pensar novamente em me casar.

— Acho que ele está certo. Também sou muito nova e não posso me casar agora.

— Isso mesmo. Por enquanto vamos continuar assim como estamos. Quando chegar a hora, vou até sua casa e converso com seus pais. Por agora, venha para mais perto e me dê um beijo.

Ela se aproximou e ele a beijou demoradamente. Depois foram embora. Naquela noite, iludida, ela dormiu feliz.

Na manhã seguinte foi acordada por Sara:

— Acorde, Telma. Está na hora. Seu pai já saiu e vou preparar o seu café.

— Já estou acordada, mamãe.

Sara saiu do quarto e ela ficou pensando: *que bom que amanheceu. Não vejo a hora de ir para o escritório. Ainda bem que aquele monstro já foi para o trabalho. Não suportaria ter que encontrá-lo logo pela manhã, mas logo tudo isso vai terminar e nunca mais vou precisar ver ele! Só preciso esperar o Plínio se formar e isso não deve demorar muito...*

Levantou-se, tomou o café e foi para o escritório. Enquanto caminhava, pensava: *é uma pena que o Plínio só venha à tarde. Não vejo a hora de me encontrar com ele...*

Chegou ao escritório e começou a trabalhar. Não tinha nada específico, por isso, enquanto Roberto não chegava, treinava na máquina de escrever. Estava ficando cada vez mais rápida. Mesmo faltando às aulas para se encontrar com Plínio, era esforçada e aproveitava bem o que havia aprendido na escola.

A manhã passou sem muitas novidades. Atendeu a alguns telefonemas, anotou os recados e treinou bastante.

Depois do almoço, Roberto chegou e ela foi até a sua sala para lhe passar os recados. Assim que entrou, ele, sorrindo, perguntou:

— Então, Telma, como está a escola?

— Estou adorando, doutor.

— Está gostando mesmo?

— Estou e falta pouco tempo para eu receber o diploma.

— Isso é muito bom, mas não achou cansativo ter que repetir várias vezes aquelas seqüências? Quando aprendi, achei cansativo.

— É um pouco, mas sei que só repetindo muitas vezes vou treinar meus dedos e aprender.

— Está mesmo animada!

— Muito, doutor. Preciso aprender bem depressa.

— Por que tanta pressa?

— Quero aprender para poder fazer outros trabalhos aqui no escritório.

— Está bem, gosto da sua disposição em aprender. Espero que nada desvie sua atenção. Você tem um futuro brilhante aqui no escritório e tudo que aprender servirá muito para sua vida.

— Sei disso e só posso agradecer mais uma vez, doutor.

— Não tem o que agradecer. Apenas se esforce e não se arrependerá. Agora pode voltar para sua sala e me traga esses documentos.

— Está bem, doutor. Com licença — Telma disse, pegando o papel que ele tinha nas mãos.

Foi para sua sala. Dez minutos depois, Plínio apareceu na porta e disse:

— Boa-tarde, princesa. Está tudo bem com você?

— Boa-tarde! Está sim, Plínio, e com você?

— Estou muito bem e louco de saudades. Depois falo com você — disse baixinho e, jogando um beijo com a ponta dos dedos, saiu.

Ela sorriu e retribuiu... *ele é mesmo maravilhoso. Ainda bem que vou me casar porque gosto muito dele, mas, mesmo que não gostasse, me casaria de qualquer maneira. Preciso sair daquela casa.*

Saindo dali, Plínio entrou na sala de Roberto, com um sorriso, e disse:

— Boa-tarde, titio. Aqui estou pronto para receber suas ordens. Tem algum trabalho que quer que eu faça?

— Tenho, sim, Plínio, mas antes precisamos conversar. Sente-se.

Plínio estranhou, pois seu tio não costumava ser tão sério com ele e nunca lhe pedia que sentasse para conversar. Sempre lhe dava o trabalho que queria que fizesse e só isso. Conversavam em casa, nunca ali. Sentou-se.

Roberto olhou sério para ele e perguntou:

— Como estão os preparativos para o seu casamento?

— Está quase tudo pronto. A reforma da casa está terminando, e Luísa já escolheu os móveis. Até a data já está marcada, e o resto está tudo em ordem.

— Parece que você gosta muito da Luísa, não é?

— Gosto, sim, ela é tudo o que sempre desejei na minha vida.

— Fico feliz em saber isso. Só estou com uma dúvida...

— Que dúvida?

— Se gosta tanto dela e se deseja mesmo se casar, por que está enganando a Telma?

— Não sei do que o senhor está falando! Ela lhe disse alguma coisa?

— Sabe muito bem do que estou falando e confesso que estou desiludido com você.

— Não estou entendendo! O senhor está enganado. Nunca me aproximei dela! Quando vim trabalhar aqui, o senhor deixou bem claro que não era para me envolver com nenhuma das funcionárias, e foi o que sempre fiz. Já tive muitas tentações, mas respeito muito o senhor e gosto muito da Luísa. Alguém deve ter inventado mentiras a meu respeito. Quem foi, titio?

— Ninguém inventou algo a seu respeito. Ontem à noite, fiquei aqui até mais tarde e, quando estava indo embora, passei em frente à escola de datilografia e vi quando Telma entrou em seu carro e saíram. Não fiz de propósito, pois jamais poderia imaginar que você estaria lá. Só que a escola fica na rua principal, por isso passei por lá. Que tem a dizer?

Plínio ficou desconsertado. Nunca imaginou que alguém o veria, muito menos o tio. Gaguejando, disse:

— Desculpe, titio, mas desde o primeiro dia em que ela veio trabalhar aqui, não me deu sossego. Por muitas vezes disse que queria sair comigo, o senhor sabe como é, sou homem e não resisti. Ela é uma garota muito bonita. Ontem eu fui até a escola só para dizer que não queria nada com ela, que gostava muito da minha noiva e que ia me casar. Pedi também que ela parasse de me importunar.

— Por ser homem, conheço muito bem quando outro está mentindo. Essa menina é ingênua e tem muita vontade de estudar e ser alguém na vida. Aqui ela tem todas as chances para que isso aconteça. Não posso permitir que alguém como você, sem escrúpulos, a prejudique. Só não mando você embora, porque prometi a seu pai, quando ele morreu, que cuidaria da sua educação. Por isso, você vai sair agora daqui e vai trabalhar na nossa filial que fica do outro lado da cidade. Disse que gosta de Luísa, que também é uma boa moça. Então, case-se e seja feliz, mas não quero mais ver você, nunca, por aqui ou perto daqui. E, se isso acontecer, não vou querer vê-lo nunca mais, em lugar nenhum! E meu irmão que me perdoe, mas se você não fizer isso, deixo de ajudá-lo. Terá que sair da minha casa e viver a sua vida da maneira como quiser!

— Não tive culpa, titio, foi ela...

— Não diga mais mentiras, senão vou me arrepender e dispensar você agora mesmo. E não precisa continuar contando com minha ajuda, pois não a terá! Saia daqui e não converse com ninguém. Depois arrumo uma desculpa para o seu desaparecimento. Não se atreva a falar com Telma! Saia! — Roberto gritou, furioso.

Plínio percebeu que não tinha mais argumentos. Levantou-se e, calado, saiu da sala. Telma viu quando ele saiu e estranhou ele ter passado por sua sala sem ao menos olhar. Preocupada, pensou: *Que será que aconteceu? Ele parece que está muito nervoso ou deve ter que fazer algum trabalho urgente para o doutor. Vou esperar, sei que logo mais vai vir até aqui.*

Depois de alguns minutos, ela ouviu a campainha. Sabia que precisava ir até a sala de Roberto. Pegou os documentos que ele pediu e entrou.

— Trouxe os documentos que pedi?

— Estão aqui, doutor.

— Está bem, deixe sobre a mesa e pode ir.

Ela saiu preocupada: *Que será que aconteceu? Nunca vi o doutor nervoso assim. Qual será o problema?*

Voltou para sua sala e tentou trabalhar, mas estava difícil, pois olhava a todo instante para a porta, na esperança de ver Plínio voltar. Ficou preocupada... *o expediente está terminando e ele não voltou. Deve ter acontecido algo muito grave. Quando ele saiu da sala do doutor estava nervoso e o doutor também não estava muito bem. Como vou saber? Bem, preciso ir embora, está quase na hora da minha aula. Com certeza ele vai me esperar na saída da escola e vai me contar tudo que aconteceu.*

Saiu e foi para a escola, só que não conseguia se concentrar. Bateu as seqüências por várias vezes e errou várias. Não conseguia parar de se preocupar... *preciso saber o que aconteceu. Ele deve estar aí fora me esperando.*

Saiu olhando para todos os lados, na esperança de que Plínio estivesse ali, mas, para sua tristeza, ele não estava em lugar algum. Foi para casa e, assim que entrou, Sara percebeu que ela não estava bem:

— Que aconteceu, Telma? Parece que esteve chorando.

Antes de responder, ela olhou para o quarto de sua mãe e perguntou:

— Ele não está?

— Não, ainda não chegou. Você sabe que, em algumas noites durante a semana, ele fica com os amigos e chega tarde. Mas o que aconteceu?

Vendo que o pai não estava em casa, ela contou tudo que havia acontecido e terminou dizendo:

— Não sei o que aconteceu. Quando ele chegou, estava todo carinhoso, depois saiu sem me olhar e não voltou mais.

— Ele vai voltar e vai te contar o que houve. Não se preocupe! Afinal, ele trabalha ali e vai ter que voltar. Agora, vamos jantar, deve estar com fome.

— Desculpe, mamãe, mas não estou com fome, estou muito nervosa.

— Está bem, se mais tarde ficar com fome, vou deixar a comida sobre o fogão, basta esquentar.

Sara saiu da cozinha e Telma foi para o quarto. Precisava se preparar para dormir e tinha que ser antes que o pai chegasse. Não queria nem pensar em ter de conversar com ele.

Naquela noite não conseguiu dormir, e acordou muitas vezes, tentando entender o que havia acontecido, mas foi em vão. No dia seguinte e nos outros, para desespero dela, Plínio não voltou. Os funcionários começaram a se preocupar e a querer saber por que ele não aparecia mais no escritório. Cada um dizia uma coisa, mas ninguém sabia ao certo. Por várias vezes, Telma tentou perguntar para Roberto, mas não teve coragem.

Roberto percebeu o murmurinho, chamou Telma e, assim que ela entrou na sala, ele disse:

— Sei que estão preocupados com Plínio, por isso vou dizer a você o que houve e quero que transmita aos outros.

Telma, ansiosa como estava, perguntou:

— E o que foi que aconteceu, doutor? Por que ele não veio mais trabalhar?

Roberto sabia do desespero dela. Sabia que, diferente dos outros, o que ela sentia não era só preocupação de colega de trabalho. Sabia que era algo mais e respondeu:

— Diga para todos que não precisam ficar preocupados. Plínio vai se casar e me pediu que eu o mandasse para uma de nossas filiais, que fica perto da casa onde vai morar.

— Ele vai se casar? — ela perguntou gaguejando.

— Claro que vai. Você não sabia? Não viu a noiva dele na festa do casamento de Nara?

— Vi, sim, doutor. Ela é muito bonita.

— Também acho. E é uma boa moça, também, além de ser querida por toda a família. Eles se gostam muito e, tenho certeza, serão felizes. Portanto, foi só isso que aconteceu. Ele está trabalhando em nossa filial, o que vai facilitar muito sua vida. Agora, pode ir contar aos outros, e espero que os comentários terminem.

Ela não queria acreditar naquilo que ouvia, mas não restava dúvida. Roberto não inventaria uma história como aquela. Tremendo muito, foi para sua sala. Precisava contar aos outros, mas naquele momento não estava em condições. Chorava muito, e não queria acreditar: *Não pode ser verdade! Ele não me enganaria dessa maneira! Ele disse que tinha desmanchado o noivado! Por que fez isso? Por que fez isso comigo?*

Ficou ali, chorando por um bom tempo. Depois, secou as lágrimas, disfarçou os olhos inchados, e foi de sala em sala, contando o que Roberto tinha informado. A maioria aceitou, só não entendia por que ele não tinha se despedido deles; mas, isso, Telma não sabia responder. Voltou para sua sala e, escondendo a tristeza, recomeçou a trabalhar.

Roberto sabia que ela estava triste e intrigada. Ele não podia deixar de pensar: *Ela deve estar sofrendo muito, e até chorando, mas é melhor que sofra hoje, porque sei que será bem menos do sofreria mais tarde, caso Plínio levasse adiante aquela loucura. Ela é jovem e, em pouco tempo, esquecerá dele, mas tenho dó da menina...*

Telma continuou trabalhando e escondendo a tristeza, embora de vez em quando limpasse uma lágrima que insistia em cair. Finalmente, deu seis horas e ela podia sair. Queria muito ir embora, para poder chorar à vontade, sem o perigo de que alguém a visse e perguntasse qualquer coisa. Como todos os dias, arrumou-se, despediu-se dos companheiros e foi para a escola. Já estava boa em várias seqüências e sabia que, com mais algumas aulas, estaria pronta para escrever qualquer coisa que Roberto precisasse. A repetição das seqüências era um exercício bom para esvaziar a cabeça. Acabou a aula, entristeceu-se mais ainda ao sair e lembrar das vezes em que Plínio esperava por ela na porta da escola. Mas hoje ele não estava lá, e ela tomou o caminho de sua casa.

Enquanto caminhava, ia rezando para que seus pais não estivessem brigando novamente: *Se ele estiver brigando com minha mãe, não sei o faço, principalmente hoje. Antes eu tinha a certeza que ia me casar e poder tirar todos nós das garras dele, mas agora, por enquanto, sei que isso é impossível. Só mesmo quando me formar. Mas me formar como? Não posso nem pensar em ir para uma escola boa. Não tenho como pagar! E na escola pública, nem pensar! Para pessoas pobres como eu, não existe jeito de estudar...*

Assim que chegou no portão de sua casa, já pôde ouvir os gritos. Ela estava nervosa por causa do que Plínio havia feito. Entrou correndo em casa, no exato momento em que seu pai agredia sua mãe com violência. Correu e se colocou entre os dois. Seu pai, tomado pela fúria, deu uma bofetada em seu rosto. A bofetada foi tão violenta, que Telma caiu no chão. Também tomada de fúria, levantou-se e se atirou sobre ele, batendo com toda a força que tinha. Sara, ao ver aquela situação, começou a gritar e a tentar separar os dois. As crianças choravam apavoradas. Com muito custo, conseguiu agarrar Telma e levá-la para longe do pai. Mas ela, com muito ódio, olhava para o pai e gritava:

— O senhor é um monstro!! Eu o odeio com todas as forças do meu coração!! Vou ter muito dinheiro e tirar todos nós desta casa! O senhor vai ficar sozinho! Só vai ter é parede e porta pra bater! Eu juro!

— Cale essa boca! Não sabe o que está dizendo! Vai ter muito dinheiro? Mas, enquanto isso não acontecer, vai ter que viver aqui, na minha casa! Entendeu? Minha casa! Vai comer da comida que eu trago para casa! Eu! Por isso vai ter que viver da maneira que eu quero! Entendeu? Se não estiver contente, pode sair agora mesmo e não volte nunca mais!

— Por favor, parem com isso! Telma, vá para o quarto. Deixe que eu converso com seu pai! — gritou Sara, desesperada.

— Eu vou, mas sei que a senhora, como sempre, não vai conseguir nada! Sabe que ele vai continuar sendo o monstro que sempre foi! Olhe como as crianças estão! Não é justo, mamãe!

— Vá para o quarto. Depois vamos conversar. Não posso permitir que o agrida! Ele é seu pai e por isso tem que ser respeitado!

Ao ouvir aquilo, Telma não acreditou e disse muito nervosa:

— Não estou acreditando no que a senhora está dizendo! Como quer que eu respeite esse homem? Ele é um monstro. Não vê como seu corpo está todo marcado? Quantas vezes teve que ir ao hospital, por causa das agressões dele?

— Mesmo assim. Ele é seu pai e você tem que respeitar! Nunca mais quero ver você fazer o que fez hoje! A briga sempre foi entre nós dois. Nunca agrediu vocês. Vá para o quarto!

— Mamãe, como pode continuar vivendo ao lado dele?

— Ela vive ao meu lado e continuará vivendo para sempre. Sabe por quê? Porque quem sustenta essa casa sou eu! Quem ganha dinheiro sou eu! Ela não serve para nada! Só mesmo para cuidar da casa e de vocês, e isso não vale nada!

Telma estava muito nervosa, mas olhou para mãe e viu seu olhar suplicante para que parasse. Virou-se, pegou as crianças pela mão e levou-as para o quarto. Chegando lá. Colocou-as na cama e sentou-se ao lado delas. Sueli, chorando, disse:

— Telma, não fique assim. Não disse que vai se casar com um homem rico e que ele vai tirar a gente desta casa?

Telma começou a chorar sem conseguir parar:

— Eu disse, mas isso não vai acontecer, ao menos por enquanto. Aquele homem que falei não vale nada, é igual ao papai.

Nós temos que continuar aqui nas mãos desse monstro, porque ele tem razão, não temos como viver longe desta casa e dele... mas vou estudar e ter minha profissão e vou encontrar um homem rico para me casar. Agora, vamos ver se a gente consegue dormir.

— Sabe o que estou pensando, Telma?

— Não, o quê?

— Que a gente devia rezar e pedir pra Deus fazer o papai ficar bonzinho e não brigar mais...

— Quê?! Rezar?! Que Deus? Deus não existe, Sueli! Se ele existisse não deixava a gente ter nascido nesta casa e ser filhos desse homem! Ele não existe e, se existir, não tem tempo de olhar pra gente! — Telma falou furiosa.

— A minha professora disse que Deus é nosso pai e que cuida da gente a todo instante. A mamãe também já falou isso muitas vezes...

— Só se Ele cuida da sua professora, porque da mamãe e da gente não cuida não! Se cuidasse, matava esse homem ou tirava ele da vida da gente para sempre!

— Não fala assim, Telma. É pecado. A gente não pode desejar a morte de ninguém e minha professora também disse isso...

— Ela não deve ter um pai como ele! Quero que ele morra e, quando isso acontecer, vai ser o dia mais feliz da minha vida!

— Não sei, não, mas acho que você não devia falar assim. Deus pode castigar...

— Que castigo ele pode me dar que seja pior do que esse que já me deu? Não tenho medo desse Deus! Eu, só eu, posso cuidar da minha vida! Mas, agora, está na hora de você dormir. O Marquinhos já está quase dormindo.

— Eu não estou com sono, Telma. Será que eles pararam de brigar?

Telma prestou atenção, mas não ouvia mais barulho algum.

— Ele foi para o quarto. Eu estava conversando com você e não percebi que tinham parado de brigar.

— Mas por que a mamãe não veio dar o beijo de boa-noite que dá todos os dias, Telma?

— Não sei, Sueli, deve estar pensando no que vai fazer. Depois do que ela me disse hoje, nunca mais vou conversar com ela! Ela merece o marido que tem!

— Você não pode falar assim, ela gosta muito da gente...

— Sei que gosta, mas não sabe lutar pela gente. Agora vou me deitar e tentar dormir. Amanhã preciso acordar cedo para ir trabalhar.

Abaixou-se para cobrir Sueli e dar-lhe um beijo, quando ela disse:

— Telma, você já viu como está o seu rosto?

— Não, o que tem ele?

— Vai olhar no espelho. Está todo vermelho. Acho que vai ficar preto, que nem o da mamãe fica.

Telma se levantou e foi até o espelho do guarda-roupa. Ao se ver, quase gritou:

— Sueli, você tem razão! Meu Deus do céu, amanhã vai estar tudo preto! Não posso ir trabalhar dessa maneira, todos vão querer saber o que aconteceu e eu não vou poder contar que foi meu pai quem fez isso! Não sei o que fazer, pois não posso faltar, tenho um trabalho importante para fazer amanhã!

Quando terminou de falar, estava chorando muito. Sueli se aproximou, segurando sua mão e também olhando para o espelho, e disse:

— Não precisa chorar, Telma. Você tem que fazer igual a mamãe faz. Sempre que o papai bate nela e ela fica com o rosto preto, ela diz pra todo mundo que escorregou e bateu com o rosto na cadeira.

— Ela faz isso?

— Sempre, e as pessoas acreditam.

— Não sei, mas acho que não vai dar certo.

— Vai dar, sim. Todos vão acreditar.

Estava ainda olhando no espelho, quando, por ele, viu Sara entrando no quarto, voltou-se para ela e gritou:

— Viu o que ele fez com meu rosto? Como vou trabalhar amanhã?

— Meu Deus do céu! Vamos fazer uma compressa para ver se não fica muito inchado e preto. Acho que não vai poder ir trabalhar mesmo, Telma. Se for, vai ter que dar muitas explicações.

— Já pensei nisso, mas não adianta. Se ficar preto não vai ser só por um dia. Não posso faltar, tenho muito trabalho para fazer! Vou ter que inventar alguma coisa, ou melhor, vou seguir o conselho da Sueli e dizer que escorreguei e bati com o rosto em uma cadeira.

— Ela te disse isso?

— Eu disse mamãe. Não é o que a senhora sempre fala quando o papai bate na senhora?

— Está vendo, mamãe! A senhora sempre diz que eles são crianças, e que não sabem muito bem o que acontece nesta casa. Mas não é verdade. As brigas se tornaram tão freqüentes, que eles já se acostumaram e acham que é normal! Mas não é, mamãe! Não é!

Sara começou a chorar. Sabia que os filhos sofriam com todas aquelas brigas, só não sabia que eles prestavam tanta atenção em tudo o que acontecia.

— Tem razão, Telma. Mas, hoje, você e seu pai se excederam, e eu tive uma conversa muito séria com ele. Enquanto a briga era comigo, estava tudo bem, mas, no momento em que houve agressão entre vocês, tudo tem que mudar.

— A senhora chamou minha atenção como se ele estivesse com a razão. Eu não aceito isso!

— Chamei, porque, apesar de tudo, ele é seu pai e você não pode faltar com o respeito.

— Que pai!? Que respeito, mamãe? Um pai não age como ele, é amigo dos filhos, não bate nas suas mães! Ele não é pai, é apenas um homem que não gosta da gente nem da senhora! Eu odeio esse homem com todas as forças do meu coração e queria que ele morresse!

— Não fale assim. A vida pertence a Deus e não temos o direito de desejar a nossa própria morte, muito menos a de outra pessoa.

— Lá vem a senhora com essa conversa de Deus! Ele não existe e, se existir, não sabe que a gente existe! Nunca mais vou à igreja ou a qualquer outro lugar que fale em Deus! Não preciso Dele e nem de ninguém! Só preciso esperar um pouco mais de tempo até fazer dezoito anos e, assim, poder ir embora desta casa para sempre e nunca mais a senhora vai ter notícias minhas!

— Não fale assim. Ele está muito arrependido do que te fez e me prometeu que nunca mais vai brigar. Que nesta casa, de hoje em diante, vai ter paz.

— A senhora acreditou? Quantas vezes ele já disse isso, mamãe? A senhora sabe que ele não vai cumprir a promessa! Sabe que ele pode ficar dois ou três dias sem brigar, mas vai fazer tudo isso novamente! Ele é um mentiroso! A senhora sabe disso!

— Preciso acreditar que ele está falando a verdade. Você sabe que não temos condições de sair desta casa, porque que não temos para onde ir. Seus irmãos são muito pequenos. Precisamos ter paciência. Ele foi um homem bom, aconteceu alguma coisa que fez com que ele mudasse dessa maneira. Por mais que pense, não consigo entender o que foi. Desta vez, ele vai cumprir a promessa, tenho certeza.

— A senhora é mesmo uma covarde, mamãe. Por enquanto, não posso fazer nada, mas vou encontrar uma solução e vou sair desta casa o mais rápido possível.

— Está bem, não posso te impedir. Mas não se esqueça que, enquanto não completar dezoito anos, sou responsável por você e não pode viver sozinha. Agora tente dormir. Nada mais pode ser feito esta noite. Amanhã, se quiser, vá trabalhar, mas se não quiser ir nunca mais, está tudo bem, Telma.

— Nunca vou deixar de trabalhar, mamãe, nunca!

— Está bem, faça o que quiser. Boa-noite.

Sara foi beijar seu rosto, mas Telma se afastou. Sem ter mais o que fazer, a mãe saiu do quarto.

Telma se deitou e ficou chorando... *Ela tem razão, também estou presa nesta casa. Não tenho para onde ir, mas um dia isso tudo vai terminar. Vou poder ter minha casa, meus filhos, e eles nunca vão ver uma briga com meu marido.*

Como havia previsto, assim que Telma acordou e olhou no espelho, constatou que seu rosto, além de inchado, também estava preto do lado direito. Ficou apavorada, pois estava pior do que havia imaginado que ficaria. *Como vou aparecer no escritório com este rosto? Que vou dizer? Meus colegas não podem saber que foi meu pai quem fez isto. Eu vou morrer de vergonha se eles descobrirem.*

Sara entrou e admirou-se ao ver que Telma já estava acordada. Viu o seu rosto e disse nervosa:

— Está mesmo muito feio, Telma. Acho melhor você não ir trabalhar hoje.

— Não posso fazer isso, mamãe! Tenho que ir trabalhar. Se não for e não tiver uma justificativa, vou ficar mal perante o doutor.

— Invente uma história, diga que estou doente e que você teve que ficar em casa para me levar ao médico.

— Isso não vai adiantar, mamãe. Pode servir como desculpa para hoje, mas, e para amanhã, o que vou inventar? Por que esse preto do meu rosto não vai desaparecer em um ou dois dias. A senhora sabe que vai levar vários.

— Tem razão. Ontem, quando chegou, parecia que estava mais nervosa do que de costume. Já presenciou muitas brigas e nunca teve uma reação como aquela. Que aconteceu? Por que estava tão nervosa?

Embora Telma estivesse magoada com Sara, depois da atitude que ela teve defendendo o pai, sua mãe era também sua melhor amiga. Precisava conversar com alguém e não existia ninguém no mundo em quem ela confiasse mais. Contou o que havia acontecido, mas omitindo suas idas ao apartamento. Contou, também, tudo que Roberto lhe disse e terminou dizendo:

— Ele me enganou, mamãe. A senhora tinha razão, rico não se mistura com pobre, mesmo. Esteve o tempo todo brincando comigo. Sou uma burra, mesmo! Acreditei em tudo o que ele me disse.

— Você não é burra, Telma. Acho até que você é muito adulta para sua idade. Na sua idade, as meninas estão só pensando em se arrumar e parecer bonitas. Poucas são aquelas que se interessam em estudar, que se preocupam com o futuro. Você é diferente, minha filha.

— Talvez eu seja diferente das outras garotas, porque elas não tiveram um pai como o meu. Fui obrigada a crescer rapidamente e tenho que escolher o que quero para o futuro e, com certeza, não será como o que tenho hoje.

— Acho que tem razão, mas, por outro lado, foi bom ter descoberto quem era, antes que fosse tarde demais.

— O que está querendo dizer?

— Se não tivesse acontecido agora, você, da maneira como estava, teria se entregado a ele sem pensar, e hoje poderia estar sofrendo muito mais.

— Sabe que a senhora tem razão! Iludida como estava, e com a vontade que tenho de sair desta casa, eu teria feito tudo o que ele quisesse.

— Mas não fez. E só pode agradecer a Deus, por um anjo ter passado e estragado com os planos dele. Sempre te disse que Deus existe. Agora você pode ter certeza disso.

— Que Deus, que anjo nada, mamãe. Foi só porque ele quer trabalhar perto da casa onde vai morar, nada mais. Por isso eu estava tão nervosa e, ao chegar e ver papai daquela maneira, tive a confirmação de que nenhum homem presta mesmo. Não quero mais saber de homem, mamãe. Daqui para a frente vou me dedicar com afinco e aprender não só datilografia mas todo o trabalho daquele escritório. Como a senhora disse, se eu quiser sair desta casa vai ser só às minhas custas. Não posso mais pensar em um homem para fazer isso. Vou morrer solteirona!

Sara começou a rir e disse:

— Não vai, não, Telma. Esse foi o primeiro homem que apareceu em sua vida. Muitos outros virão e muitos tentarão te enganar, mas, no dia em que menos estiver esperando, o seu verdadeiro amor vai aparecer e te fazer muito feliz.

— Pode até ser que a senhora esteja com a razão, mas não estou preocupada com isso. Será difícil me interessar por outro. O fim do ano está chegando, quem sabe eu consiga ir para o ginásio no ano que vem.

— Quem sabe, minha filha. Mas agora está na hora de se vestir e ir enfrentar o seu dia, que hoje vai ser difícil. Vai ter que dar muitas explicações sobre esse rosto. Sinto muito, minha filha.

— Desculpe, mamãe. Sei que, se tivesse uma profissão, ou dinheiro, a senhora já o teria abandonado.

— Sabe, Telma. Às vezes penso que, mesmo que eu tivesse dinheiro, não faria isso, porque no fundo eu tenho muita pena dele.

— Não fale isso nem de brincadeira, mamãe! A gente precisa sair desta casa, senão as crianças vão crescer amedrontadas e infelizes, assim como eu sou.

— Você não tem medo de coisa alguma!

— Não tenho mesmo, mas sou infeliz, mamãe.

— Com o tempo, tudo isso vai passar. Fico feliz em saber o quanto você gosta das crianças, porque sei que, se alguma coisa acontecer comigo, você tomará conta delas.

— Que conversa é essa, mamãe?

— Conversa nenhuma, mas tudo pode acontecer. A gente nunca sabe quando será a hora da nossa morte e eu, às vezes, fico preocupada com vocês todos, mas muito mais com elas, que são tão pequenas...

— Pode parar com essa conversa, mamãe! A senhora vai viver muito tempo e vai ver a sua filha vencer na vida!

— É o que mais desejo, mas, se isso não acontecer, nunca se esqueça que eu deixo as crianças na sua responsabilidade. Você conhece seu pai. Ele não vai ter paciência para cuidar delas.

— Nada vai acontecer com a senhora. É muito forte, querida e necessária. Já pensou como a gente ia ficar sem a senhora? Não quero nem pensar nisso...

— Nem eu, minha filha... nem eu...

— Agora é que estou mesmo atrasada para o trabalho. Vou me vestir, tomar meu café e sair correndo.

— Está bem. Enquanto você se veste, vou esquentar seu café. Conversamos tanto tempo que deve ter esfriado.

A mãe saiu e Telma voltou a olhar-se no espelho. Puxou os cabelos para a frente do rosto e quase o cobriu totalmente. Olhou, olhou e resolveu: *Não adianta querer me enganar. Embora meu cabelo seja comprido, não vai esconder o roxo e não vou conseguir trabalhar com ele assim. Vou usar preso, como faço todos os dias e dizer o que Sueli falou. Se convencer, tudo bem... mas, se não convencer, não tenho o que fazer.*

Como havia previsto, assim que chegou e os colegas viram seu rosto, como não poderia deixar de ser, perguntaram assustados o que havia acontecido. Ela contou a história da cadeira e pareceu que todos acreditaram. Se não acreditaram, fingiram muito bem. Ela foi para sua sala e começou a trabalhar. Ainda pensava em Plínio, mas tentava de qualquer maneira esquecer: *Agora preciso começar uma nova vida. Preciso me convencer que ele realmente me enganou, mas, como diz a minha mãe, não sou burra e sei que tenho de continuar minha vida, mas nunca mais vou confiar em um homem ou me apaixonar novamente.*

Roberto, como quase todos os dias, chegou depois do almoço e, através da campainha, chamou Telma, que estremeceu, levantou-se imediatamente e, antes de sair da sala, pensou: *Com os meus colegas de trabalho, tudo bem, mas com ele é diferente. Será que vai acreditar nessa história que inventei? Espero que sim, mas não adianta ficar aqui esperando e tentando esconder o que aconteceu. Vou até lá, conto a mesma história e espero que acredite.*

Entrou na sala, perguntando:

— O senhor me chamou, doutor?

Ele que estava com a cabeça baixa olhando um documento, levantou a cabeça, olhou bem para ela e respondeu:

— Sim, preciso que telefone para este cliente e peça que venha até aqui. Estou precisando falar com ele. Faça isso agora mesmo.

— Pois não, doutor — ela disse, pegando o documento que, sem tirar os olhos dela, ele lhe entregou.

Ia saindo, quando ele perguntou:

— Você está bem, Telma?

— Estou, doutor.

— Em sua casa também está tudo bem?

— Está... mas por que está me fazendo essa pergunta?

— Sinto que algo muito grave aconteceu. Estou perguntando, mas não quero que fique constrangida por sua parte. Mas gostaria de saber o que aconteceu.

— Ah, é por causa do meu rosto? — ela perguntou, sem saber o que responder.

— Sim. Por que seu rosto está roxo? Que aconteceu?

— Bem, eu escorreguei e bati com o rosto em uma cadeira.

— Foi isso mesmo que aconteceu?

— Sim, doutor, mas, dentro de alguns dias, o roxo vai desaparecer...

— Ainda bem que foi isso. Quando vi, lembrei-me da minha casa e da minha mãe, que, às vezes, também escorregava e batia como o rosto em uma cadeira ou, em outras vezes, era na porta... mas, se está falando a verdade, está tudo bem, se não...

— Se não... o que quer dizer, doutor?

— Se o motivo for outro, gostaria de saber, para assim poder ajudar você e a sua família.

Telma ficou olhando para ele e sentiu tanta sinceridade naquilo que ele dizia, que quase lhe contou a verdade, mas se controlou e disse:

— Foi isso mesmo que aconteceu, doutor. Bati com o rosto na cadeira.

— Está bem, mas nem sei porque estou fazendo essas perguntas. Não foi para isso que chamei você e nem tenho direito de me envolver com a vida particular dos meus funcionários, mas sou assim mesmo.

Se perguntar para seus colegas, verá que sempre quero saber se eles têm algum problema em casa. Quando vejo uma mulher com o rosto roxo, lembro-me de minha mãe, da minha infância e do meu pai, que era quem fazia com que o rosto dela e os nossos, meu e de meus irmãos, ficassem roxos também. Isso me causava e ainda me causa um sofrimento e uma revolta que você não pode imaginar.

— Obrigada por se preocupar, doutor, mas está tudo bem lá em casa — mentiu.

— Está bem, mas, se precisar de ajuda, basta pedir. Hoje sou adulto e sei que existe punição para a violência no lar, basta a pessoa que está sendo agredida dar queixa na polícia. Agora pode ir.

Telma saiu imediatamente, entrou em sua sala e, respirando fundo, pensou: *Só podia esperar isso dele. Sempre soube que era um cavalheiro e muito educado, mas nunca imaginei que fosse tanto. Ele sabe o que aconteceu. Nossa! Nunca podia imaginar que, em outras casas, acontecia o mesmo que na minha. Por aquilo que ele falou, parece que existem outros monstros como o meu pai, mas não tenho o que fazer, só minha mãe poderia dar um basta nisso, mas sei que ela nunca vai reagir. Vem com a desculpa que não pode abandonar aquele homem, porque não tem como sustentar a gente... mas eu preferia comer pão com banana do que continuar ao lado dele. Bem, agora que já conversei com o doutor, estou mais calma e, se meu pai voltar a me bater, eu peço ajuda a ele. Agora vou continuar o meu trabalho. Parece que tudo está bem, acreditaram na história da cadeira...*

Uma estranha visita

O tempo passou e tudo continuou da mesma maneira. O pai de Telma continuou brigando, mas ela, desde o dia em que sua mãe ficou ao lado do pai, preferiu nunca mais se envolver nas brigas deles. Quando chegava em casa e eles estavam brigando, ela pegava as crianças, punha na cama e ia para o seu beliche. Seu desejo no momento era aprender a escrever a máquina e, logo, quem sabe, poder fazer o ginásio. Nunca mais ouviu falar de Plínio, embora todos os dias esperasse que, a qualquer momento, ele aparecesse e dissesse que tudo havia sido um engano e que era dela que ele gostava realmente, mesmo que ela tivesse certeza que isso seria mais uma mentira. Esperava ansiosa por esse dia e, sempre que esse pensamento surgia em sua mente, pensava: *Sei que esse dia vai chegar, que ele vai aparecer na minha frente e mentir novamente. Quando isso acontecer, vou me vingar. Ele não perde por esperar!*

Era mais um dia de trabalho quando, na hora do almoço, ao sair, viu vários de seus companheiros diante do quadro de avisos. Aproximou-se, perguntando:

— Que está acontecendo, Marieta?

— Olhe, é o convite de casamento do Plínio. Ele vai se casar no fim do mês e está convidando a gente para ir. Acho que vai ser uma festa muito grande, não vou perder por nada!

Telma olhou para o quadro e pôde ver que realmente o convite estava lá. Começou a tremer e sentiu que todo o sangue desaparecia de seu rosto.

— Você vai também, não vai, Telma?

Ela ouviu a pergunta de Marieta como se viesse de muito

longe. Seu coração batia tão forte, que ela conseguia ouvir suas batidas. Percebeu que ia chorar e, saindo para que os amigos não percebessem como ela estava, disse:

— Não sei, Marieta. Preciso conversar com meus pais.

Antes que Marieta continuasse com aquela conversa, ela saiu rapidamente. Já na rua, deixou que as lágrimas caíssem por seu rosto: *Agora está tudo terminado. Esperei tanto que ele voltasse, mas ele não apareceu. Fui enganada, e ponto final. Mas, um dia, ainda vou me vingar. Ah se vou!*

Chegou em casa.

— Que aconteceu, Telma, por que está chorando dessa maneira? — Sara perguntou, assustada.

Sem conseguir evitar as lágrimas, Telma contou o que havia acontecido.

Sara a ouviu e, quando ela terminou de contar, disse:

— Entendo que você esteja assim, mas ele foi embora, felizmente, antes que você perdesse todo o controle e se entregasse sem pensar. Agora vai poder esquecer desse moço para sempre. Já te disse várias vezes. Você é muito jovem, tem uma vida toda pela frente. Outros rapazes aparecerão, você vai se apaixonar outras vezes e, queira Deus, um dia você vai encontrar um homem que realmente te ame e te faça feliz. Agora, venha almoçar.

— Não estou com fome, mamãe. Só quero chorar — e, enquanto olhava para Sara, pensava: *Preciso contar para ela que aconteceu algo mais, mas não tenho coragem. Ela sempre conversou muito comigo a esse respeito, de como o corpo se transforma e como nasce uma criança. Por que não a escutei? Também, ela não precisa... nunca vai saber que me entreguei de corpo e alma para ele.*

— Sei que não está com fome, mas, mesmo assim, precisa se esforçar e comer ao menos um pouco — Sara disse, não imaginando o drama que Telma estava vivendo.

— Sabe o que mais me magoa, mamãe?

— O quê?

— É ele ter desaparecido sem dizer coisa alguma. Sem dizer qual foi o motivo. Entrou na minha vida sem que eu pedisse e saiu da mesma maneira. Por que não foi sincero assim como eu fui?

— A mulher é diferente do homem e muito mais corajosa,

minha filha. Os homens são covardes e não gostam de enfrentar as coisas de frente. Dizem que, quando desaparecem sem dar satisfação, é porque têm medo de magoar. Mas eles não imaginam, nem de perto, o quanto magoam a mulher quando fazem o que esse moço fez com você. As mulheres se apaixonam realmente, enquanto os homens, muitas vezes, se aproximam somente por desejo sexual ou para conquistarem aquela que lhes parece difícil... mas eles quase nunca colocam sentimento nessa história. Na realidade, o homem não passa de um covarde, sem coragem de assumir o que realmente sente. Quando eu te disse que muitos outros aparecerão, preciso dizer também que, quase todos eles, farão a mesma coisa. Por isso, minha filha, tem de estar preparada para não sofrer tanto da próxima vez...

— Mamãe, eu gosto tanto da senhora! Já conversei a esse respeito com muitas amigas e nenhuma delas tem uma mãe como a senhora, que conversa sobre tudo. Ainda mais sobre namorado. Como a senhora pode ser tão diferente das outras mães?

— Simplesmente porque já tive sua idade e já me apaixonei várias vezes até conhecer seu pai. A vida sempre se repete, e todas as meninas passam por isso que você está passando hoje. Sei que nem todas as mães pensam como eu e se recusam a conversar com os filhos sobre sua vida sentimental. Faço isso porque, quando tinha a sua idade, não tinha com quem conversar e sofria muito. O mundo está mudando. Um dia, quem sabe, esta conversa que estamos tendo hoje vai ser uma conversa normal em todas as famílias. A mulher sempre foi deixada para trás na história e sempre foi controlada, pelo pai, pelo marido e pelos filhos. Elas não podiam nem votar! Os homens diziam que as mulheres eram incapazes de escolher os governantes. Quando houve um movimento para que as mulheres pudessem votar, eu era jovem e nem pensava em me casar, e participei dele. E, hoje, graças a Deus, ao menos isso conseguimos. O resto virá com o tempo. A mulher vai conseguir demonstrar que é tão capaz quanto o homem e que poderá trabalhar como ele. Sinto que essa nova geração de mulheres que está se formando, assim como você, sabe o que quer da vida e vai lutar para conseguir seus direitos, e torço muito para que isso aconteça.

— Mamãe, em algumas coisas a senhora me parece tão inteligente e determinada. Quando jovem até lutou por seus direitos!

Por que, quando se trata do papai e da sua vida, se conforma em viver apanhando dele?

— Quando eu era jovem, idealizava que minha vida seria boa, mas não tive a oportunidade de freqüentar uma escola, de ter uma profissão e, como todas as moças da minha época, só fui preparada para casar e ter filhos. E, como quase todas elas, vivo na dependência do marido. Além do mais, tenho vocês e não quero, nem por um minuto, que vocês cresçam sem pai.

— Eu não penso como a senhora. Acho que é melhor pra todos nós a gente viver longe dele do que em uma casa com tanta violência como a nossa.

— A sociedade é cruel e discrimina mulheres que vivem sozinhas. Os filhos, então, são mais discriminados ainda.

— Como sabe disso?

— Nunca te contei, mas meus pais se separaram quando eu era pequena. Foi muito triste. Eu não entendia muito bem o que tinha acontecido, mas, na escola, assim que minhas colegas ficaram sabendo e depois que conversaram com suas mães, elas mudaram de atitude comigo. Não me convidavam mais para ir às suas casas e nem deixavam que eu participasse de suas brincadeiras. Um dia, perguntei a uma delas o motivo disso. Rindo muito, ela me respondeu que não podia brincar com elas porque eu não tinha pai. E eu não entendi, pois, mesmo o meu pai tendo ido embora, eu continuava a mesma pessoa. Não tinha mudado em nada. Só chorei nos primeiros dias, mas, como você disse, vendo que não havia mais briga em casa, estava até feliz. Minha mãe teve que ir trabalhar em uma fábrica para poder sustentar minha irmã e eu. Aí, foi pior ainda, pois, assim como hoje, mulher que trabalha fora não presta perante a sociedade. Ela também foi muito discriminada. Havia mulheres que se diziam suas amigas. Mas, quando ela ficou sozinha, elas a evitavam de todas as maneiras e lhe viravam as costas. Uma delas disse que não queria que minha mãe fosse em sua casa, porque, já que ela não tinha mais um marido, poderia querer roubar o dela. Lembro que minha mãe chorou muito naquele dia. Daquele dia em diante, minha mãe se fechou em casa, só saía para ir ao trabalho. Para nada mais. Não visitava ninguém e nem era visitada. Por tudo o que eu e minha irmã passávamos na escola, e por ver o quanto minha mãe sofria, jurei que meus filhos nunca ficariam sem pai e nem eu sem marido, acontecesse o que acontecesse.

— Por isso é que a senhora suporta tudo, até ser espancada quase todos os dias?

— Em parte sim... eu não quero que vocês passem o que passei e nem quero passar por aquilo que eu, minha irmã e minha mãe passamos.

— A senhora nunca falou muito sobre sua irmã, só que ela havia morrido. Do que ela morreu?

— Quando minha mãe começou a trabalhar fora, eu tinha onze anos e minha irmã sete. Como não tinha ninguém para tomar conta da casa enquanto minha mãe trabalhava, ela achou que eu, por ser mais velha, tinha condições de cuidar da casa e da minha irmã. Minha mãe, antes de ir para o trabalho, preparava a comida, lavava a roupa e deixava a casa mais ou menos em ordem. Eu tinha que fazer as camas, varrer a casa e lavar a louça do almoço, cuidar da minha irmã e preparar ela para ir à escola. Como nós duas estudávamos no mesmo horário, à tarde, eu só tinha que almoçar e dar o almoço para ela. Na hora do almoço, minha irmã quase não comia, mas eu não me importava com aquilo e, na maioria das vezes, eu comia a comida que ela não queria. Minha mãe, que sempre chegava muito cansada em casa, não percebeu que ela estava ficando fraca. Quando se deu conta e a levou para o médico, já era tarde. Ela estava com uma anemia profunda e, por mais que os médicos e minha mãe tentassem, não conseguiram fazer com que a anemia desaparecesse e ela morreu. Quando isso aconteceu, minha mãe me culpou por não ter visto que ela não comia, por não ter avisado. Durante muito tempo, eu sofri me sentindo culpada da morte da minha irmã e também por ter ficado feliz quando ela não queria comer, pois assim sobrava mais comida e eu podia comer mais. Carreguei esse remorso por muito tempo. Faltavam dois meses para você nascer, e eu estava ansiosa para saber se seria menino ou menina. Embora estivesse feliz, não conseguia esquecer de minha irmã e nem me livrar da culpa que sentia. Uma manhã, quando estava quase acordando... não sei se sonhei ou se já estava acordada... acho que estava sonhando... mas foi tão real, que parecia que minha irmã, realmente, estava ali. Ela estava muito bonita, vestida toda de branco e seu corpo inteiro brilhava. Ela sorriu, se aproximou e me beijou no rosto. Depois, olhou bem no fundo dos meus olhos e disse:"*Tata* "— era assim que ela me chamava — "*Você não teve culpa da minha morte. Eu tinha um tempo certo para viver e esse tempo acabou. Como pode ver, estou muito feliz e vivendo em um lugar muito bonito. Sua filha vai nascer e será uma grande mulher. Você só terá motivo para se orgulhar dela. Seja feliz e me esqueça, para que eu possa seguir o meu caminho".*

— Acordei e, naquele exato momento, você mexeu em minha barriga. Eu não sabia se chorava ou ria de felicidade e, então, queria dar o nome dela para você, mas seu pai não deixou, disse que nome de morto dá azar. Por isso resolvi que te daria o nome de Telma. O nome dela era Selma, ficaria quase igual. Como ela me disse, você é especial e, até hoje, só me trouxe orgulho e felicidade.

— Mamãe, será que a senhora viu uma alma penada?

— Não sei se vi ou se sonhei, mas com certeza ela não era uma alma penada e, diria até, parecia um anjo.

— Por isso que a senhora fica sempre tão preocupada quando a gente não quer comer?

— Isso mesmo, embora, hoje, eu saiba que não foi minha culpa, isso nunca saiu da minha cabeça e o que mais me preocupa é a alimentação de vocês. Falando nisso, vamos almoçar. Seu pai, quando saiu de manhã, me avisou que não vinha para o almoço.

— Por que de vez em quando ele não vem almoçar?

— Você sabe que ele faz móveis e tem que entregar e montar. Quando isso acontece, passa quase o dia todo fora da marcenaria.

— Está bem, vamos comer. Sabe que, enquanto ouvia a senhora falar, sem perceber, parei de chorar e acho que não vou chorar nunca mais na minha vida.

— Vai, sim, minha filha. Mas não precisa ser de tristeza, tomara que seja sempre de felicidade — disse a mãe, sorrindo.

Começaram a comer e Telma estava se sentindo muito bem. Não viram, mas Selma, a irmã de Sara, sorriu, beijou as duas no rosto e desapareceu.

Telma almoçou e foi para o trabalho. Enquanto caminhava, ia pensando em tudo que a mãe tinha dito: *Ela sempre falou sobre a mãe, mas muito pouco sobre a irmã. Nunca imaginei que tivesse tido uma infância tão sofrida! Não merecia ter um marido perverso como é o pai. Por tudo que passou, deveria ser muito feliz, mas não é. E aquele sonho que teve? Será que existe espírito mesmo? Será que, quando a gente morre vira espírito e pode vir visitar os que ainda não morreram? Sei lá, mas seria muito bom se fosse verdade. Aprendi que, quando a gente morre, fica sem fazer nada, no inferno, no céu, esperando a ressurreição... mas seria muito bom se, ao invés de ficar sem fazer nada, a gente pudesse voltar. Embora mamãe diga que eu e as crianças fazemos a sua felicidade, não acredito. Ela deve sofrer muito por não poder dar para a gente um lar feliz, diferente do que ela teve. Mas eu, um dia, vou dar a ela tudo o que não teve até hoje. Tenho certeza que ainda vamos ser muito felizes. Bom, já estou chegando no escritório. Espero que não estejam falando sobre o casamento. Mamãe disse que todos os homens são iguais e que não costumam enfrentar uma situação difícil. Será que Plínio desapareceu sem dar explicação por isso? Ou será que houve um outro motivo qualquer? Como você é burra, Telma! Claro que ele tinha um bom motivo... ia se casar e só queria te enganar. Eu deveria contar para minha mãe tudo que aconteceu, mas sinto muita vergonha. Ela sempre acreditou em mim, tanto, que acha que eu nunca faria nada de errado... Nunca passou por sua cabeça que, um dia, eu seria tão burra...*

A vida continua

Entrou no escritório e, como havia imaginado, todos comentavam sobre o casamento. Ela passou por eles, sorriu e foi para sua sala. Os colegas estavam tão envolvidos na conversa, que não perceberam que ela não estava entusiasmada como eles.

Entrou em sua sala e viu vários papéis sobre a mesa. *Que bom que tenho muito trabalho... isso vai fazer eu me esquecer de Plínio e do seu casamento...*

O dias foram passando. Ela mentia para os colegas que estava feliz em poder ir ao casamento, que também estava preparando as roupas, mas sabia que não ia comparecer. Depois do casamento, inventaria uma desculpa qualquer, sabia que não seria difícil, pois já tinha dito a todos que seus pais eram severos em relação a ela sair de casa.

Durante esse tempo, terminou o curso de datilografia e recebeu seu diploma. Com ele na mão, pensava satisfeita: *Agora já consigo escrever com os dez dedos. Foi difícil e dependeu de muito treino, mas agora já posso ajudar muito mais o doutor Roberto. Posso escrever todas as cartas e contratos. Espere, talvez eu não possa fazer tudo isso, porque não conheço muito de português e de gramática. Isso só poderia ser resolvido se eu pudesse freqüentar o ginásio. O fim de ano está chegando. Vou tentar o exame de admissão no grupo escolar. Quem sabe, talvez eu consiga. Quanto ao Plínio, ainda penso nele, mas não mais com amor, e sim com raiva, e tenho a certeza que um dia ainda vou me vingar de tudo que ele me fez.*

Faltava um dia para o casamento, e os funcionários do

escritório estavam ansiosos, pois a festa seria na casa de Roberto e todos tinham curiosidade em conhecê-la. Telma ouvia os comentários e se esforçava para demonstrar que, assim como eles, estava feliz.

Estava trabalhando quando ouviu a campainha. Levantou-se e foi atender o doutor Roberto. Assim que entrou, ele a olhou e perguntou:

— Está tudo bem com você, Telma?

— Está doutor, obrigada.

— Está animada com o casamento, amanhã?

Ela não esperava aquela pergunta e levou alguns segundos para responder.

— Estou, doutor. Aliás, todos estão. Esse casamento vai ser um acontecimento — disse, sem olhar para ele.

— Será sim. Espero que vá mesmo, quero que você e todos possam compartilhar da felicidade de Plínio e Luísa. Eles namoram há muito tempo e se gostam muito. Sei que serão felizes. Esse casamento vai durar para sempre.

— Que bom, doutor. Desejo que sejam mesmo muito felizes.

— Eles serão. Sei que Plínio gosta de ter algumas aventuras, mas sempre gostou muito de Luísa.

Aquelas palavras entravam nos ouvidos de Telma como lanças, mas, enquanto ele falava, ela conseguiu se controlar e tentou sorrir.

Ele se calou e ficou olhando para Telma. Queria ver sua reação. Como ela continuava sorrindo e calada, ele disse:

— Está bem. Esse assunto de casamento fica para os comentários na segunda-feira. Chamei você aqui para dizer que estou muito feliz com o seu trabalho. Aprendeu rápido e está cada dia melhor. Conseguiu o diploma de datilografia, mas precisa estudar mais. Por isso resolvi que precisa continuar estudando e, depois que terminar o ginásio, se não quiser ser professora, como todas as moças sonham, pode fazer contabilidade para poder crescer mais aqui no escritório.

— Hoje mesmo decidi que vou prestar o exame de admissão e, quem sabe, eu consiga passar.

— Quando vai ser o exame?

— Na última semana de janeiro. As aulas vão começar em fevereiro.

— Bem, faltam quase dois meses. Para ter chance de passar,

você precisa se preparar. Vi hoje uma escola que prepara alunos para esse exame. Fica perto da escola de datilografia. Se quiser, o escritório pode pagar para que você a freqüente. Assim, terá condições de igualdade com os outros concorrentes para prestar o exame. Que acha?

— O senhor vai fazer isso, mesmo, doutor?

— Não sou eu. Se você freqüentar uma escola, posso descontar nos impostos que pago. Nem tudo está errado no nosso governo. Você quer? Acha que se preparando vai conseguir?

— Claro que quero, e claro que vou conseguir, doutor! Esse é o meu sonho! Depois que terminar o ginásio, vou estudar contabilidade, sim, porque no primeiro dia, quando cheguei aqui e vi aquela placa lá fora, eu disse que um dia teria um escritório como este, com placa e tudo!

— Não duvido disso! Você vai longe! Mas espero que seja em outro lugar, porque, se for aqui perto, vai tirar todos os meus clientes! — disse rindo.

— Não se preocupe, doutor, nunca vou fazer isso e, mesmo que quisesse, não conseguiria. O senhor tem uma clientela fiel.

— Está bem! Hoje, quando sair daqui, pode ir tratar da matrícula. Veja o preço e amanhã eu dou o dinheiro.

— Obrigada, doutor, pode ter certeza que não vai se arrepender. Vou estudar e passar todos os anos, com louvor.

— Sei disso. Desde que a conheci, soube que podia investir em você.

— O senhor é tão bom, queria que fosse meu pai.

— E eu queria que você fosse minha filha... Agora pode voltar para sua sala e terminar o trabalho que está fazendo.

Telma voltou para sua sala. Estava feliz. *Minha vida, mesmo sem Plínio, está seguindo em frente. Vou estudar e conseguir tudo que sonhei. O doutor não sabe, mas aquilo que falou sobre o casamento do Plínio me fez muito mal, mas agora não posso me preocupar com isso. Preciso somente estudar e ser alguém. Ele que seja feliz, porque sei que um dia vou me vingar de tudo que ele fez comigo. Imagine se vou no casamento! Não ia suportar ver ele se casando! Acho que não ia conseguir disfarçar e ia chorar na frente de todos. Não vou mesmo...*

Assim que terminou o expediente, ela foi correndo para a escola e pegou todas as informações. Com o papel na mão, foi para casa. Sara estava preocupada porque ela estava atrasada e, se o pai chegasse antes dela, seria motivo para outra briga.

Ela entrou correndo e mostrando o papel para a mãe.

— Olha aqui este papel, mamãe! A senhora não vai acreditar!

A mãe pegou o papel, leu e perguntou:

— Que escola é essa, Telma?

Telma contou. A mãe a ouviu e, depois, disse:

— Por que ele está fazendo tudo isso por você?

— Ele disse que é porque eu sou interessada e que tenho futuro na empresa.

— Só por isso, mesmo?

— Só por isso mesmo, mamãe! Lá vem a senhora com maus pensamentos!

— Não sei, mas acho muito estranho um homem fazer qualquer coisa para uma mulher, que não seja por interesse.

— Pois com ele a senhora está errada. Conversei com vários colegas do escritório, e muitos que trabalham lá estudaram e estão nos melhores cargos porque o doutor pagou a escola. Ele disse que, pagando escola para os funcionários, pode descontar dos impostos que tem de pagar para o governo.

— Está bem. E, se é só isso mesmo, fico contente por você. Sei a vontade que tem de estudar e Deus está te dando uma boa chance.

— Que Deus, que nada, mamãe! Quem está dando é o doutor!

— Não fale assim, minha filha. Deus está sempre por trás de todas as coisas que acontecem com a gente...

— Então foi ele quem me fez nascer nesta casa e ter esse homem como pai? Por falar nisso, ele ainda não chegou?

— Não, mas aquele homem é seu pai e foi, sim, por vontade de Deus.

— Acha que preciso agradecer? Eu agradeceria se ele tivesse me feito nascer na casa do doutor. Isso sim eu teria que agradecer... mas nascer nesta casa, pobre, e com um homem igual a esse como pai? Não tenho nada a agradecer! Mas esquece... hoje estou feliz e não vou me preocupar com isso. Só sei que vou estudar e conseguir tudo o que quero na vida e, enquanto o doutor estiver por perto, eu sei que vou conseguir. A senhora vai ver, ainda vou ter o meu escritório, com placa e tudo!

— Está bem, acho que vai conseguir mesmo. Não agüento mais ouvir você falando nisso. Vai vencer pelo cansaço... Até Deus já deve estar cansado de ouvir você repetindo isso! — disse rindo.

— Não posso parar de falar, mamãe! Não posso esquecer o que quero para minha vida!

— Está bem, mas agora vamos jantar?

— O casamento vai ser amanhã, mamãe...

— Que é que você está sentindo? Ainda está decidida a não ir?

— O doutor disse que queria que todos os funcionários fossem para ver a felicidade de Plínio e o quanto eles se amavam.

— Ele disse isso?

— Disse e, embora eu não goste mais do Plínio, fiquei sem saber o que dizer.

— Por que não vai e mostra para ele que está tudo bem, que você está feliz com a sua felicidade?

— Não posso, mamãe! Eu não estou feliz! Estou com muita raiva!

— Está bem, sabe que, se quiser, pode ir. Já comprei um vestido novo para o Natal, se quiser, pode ir com ele. Ninguém conhece.

— Não vou, mamãe! Não vou!

— Tem tempo até amanhã para decidir. Agora vamos jantar. Vá até lá fora e chame as crianças. Estão brincando na rua e devem estar com fome.

Enquanto a mãe ia para a cozinha, Telma foi até o portão. Várias crianças brincavam de esconder, entre elas seus irmãos. Chamou, mas eles não queriam entrar. Ela insistiu e falou, séria, que não deviam atrapalhar a mãe, e o jantar. Diante disso, eles não conseguiram desobedecer e entraram.

Jantaram e, em seguida, Telma foi para o quarto. Por mais que não quisesse, não conseguia esquecer Plínio e o casamento dele. *Ele pode se casar e até pensar que vai ser feliz, mas não vai! É impossível que não tenha um sentimento de culpa por aquilo que me fez. Mas o dia dele vai chegar! E, nesse dia, vou ser a pessoa mais feliz deste mundo!*

No dia seguinte, na hora em que o casamento de Plínio se realizava em outra paróquia longe dali, embora tivesse dito que nunca mais iria a uma igreja ou a qualquer outro lugar que falasse de Deus, Telma, como até então tinha feito todos os sábados para que Sara não ficasse triste com ela, foi até a igreja que a mãe freqüentava, ali mesmo, em seu bairro. E entrou. Como em todas as igrejas, aos sábados, naquele horário, lá também estava sendo realizado um casamento. Sentou-se em um dos bancos e ficou olhando a noiva, que entrava com seu lindo vestido branco. Não podia negar que era uma moça muito bonita e podia-se ver que seus olhos brilhavam de felicidade enquanto caminhava em direção ao altar, onde seu noivo, visivelmente nervoso, a esperava. Telma sentiu um aperto no coração e começou a chorar baixinho e a pensar. *Neste momento ele deve estar se casando e sua noiva, como esta que está aqui, deve estar muito feliz. Eu, por mais que queira, não consigo esquecer de como ele foi sempre tão carinhoso, mas também não posso esquecer que ele me enganou. Agora vou embora, não tenho o que falar com esse tal de Deus. Só tenho muita tristeza e isso não vai ter importância alguma para Ele. Vou para casa me preparar para, na segunda-feira, ouvir os comentários sobre o casamento. Preciso encontrar alguma desculpa para não ter ido.*

Durante todo o domingo ela passou triste e, a maior parte do tempo, em seu beliche. Sara a observava sem nada dizer. Entendia que Telma estava passando por uma situação muito difícil e que, naquele momento, ela se julgava a pessoa mais infeliz do mundo. Sorriu enquanto pensava: *Tudo isso vai passar. Ela é ainda muito criança, logo vai encontrar um outro rapaz e esquecer do Plínio. Tomara que isso aconteça logo, ela é uma menina maravilhosa.*

Na segunda-feira, Telma foi trabalhar e, como havia imaginado, seus colegas não paravam de comentar o casamento. Diziam como Plínio estava feliz e como Luísa, sua noiva, estava bonita. Falavam da festa, como tinha sido luxuosa, e das comidas, e bebidas, em grande quantidade.

Cada palavra que diziam era, para ela, como uma flecha em seu coração. Ela chegou a sentir dor física. Marieta, ao ver que Telma não dizia nada, perguntou:

— Telma, por que você não foi ao casamento?

— Eu ia, mas fiquei com muita dor de cabeça. Não sei qual foi o motivo. Aliás, ainda não passou. Continua doendo.

— Você perdeu uma grande festa. A noiva estava linda e o Plínio muito feliz.

— Foi uma pena mesmo, mas não tinha condições de ir. Durante o dia tive que tomar vários comprimidos.

— Se continuar assim, precisa ir ao pronto-socorro.

— Se continuar, vou sim, mas agora preciso ir para minha sala.

— Todos nós precisamos.

Telma entrou em sua sala e, pensando em tudo que ouvira, deixou as lágrimas escorrerem por seu rosto... *Não tem jeito, não por mais que tente, não consigo parar de sofrer e de chorar, mas vou conseguir esquecer esse homem que me fez tanto mal...*

E, bem ou mal, ela estava conseguindo cumprir o que tinha decidido. Às vezes ainda chorava, sozinha, pensando em como tinha sido enganada... Mas o tempo foi passando, Telma começou a freqüentar a escola e, estudando muito, conseguiu passar. No dia em que soube, chegou feliz em casa:

— Mamãe, consegui passar no exame de admissão! Nem acreditei quando vi o meu nome na lousa! Finalmente vou começar a realizar o meu sonho de ter, primeiro, o diploma do ginásio e, depois, o de contabilidade!

— Sabia que você ia conseguir, Telma! Foi sempre muito inteligente e só faltava uma oportunidade.

— Essa oportunidade o doutor me deu e ele não vai se arrepender, mamãe! Vou continuar a estudar como uma louca e não vou perder nenhum ano, a senhora vai ver!

— Sei disso, minha filha e que Deus te abençoe...

— Que Deus, que nada! Quem me ajudou foi o doutor e, agora, se eu não estudar muito, não vai ter Deus para me dar o diploma.

— Não fale assim, Telma. Tudo que conseguimos é sempre a vontade de Deus.

— Está bem, mamãe, não quero discutir isso com a senhora. Estou muito feliz! A senhora continua com seu Deus, que eu continuo com o doutor e com a minha vontade.

— Também não quero brigar com você e fico feliz em saber que quer estudar e ter uma vida diferente da minha. Com um diploma, vai chegar a ter um bom salário e nunca vai depender de homem algum para viver e cuidar de seus filhos. Mas, para que tudo isso aconteça, não basta só a sua vontade, precisa também da vontade de Deus. A Laurinha me deu um livro para ler e estou gostando muito. Ele ensina que temos várias vidas e que estamos aqui para resgatarmos alguns erros e, a cada vida, encontramos amigos e inimigos... e que só assim, resgatando nossos erros, poderemos, realmente, ser felizes. Ensina, também, que todos temos uma missão e que, em cada vida, temos todas as oportunidades para cumprir essa missão. Para isto, devemos lutar constantemente para fazer sempre o bem e tirar toda a mágoa e o ódio do coração. Não gostaria de ler também?

— Outras vidas! Não estou interessada em outras vidas! Quero viver esta e conseguir tudo o que quero! Quanto a mágoa e ódio, isso sim eu sinto com muita força, e nunca vou perdoar o que Plínio me fez! Que missão?! Qual é a sua missão, mamãe? Viver ao lado de um homem que não a ama e a maltrata quase todos os dias?

— Não, Telma, minha missão talvez seja ter dado a oportunidade para que você e seus irmãos nascessem e tivessem a oportunidade de, em mais uma vida, resgatar erros e serem felizes...

— A senhora quer muito pouco da vida e, por isso mesmo, não consegue alcançar nada, mamãe! Segundo essa sua teoria, a gente ia nascer de novo de qualquer maneira, sendo filhos dele ou de qualquer outro! Quer saber qual é minha missão? Vou ser rica para poder me vingar dele e do Plínio, e sei que vou conseguir.

— Está bem, minha filha. Estou feliz por você conseguir estudar e torço para que seja feliz. Quando chegar a hora, vai entender isso que estou te falando.

— Se chegar a hora, você me avisa... mas, por enquanto, só estou preocupada com o meu estudo e com o meu futuro, conseguir um diploma, ganhar muito dinheiro e tirar a senhora e as crianças desta casa! Esse é o meu desejo e, com Deus ou sem Ele, vou conseguir!

O tempo foi passando e em sua casa tudo continuava na mesma. Três ou quatro vezes por semana Sílvio batia em Sara, que ficava toda marcada e, quase sempre, com o rosto e o corpo cheios de manchas roxas. Telma ficava furiosa, mas sabia que nada podia fazer, pois sua mãe tinha muito medo, chorava muito, mas não reagia e nem queria ir até a delegacia para dar parte.

Uma noite, quando chegou da escola, viu Sara sentada em uma cadeira da sala e, chorando muito. Aproximou-se e perguntou:

— Outra vez, mamãe? Quando isso vai terminar. Qual foi o motivo hoje?

Sara levantou o rosto e, horrorizada, Telma viu que o rosto da mãe estava vermelho e inchado, como nunca ficara antes, em algumas partes parecia haver cortes... Vendo aquilo, disse furiosa:

— Isso não pode continuar, mamãe! Sei que a senhora tem muito medo dele mas não adianta, qualquer dia ele vai matar a senhora! Precisa ir à delegacia e dar parte dele! Esse homem é um monstro! Onde ele está?

— Depois que brigou, porque disse que a comida estava ruim, saiu e não sei para onde foi. Não adianta a gente ir à polícia, Telma... Depois vamos ter que voltar para casa, porque a gente não tem para onde ir, minha filha. E, mesmo que houvesse um lugar para ir, ele diz que vai atrás, mata a gente e depois se mata...

Telma sabia que Sara tinha razão, mas, mesmo assim, dizia:

— A senhora acredita mesmo que ele teria coragem de matar a gente e depois se matar? Ele é um covarde, mamãe! Isso não pode continuar! É preciso encontrar uma solução!

— Não tem solução e não adianta ir à delegacia... Você conhece a Suzana? O marido dela também bate nela e nos filhos. Ela foi à delegacia e os guardas ficaram brincando, rindo na cara dela e dizendo que ela ia voltar pra casa porque gostava de apanhar, que era mulher de malandro. Ela saiu de lá chorando, mas sabia que não tinha outra opção, tinha mesmo que voltar para casa, não porque gostava de apanhar, mas porque não tinha para onde ir. Como vê, minha filha, ela, assim como a gente, também não pode fazer nada.

— Eles fazem isso porque são homens e, assim como esse monstro aqui de casa, também não dão valor pra mulher! Mas isso, um dia, vai ter que acabar, um dia vai existir uma delegacia onde a mulher poderá ir e ser atendida por uma outra mulher. Só assim sei que vai ser possível castigar esses canalhas.

— Tomara que um dia isso aconteça, Telma! Talvez essa seja a solução para terminar com o martírio de muitas mulheres e crianças.

— Mas, apesar de desejar uma solução, eu já acho que isso não passa de um sonho e que nunca vai acontecer! Não no nosso país. A mulher, para ser livre, para não sofrer com abuso e espancamento, tem que ter a sua profissão e ganhar um bom salário, para poder se sustentar e também aos filhos. Por isso é que estou me esforçando tanto, mamãe. A senhora sabe que é difícil trabalhar durante o dia e estudar à noite, mas não me importo, sei que um dia vou ser contadora e poderei ter um salário muito maior do que tenho hoje. E, nesse dia, vou tirar a senhora e as crianças desta casa! Sei que já disse isso muitas vezes, mas só vou parar de dizer quando conseguir!

— Com a ajuda de Deus, você vai conseguir tudo o que quiser, minha filha...

— Sei que vou conseguir, mamãe e, com ou sem a ajuda de Deus, a senhora ainda vai ser muito feliz...

Armadilhas do destino

Quatro anos se passaram. Nesse tempo, Telma ouviu falar que Plínio estava bem e que tinha um filho maravilhoso. Sempre que ouvia falar dele, ficava triste e com raiva, por saber que ele estava feliz, *sem se preocupar com o que fez comigo, que na época era praticamente uma criança...* e continuava pensando: *Você não perde por esperar, Plínio, ainda vou ter a minha vingança.*

Alguns rapazes tinham se aproximado dela, mas ela nunca quis saber de mais ninguém, só queria tirar o seu diploma e aprender todo o serviço do escritório. E, quando aprendia alguma coisa nova, ela pensava: *preciso é aprender tudo, pois um dia vou ter o meu escritório, preciso saber, para poder exigir dos meus funcionários.*

Ela tinha estudado muito e, realmente, a recompensa estava sendo alcançada. Chegou o dia em que ia receber seu diploma de ginásio. Sua mãe, seus irmãos, e até o pai, estavam muito bem vestidos para acompanhar a entrega do diploma. A diretoria da escola preparou uma solenidade. Telma, orgulhosa por ter conseguido, recebeu o diploma e, com ele na mão, foi em direção à sua família que, ansiosa, a aguardava. Ela se aproximou de Sara, dizendo:

— Consegui, mamãe, consegui receber o diploma do ginásio, agora só falta o de contabilidade. Esse vai ser mais fácil, em três anos vou ser uma contadora e, depois, quem sabe, vou conseguir fazer uma faculdade e, aí sim, vou alcançar tudo o que sempre sonhei!

Sara, chorando, abraçou-a, seus irmãos também, mas o pai só apertou sua mão, dizendo:

— Agora está na hora de ir embora. Amanhã preciso acordar cedo.

Telma mais uma vez sentiu ódio dele e pensou: *Está com raiva porque sabe que a nossa liberdade esta perto de acontecer. Só faltam três anos!*

Foram embora e, naquela noite, seu pai foi dormir sem brigar.

No dia seguinte, ela orgulhosa, bateu na porta da sala de Roberto e pediu licença para entrar.

— Entre, Telma, o que deseja? — perguntou, levantando a cabeça, pois estava lendo um documento.

— Desculpe, doutor, mas quero lhe mostrar o meu diploma.

Ele percebeu que ela estava emocionada e, também emocionado, pegou o canudo que ela lhe deu, abriu, tirou o diploma de dentro e leu o que estava escrito.

— Parabéns, Telma, você realmente conseguiu! Estou muito orgulhoso! E você parece feliz!

— Obrigada, doutor, mas, se hoje estou feliz, devo ao senhor, que me deu a oportunidade de estudar.

— O mérito é todo seu, pois, mesmo que eu tivesse dado oportunidade, se você não quisesse estudar, não adiantaria nada. Mas, e agora, o que pensa fazer?

— Vou tentar entrar no colegial e fazer contabilidade.

— Sei... você vai ter um escritório igual ao meu, e vai tirar todos os meus clientes...

— Não, doutor, nunca vou fazer isso...

— Sei disso — disse ele, rindo — e o que mais desejo é que consiga realizar todos os seus sonhos e, no que depender de minha ajuda, conseguirá. Agora, volte para o seu trabalho, não é conversando que se chega a ter um escritório...

— Está bem, doutor, e mais uma vez obrigada.

Ela saiu. E Roberto deixou cair uma lágrima, que disfarçara com a risada e tinha conseguido segurar até ela sair... *estou feliz em ver que essa menina correspondeu à minha expectativa e que realmente está levando a sério os estudos. Tão diferente da Flávia, que sempre teve tudo e poderia ser alguém, mas não quis, preferiu trocar tudo por uma aventura. O Magalhães descobriu onde ela está... vive em um bairro da periferia, continua ao lado daquele desocupado... tem dois filhos e trabalha como doméstica. Como pôde escolher uma vida dessas? E eu, que a criei com tanto carinho e nunca deixei de atender aos seus mínimos desejos... que fiz com que estudasse no melhor colégio, só para moças de famílias importantes... mas ela nunca deu valor, repetiu vários anos, e tudo ficou pior quando conheceu aquele desocupado... No dia em que ela saiu de casa, eu disse que não era mais minha filha e que nunca mais queria vê-la na minha frente.. Mas hoje estou sentindo tanta saudade do tempo em que ela era criança! Queria tanto que ela fosse igual à Telma, que trabalha durante o dia e estuda à noite. Essa menina não tem tempo nem para dormir direito, mas a sua recompensa chegará. Ela vai conseguir tudo o que quiser da vida... quanto à Flávia, quanta tristeza, mas não sei...*

Telma prestou o exame e conseguiu entrar no curso de contabilidade. Feliz com mais essa vitória, ela repetia para si mesma... *sei que estou atrasada e que já deveria estar prestando vestibular para a faculdade, mas não tem importância, antes tarde do que nunca. Vou conseguir!*

Em uma tarde, Roberto já havia lhe dado todo o trabalho que tinha para resolver, quando ela pediu para passar na sala dele, queria uma explicação para resolver um caso em que a papelada estava incompleta.

Roberto também estava trabalhando, disse que a chamaria mais tarde. Mas sentiu uma forte tontura. Tentou se levantar, mas não conseguiu. Sentiu uma vertigem e percebeu que as forças estavam lhe faltando. Com muito custo, conseguiu tocar a campainha. Telma, achando que agora ele podia atendê-la, foi até lá. Assim que entrou na sala, assustou-se. Roberto estava como que jogado na cadeira, com a cabeça apoiada sobre a mesa, e disse com a voz muito fraca:

— Telma, não estou me sentindo bem, chame uma ambulância.

Ela, tremendo muito, de início ficou parada, sem saber o que fazer, mas em seguida pegou uma agenda que estava sobre a mesa, abriu e procurou o telefone do pronto-socorro. Nervosa, assim que achou o número, telefonou, depois saiu da sala e chamou por socorro, logo todos estavam na porta da sala de Roberto, que parecia desmaiado. Marieta correu para junto dele e pegou no seu pulso, dizendo:

— O pulso está muito fraco e está com muita febre. Telma, telefone para o pronto-socorro!

— Já fiz isso, eles devem estar vindo!

— Está bem, agora quero que todos saiam, vou ficar com ele.

Só você fica, para me ajudar, Telma. Vamos esfregar os pulsos até que ambulância chegue.

Todos saíram e Telma, muito nervosa, fez o que Marieta pediu. Estava apavorada, nunca tinha visto ninguém passar mal na sua frente. Segurando o pulso de Roberto, percebeu que ele estava cada vez mais lento. Começou a chorar. Vinte minutos depois a ambulância chegou, levaram Roberto, e Marieta os acompanhou. Antes de sair disse:

— Telma, telefone para a casa do doutor, conte o que aconteceu e diga que ele está no pronto-socorro.

— Vou fazer isso agora mesmo, Marieta...

Todos os funcionários estavam assustados, mas Telma muito mais. Temia que algo de mais grave acontecesse com ele e pensava... *não pode morrer, é um homem muito bom...*

Aos poucos todos voltaram ao trabalho.

Telma telefonou para a casa de Roberto, uma empregada atendeu e Telma pediu que chamasse a esposa de Roberto. Logo em seguida, a mulher atendeu:

— Pois não...

— Dona Nadir, é Telma, a secretária do doutor. Ele sofreu um desmaio e foi levado para o pronto-socorro.

— Desmaio? Pronto-socorro? Mas, o que aconteceu?

— Não sei, ele estava bem, me deu algumas ordens em seguida passou mal.

— Está bem, estou indo para o pronto-socorro e obrigada.

Telma desligou o telefone e tentou voltar ao trabalho, mas tanto ela como os colegas não tinham mais condições de trabalhar.

Nadir telefonou para Plínio e ficaram de se encontrar no pronto-socorro. Vinte minutos depois, ela entrou procurando pelo marido e foi informada que ele havia recebido os primeiros socorros e depois tinha sido levado para um hospital próximo, que era melhor equipado. Ela pegou o endereço e foi para o hospital. Quando chegou, foi informada que Roberto estava em uma das salas fazendo alguns exames. A moça que estava atendendo não soube explicar o que havia acontecido e pediu que ela aguardasse na sala de espera do quinto andar. Nadir, muito preocupada, pegou o elevador e foi para o quinto andar. Quando chegou, viu que havia dois sofás e que, em um deles, estava Marieta.

— Como ele está, Marieta? Que aconteceu?

— Quando chegamos no pronto-socorro, disseram que lá não

tinham condições de atendê-lo, mas acharam que ele estava com pneumonia. Aplicaram uma injeção e acharam melhor trazer ele para cá. Disseram que aqui há mais recursos.

— Fizeram bem, além do mais, o Jonas, médico da família, trabalha neste hospital, por isso sei que meu marido vai ser bem atendido.

— Tenho certeza que ele vai ficar bom, dona Nadir... mas sente-se, a senhora está muito nervosa e não sabemos quanto tempo vão demorar os exames que está fazendo.

Nadir sentou-se e ficou esperando, sem conseguir tirar os olhos da sala onde Roberto estava.

Estavam lá há muito tempo, não conseguiam precisar o quanto, quando a porta do elevador se abriu e por ela saiu Plínio que, ao vê-la, perguntou preocupado:

— Que aconteceu, titia?

— Não sei, mas a Marieta disse que parece que ele está com pneumonia. Disseram que eu, se quisesse, poderia ficar esperando aqui nesta sala, e é isso que estamos fazendo.

— Fique calma, titia, tudo vai ficar bem, ele é um homem saudável. Como vai, Marieta?

— Estava bem, Plínio, até isso acontecer com o doutor.

— Como aconteceu, Marieta?

Ela contou o que havia acontecido. Quando terminou de falar, Plínio disse:

— Só podemos esperar pelo Jonas, ainda bem que ele trabalha neste hospital, tia. Ele é nosso amigo e foi quem sempre cuidou da nossa família.

— Sim, foi uma sorte mesmo, Plínio. E, tem razão, agora a única coisa que podemos fazer é esperar que ele termine de fazer os exames e venha conversar conosco.

Ficaram ali por mais algum tempo, até que, finalmente, a porta se abriu e um médico apareceu. Levantaram-se e foram ao seu encontro. Nadir perguntou, chorando assustada:

— Como ele está, Jonas?

— Está com pneumonia e um dos pulmões está muito comprometido. Foi medicado e agora está bem.

— Com pneumonia? Ele nunca se queixou de dor ou algo parecido!

— Ele deve ter sentindo algum sintoma, mas, como quase todas as pessoas, não deu atenção. Agora está sendo levado para o quarto e precisamos esperar quarenta e oito horas para ver como reage ao medicamento, e só então poderemos avaliar a sua situação. Preciso dizer que vai ter de ficar em repouso e afastado do trabalho por um bom tempo.

— Isso não é problema, Jonas... Não é, Plínio? Você poderá ir ao escritório e cuidar de tudo, não pode?

— Claro que posso, titia, e não se preocupe, a Marieta vai me colocar a par da situação do escritório, não é, Marieta?

— Claro, Plínio, pode contar comigo e com todos os funcionários.

— Viu, titia, não precisa se preocupar, quando o titio voltar, tudo estará em ordem.

— Sei disso, ele sempre elogiou o seu trabalho à frente do outro escritório. O difícil, Jonas, vai ser convencê-lo a ficar longe do escritório.

— Sei disso, você sabe muito bem que o conheço há muito tempo.

— Ele logo ficará bom, não é Jonas?

— Ele foi bem medicado, Nadir. Vamos ver como seu corpo reage a essa medicação. Olhem, ele está sendo retirado da sala. Se quiserem, podem acompanhá-lo até ao quarto.

Jonas se retirou, Nadir e Plínio acompanharam Roberto até o quarto, e Marieta se despediu, dizendo:

— Agora preciso ir para o escritório, sei que todos estão ansiosos por notícias.

— Faça isso, Marieta, e diga que podem ficar tranqüilos, pois logo o meu tio voltará ao trabalho.

— Vou falar, Plínio, e estamos esperando por você...

Telma, como os outros, estava preocupada e esperava ansiosa que Marieta voltasse para saber o que havia acontecido com Roberto e como ele estava. Marieta chegou e contou o ocorrido. Todos ouviram e rezaram para que o doutor ficasse bem.

No fim do expediente, Telma foi para a escola. Naquele dia, em especial, não podia faltar, pois teria prova. Assim que terminou a prova, foi para casa e contou para Sara o que havia acontecido. Ao terminar, suspirou:

— Ah, ele não pode morrer, mamãe... é muito bom e trata todos os funcionários com muito respeito, está sempre disposto a ajudar. Não entendo por que uma coisa como essa acontece com um homem como ele, enquanto outros, que são ruins, continuam saudáveis...

— A gente quase nunca entende o que acontece neste mundo, mas, segundo a Laurinha, aqui não é o nosso lugar. Ela diz que a nossa verdadeira vida está além...

— Além?! Onde?

— Não sei. Ela diz que quando morremos é que voltamos para nossa casa...

— Tudo isso é bobagem, mamãe! Se o doutor morrer, vai fazer muita falta para muitas pessoas, e não além... aqui mesmo!

— Também penso assim, mas só estou te dizendo o que a Laurinha falou.

— Quem podia morrer era o monstro daqui de casa. Ele, sim, é ruim e não merecia continuar vivo!

— Não fale assim, Telma, apesar de tudo ele é seu pai...

— Não tenho culpa! Não queria que ele fosse meu pai, preferia que ele é que morresse, e não o doutor!

— A gente não pode escolher quem vai morrer primeiro, você ou eu podemos morrer antes deles...

— Isso não vai acontecer. E, se acontecesse, seria a maior injustiça deste mundo!

— Tem razão, mas agora coma e depois vá se deitar, sabe que amanhã vai ser um custo para você acordar.

— Está certa, mamãe, estou muito cansada. Mas não tem importância, o sacrifício vai valer a pena...

No dia seguinte, como acontecia desde que começou a estudar, Telma teve dificuldade para acordar, mas, assim que acordou, levantou-se, vestiu-se, tomou um café rápido e saiu correndo. No caminho, pensava... *provavelmente o doutor não vem trabalhar, preciso olhar na agenda quais eram seus compromissos para hoje. Tomara que volte logo...*

Chegou no escritório e, como não poderia deixar de ser, todos comentavam sobre o acontecido. Ela ficou ao lado dos colegas por algum tempo e depois foi para sua sala, pegou agenda e abriu-a, olhou... *ainda bem que ele não tem muitos compromissos, só preciso bater um contrato e, depois, esperar que volte, para que assine. Vou anotar todos os recados e resolver tudo que estiver ao meu alcance...*

Estava distraída, batendo o contrato, quando ouviu uma voz que a fez estremecer.

— Bom-dia, Telma, está tudo bem com você?

Ela, antes de levantar a cabeça e olhar para ele, tentando disfarçar o que realmente estava sentindo, respirou fundo. Depois se voltou e olhou bem em seus olhos, respondendo:

— Estou muito bem, Plínio. Mas o que você está fazendo aqui?

— Meu tio vai ficar um bom tempo longe do escritório e vou ficar em seu lugar até que retorne.

— Como ele está?

— Está com pneumonia, foi medicado e tem de ficar algum tempo em observação. Como te disse, vou assumir o lugar dele durante esse tempo, mas, para que eu possa assumir, preciso que me coloque em dia com o trabalho.

— Está bem, vou anotar tudo e levar até a sua sala.

— Estarei esperando.

Ele se afastou e ela conseguiu deixar que um longo suspiro saísse de sua garganta. Furiosa, pensou... *como ele teve coragem de aparecer assim, como se nada tivesse acontecido? E eu? Por que estou tremendo dessa maneira? Ainda bem que na frente daquele canalha eu consegui disfarçar!*

Sabia que não podia, mas não conseguia evitar a emoção que estava sentindo e, mesmo sem querer, pensou: *Ele está mais bonito ainda... está mais forte e encorpado... Telma, pare com isso! Não seja burra! Está se esquecendo de todo o mal que ele te fez? Está se esquecendo de como ele sumiu sem dar explicação alguma?*

Foi até o arquivo, escolheu e pegou algumas pastas que sabia conter os assuntos mais urgentes do escritório. Respirou fundo e foi até a sala de Roberto, onde Plínio se encontrava, bateu na porta e entrou.

— Aqui estão as pastas com os assuntos mais urgentes. Estou batendo um contrato que o doutor deveria assinar. Vai assinar por ele?

— Vou sim, pode colocar aí sobre a mesa.

Ela obedeceu e ficou esperando. Ele olhou para ela e disse:

— Agora pode ir, se precisar, te chamo.

Ela saiu, mas estava com muito ódio: *Ele está me tratando como se eu fosse uma desconhecida! É mesmo um canalha! Além de me usar, mentir, enganar e zombar, agora faz de conta que nada aconteceu! Como pude me deixar enganar por ele?*

Continuou tentando bater o contrato, mas errou e teve de recomeçar várias vezes.

Roberto, no hospital, estava despertando. Com os remédios que tomou, a febre foi baixando. Nadir, que ficou sempre ao seu lado, assim que percebeu que ele começava a acordar, chamou a enfermeira do andar, que atendeu prontamente, aproximou-se de Roberto, olhou, fez o que era de praxe e saiu para chamar o médico. Jonas se aproximou, olhou para Roberto, que abria os olhos lentamente, e disse:

— Olá amigão? Gostou do passeio?

Roberto olhou à sua volta e percebeu que estava em um quarto de hospital.

— Por que estou aqui, Jonas? Que aconteceu? Só me lembro de ter passado mal no escritório...

— Estava com muita febre e teve uma convulsão. Está com pneumonia. Foi medicado e, agora, parece que está tudo bem. Precisamos fazer alguns exames para ver como está esse pulmão. Mas isso só acontecerá amanhã. Por causa dos remédios, ficará um pouco tonto e com muito sono, mas amanhã estará normal e poderá fazer os exames com tranqüilidade.

Jonas saiu, Nadir pegou a mão de Roberto e disse emocionada:

— Ainda bem que você acordou, levei um susto imenso. Se te acontecesse alguma coisa, nem sei o que faria com a minha vida.

— Como isso foi acontecer, Nadir? Estava bem e comecei a me sentir mal de repente...

— Jonas disse que você deve ter tido algum sintoma, porém, como acontece com quase todas as pessoas, não deu atenção. Mas agora você já está bem, só precisa se recuperar. Acho que precisa ficar mais alguns dias no hospital e depois poderá voltar para casa. Jonas disse que vai precisar repousar até que fique totalmente bom.

— Quanto tempo ele disse que vai demorar?

— Ele não disse. Mas não importa, será o tempo necessário.

— Como? Não disse? Preciso sair daqui, o escritório não pode ficar sozinho!

— Não se preocupe com isso, o escritório não está sozinho. Hoje pela manhã Plínio já foi para lá e cuidará de tudo até sua volta.

— Plínio!? Mas ele não pode, precisa cuidar do outro escritório!

— Já disse para não se preocupar, ele deixou alguém no lugar dele. Você só precisa repousar para ficar bom bem depressa e voltar para casa. Agora, parece que está com sono, não está conseguindo falar de um jeito normal.

— Acho que tem razão, estou mesmo com muito sono.

— Não ouviu o Jonas dizer que você ia ficar assim? E que só estará bem amanhã? Durma, que ficarei aqui, ao seu lado.

Roberto ia dizer algo, mas adormeceu e não conseguiu.

No escritório, o dia passou e Plínio não chamou Telma nenhuma vez, o que a deixou muito nervosa. No final do expediente, ela saiu e foi para a escola. Plínio ainda continuou no escritório. Na escola, Telma quase não conseguiu assistir às aulas e foi para casa. Sara, como sempre, esperava por ela. Assim que Telma entrou em casa, a mãe percebeu que alguma coisa havia acontecido com ela e perguntou:

— Que aconteceu, Telma, parece que está nervosa...

— Não aconteceu nada, mamãe. Só que o doutor não veio trabalhar e ninguém sabe quando vai voltar.

— Como vai ficar o trabalho no escritório?

— Há muitos funcionários com capacidade que trabalham lá e nada vai mudar. Estou cansada, mamãe, vou me deitar.

— Vá, sim, minha filha. Já faz tempo que seu pai está dormindo.

— Ele não brigou hoje, mamãe?

— Graças a Deus, não. Chegou, jantou e foi direto para cama. Aliás, já faz dias que não briga...

— Ainda bem, mamãe... ainda bem...

Telma deu um beijo na mãe e foi para o quarto. Antes olhou se as crianças já estavam dormindo. Procurando não fazer barulho, subiu e enfiou-se na cama, pensando: *não vou contar para minha mãe que o Plínio voltou. Ela pode ficar preocupada... também, não vai ser por muito tempo, o doutor logo vai ficar bom e vai voltar. Só não entendo por que fiquei daquela maneira quando o vi... Sempre achei que, se o visse novamente, sentiria muita raiva. Quando ouvi sua voz, senti muita raiva, mas, ao mesmo tempo, meu coração bateu de uma forma violenta. Ele parece que esqueceu o que aconteceu entre a gente!! Será que esqueceu mesmo? Como pôde esquecer? Eu nunca me esqueci... apesar de tudo, fui muito feliz enquanto não descobri que ele me enganava... bem, agora preciso dormir, amanhã vou ter que acordar muito cedo.*

Repensando a vida

Sete dias se passaram desde a internação de Roberto até ele receber alta do hospital. Nadir, feliz, levou-o para casa. Assim que entraram e ela o acomodou, disse sorrindo:

— Agora você está em casa, mas sabe que terá de ficar ao menos um mês se recuperando.

— Sim, Jonas disse isso, mas confesso que vai ser difícil, a minha vontade é voltar hoje mesmo para o escritório. Estou preocupado, será que tudo está correndo bem por lá?

— Claro que está, não se preocupe. Você esteve à beira da morte e ainda está preocupado com o escritório? Não precisa, sabe que o Plínio é competente, afinal, foi você quem o treinou para que no futuro ficasse em seu lugar.

— Você tem razão, como não tivemos um filho homem, e também por termos criado Plínio desde que meu irmão e sua mulher morreram naquele acidente, ele se tornou o nosso filho. Mas eu bem que gostaria que Flávia também tivesse se interessado por meu trabalho e continuasse com ele quando eu morresse... mas você bem sabe que ela nunca quis... Isso sempre me deixou revoltado. Sabe o quanto trabalhei para ter o patrimônio que temos hoje, Nadir.

— Sei que trabalhou muito e que também esperou muito da Flávia, mas ela não quis aceitar, preferiu seguir o sonho dela. Será que está certo esperarmos tanto de nossos filhos? Desejarmos que eles sejam de acordo com aquilo que sonhamos para eles, Roberto? Será que não é a expectativa que nos faz sofrer? Antes mesmo de Flávia nascer, e sem saber se seria menino ou menina, nós já havíamos decidido o que aquela criança seria. Na realidade, o nosso sonho era ter um filho médico. Quando ela nasceu, ficamos felizes, porque acreditávamos que teríamos uma médica em nossa casa. Ela seria a realização dos nossos sonhos. Nós decidimos, e nunca perguntamos a ela se era isso o que queria para sua vida. Decidimos e pronto, estava decidido. Nunca prestamos atenção aos sinais que ela nos dava, não querendo estudar e gostando de costurar e bordar. Sempre dizia que não queria ser médica, mas, sim, uma dona de casa, com muitos filhos. Quando ela conheceu Mauro, ficamos horrorizados, pois aquele não era o genro que havíamos sonhado, e não aceitamos.

— Como poderíamos aceitar aquele rapaz, sem estudo e que nem sabe falar direito? Como poderíamos apresentá-lo aos nossos amigos?

— Realmente foi difícil, mas podíamos ter sido mais flexíveis, Roberto. Brigamos, ameaçamos, mas ela não se deixou intimidar. E, depois daquela briga horrível, foi embora para nunca mais voltar. Será que agimos certo, Roberto?

— Foi muito ruim eu ter ficado doente, mas, durante esses dias em que estive internado, sem ter o que fazer, pude pensar muito em toda minha vida. E, se eu tivesse morrido, o que levaria dela? Trabalhei muito para ter tudo o que desejei e consegui, por isso não me arrependo, mas, por outro lado, afastei minha filha da nossa vida, por orgulho, simplesmente, e por intolerância. Pensei muito e decidi que, assim que melhorar, vou procurá-la e tentar reconquistar o seu amor. Sem saber se minha filha está feliz, a minha vida não vai ter mais sentido. Se eu tivesse morrido, não teria a chance de reencontrá-la para poder dizer o quanto a amo e me arrependo.

— Como eu gostaria que isso pudesse acontecer... mas como vamos fazer isso, se ela desapareceu e nunca mais soubemos dela?

— Eu sei onde ela está!

— Sabe? E como?

— O Magalhães descobriu onde ela mora com o marido e três filhos.

— Marido, filhos?! Como pôde me esconder isso, Roberto? Sabe que, desde o dia em que ela foi embora, eu sofro e penso nela todos os dias! Sabe que, embora também não aceitasse que ela se envolvesse com um homem como Mauro, também nunca concordei com a sua atitude, porque o que sempre quis foi ver minha filha feliz, não me importando o modo como ela conquistaria essa felicidade! Onde ela está, Roberto? Quero conhecer meus netos! Há quanto tempo sabe do paradeiro dela?

— Desculpe por não ter dito. Faz mais ou menos quatro ou cinco anos que o Magalhães descobriu. Ela mora na periferia e trabalha como doméstica.

— Cinco anos e você não me contou, mesmo sabendo o quanto eu estava angustiada e sofrendo sem ter notícias? E doméstica? Minha filha uma doméstica? Como pôde permitir uma coisa como essa? Tem razão, do que adiantou trabalhar tanto em sua vida se, hoje, sua filha está sofrendo?

— Mesmo sabendo onde ela estava, não quis procurá-la. Achei que, se ela não nos procurou, foi porque não queria mais nos ver. Mas, depois que fiquei doente, vi como tenho sido idiota. Assim que o Jonas permitir, iremos juntos para ver como ela está e no que podemos ajudar.

— Vou esperar ansiosa. Você sabe o quanto tenho sofrido com a ausência dela.

— Sei, sim, depois daquele dia você mudou, nunca mais quis me acompanhar a lugar nenhum, foi se distanciando e chegamos a um ponto que quase não conversávamos mais. Eu fingi não ver, porque não queria me incomodar, mas depois do que me aconteceu e quase morri, fui obrigado a repensar minha vida. Não sei explicar, mas, enquanto eu estava naquele hospital, era como se alguém, que eu não via, conversasse comigo. Você sabe que fui criado em uma casa onde, quase todos os dias, eu via minha mãe ser espancada de uma maneira violenta. Meu pai implicava por qualquer coisa, principalmente com a comida. Muitas vezes o vi jogando no chão toda a comida que estava sobre o fogão. Devido à violência dele, minha mãe, várias vezes, teve que engessar o braço, as pernas, e suas costas estavam sempre marcadas. Eu e meus irmãos sofríamos muito com tudo aquilo. Jurei que, em minha casa, nunca haveria violência e que eu seria um bom pai e marido. Até agora, achei que havia cumprido com a minha promessa, pois nunca encostei um dedo em você ou na nossa filha, mas, quando estava lá no hospital, pensei muito e vi que, de outra maneira, também fui violento com Flávia. Como fui violento ao não respeitar sua vontade e querer me impor, usando do poder de pai, daquele que tinha o dinheiro. Eu não tinha o direito de fazer aquilo. Se ela errou ou acertou, faz parte da sua vida e só ela mesmo poderia decidir o que julgasse ser melhor. Entendi que a violência não precisa ser só física, pode ser também moral, e foi essa a que usei contra a nossa filha. Sei que errei, mas antes de morrer vou tentar consertar tudo de errado que fiz. Acho que Deus me deu uma nova chance e vou aproveitá-la. Preciso começar te pedindo perdão por não ter te contado o paradeiro dela.

— Não pode imaginar como estou feliz! Foi o que mais desejei desde que ela foi embora. Eu te perdôo, claro. Sempre é hora de se arrepender e de consertar o que se fez de errado. Sei que se deixou levar pela frustração e não posso negar que, a princípio, eu também custei a aceitar a escolha dela. Depois, a saudade e a incerteza quanto ao seu paradeiro e futuro me fizeram repensar... e, agora, sabendo que você conhece o paradeiro de Flávia, o que mais desejo é tê-la novamente ao meu lado. Mas chega, Roberto, você deve estar cansado... é melhor você tentar dormir um pouco. Vou ver como está o seu almoço.

— Está bem, preciso dormir para me recuperar bem depressa e tentar corrigir tudo que fiz de errado.

Nadir saiu do quarto e Roberto se ajeitou na cama. Seus pensamentos se voltavam para o alto... *Obrigado, meu Deus por mais esta chance. Assim que tiver alta, vou procurar Flávia e tentar recuperar o seu amor. Sei que deve estar passando por problemas financeiros, mas, se estiver feliz ao lado daquele homem e dos filhos, nada mais me importa. Ajudarei da maneira que ela desejar, não vou impor nada...*

Presença indesejada

Na semana que passou, Plínio só conversou com Telma o estritamente necessário e sempre a respeito de trabalho. Ela, aos poucos, foi se acostumando com a presença dele e continuava sua vida. Trabalhava durante o dia e estudava à noite, mas sempre tentando esquecer os momentos que havia passado ao seu lado. Sentia muito ódio da maneira como ele a tratava, fazendo de conta que nada havia acontecido: *ele é mesmo um cínico, eu o odeio cada vez mais... um dia, sei que vou me vingar de tudo que me fez sofrer.*

Os dias foram passando. Uma noite, enquanto esperava o ônibus que a levaria para a escola, o carro de Plínio parou à sua frente, ele abriu a janela e disse, sorrindo:

— Está esperando o ônibus, Telma? Para onde está indo?

Ela se assustou ao vê-lo e respondeu, secamente:

— Para a escola.

— Quer uma carona?

— Não, meu ônibus está chegando.

— Ora, Telma, entre precisamos conversar.

— Não temos nada para conversar.

— Assim como eu, você sabe que temos muito para conversar. Sei que não entendeu minha atitude, mas posso explicar porque desapareci sem dizer nada.

— Não existe explicação e, sabe o que mais, também não me interessa. Só me preocupo com o meu trabalho e estudo.

— Mesmo assim, insisto em te dar uma explicação.

— Não acha que agora é um pouco tarde? Mais de quatro anos depois?

— Não! Antes eu não podia te dizer, mas agora posso. Entre no carro, por favor.

Telma, nervosa e percebendo que as demais pessoas que se encontravam no ponto do ônibus já estavam olhando, resolveu entrar no carro. Assim que se sentou, Plínio sorrindo, disse:

— Não precisa se preocupar, só quero conversar e explicar o que aconteceu. Sei onde fica a sua escola e vou te levar até lá. Tenho te seguido há vários dias. Muitas vezes tentei conversar com você e não tive coragem, mas hoje estou decidido.

Ela estava sentada bem longe dele e, desconfiada, disse:

— Está bem, pode começar, estou ouvindo. Embora isso já não me importe mais. Muito tempo se passou, sofri muito com a sua indiferença, mas agora estou bem. As únicas coisas que me preocupam são o meu trabalho e o meu estudo.

— Sei que deve ter me julgado um canalha, mas não tive opção. Desde o primeiro dia em que voltei ao escritório, e assim que te vi, entendi a grande burrada que fiz em minha vida. Precisamos conversar, Telma...

— Por que está dizendo isso? Não está casado, não tem um filho?

— Sim, estou casado e tenho um filho, mas não sou feliz, porque nunca consegui te esquecer. Você foi o único amor da minha vida...

— Se pensa assim, por que me abandonou sem dar explicação, por que se casou?

— Se arrependimento matasse, eu já estaria morto há muito tempo. Eu te amo, Telma... só a você, a ninguém mais. Amo você mais que ao meu próprio filho. Se você me aceitar de volta, não hesitarei, nem por um momento, em abandonar minha esposa, e também meu filho. Sempre soube que te amava, mas quando te vi novamente, tive a certeza... Volte para meu amor, Telma...

— Não posso fazer isso, você pertence ao meu passado. Sofri muito quando me abandonou e nunca vou te perdoar por ter desaparecido sem explicação alguma.

— Fui obrigado... — respondeu, com a voz em um tom baixo e deixando que lágrimas caíssem por seu rosto.

Telma, querendo saber o que realmente havia acontecido, perguntou com voz firme:

— Obrigado?! Por quem?!

— Meu tio descobriu que estávamos nos encontrando e, naquela manhã, quando me chamou em seu escritório, disse que, se eu não te abandonasse, ele não continuaria pagando minha faculdade e não permitiria que eu trabalhasse mais em nenhum de seus escritórios. Disse que tudo estava pronto para o casamento e que minha noiva era filha de um homem muito rico, de quem ele precisava obter apoio e dinheiro. Tentei resistir, mas foi em vão. Eu me deixei influenciar e aceitei o que ele queria.

— Não consigo acreditar no que está dizendo! O doutor é um homem muito bom, não te falaria algo assim...

— Homem bom? Você diz isso porque não convive com ele! É um monstro, sempre bate na minha tia, e é por isso que sua filha foi embora de casa. Ela não agüentava mais tanto sofrimento.

— Bate na esposa? Tem uma filha?

— Bate, sim, e também tem uma filha.

— Eu entendi que sua filha tinha morrido!

— Tudo mentira! Ela foi embora de casa, porque não agüentava mais ver tanta violência! Ele se faz de santo, mas é muito ruim. Você, e ninguém no escritório, imagina o quanto ele é violento...

— Eu e ninguém, disso você pode ter certeza. Mas, de qualquer forma, está feito, você está casado e espero que seja feliz. Estamos chegando na escola, obrigada pela carona e por ter me dado uma explicação.

— Espere! Você não pode ir assim, sem me dar uma resposta! Vai voltar para mim, não vai, Telma?

— Não, Plínio. Mesmo que quisesse, não posso mais confiar em você ou em outro homem qualquer. Minha prioridade, agora, é terminar meus estudos e trabalhar muito. Só isso. Nunca mais vou querer saber de você nem de homem nenhum. Agora preciso entrar, minha aula já vai começar.

Dizendo isso, Telma, tentando não demonstrar o que estava sentindo, entrou na escola. Seu coração batia forte e com muita raiva, sua cabeça latejava... *pensei e desejei tanto que este dia chegasse, para poder lhe dizer na cara tudo o que sentia... e, agora que chegou, não consegui dizer coisa alguma. Por mais que eu queira me enganar, não adianta, gosto muito desse canalha... mas isso, ele nunca vai saber. Vou entrar na sala de aula e não vou pensar mais nele, vou prestar a maior atenção. Preciso preencher meu tempo para não pensar mais nele. Preciso odiá-lo como sempre achei que odiasse...*

Tentou prestar atenção na aula, mas não conseguiu. Não conseguia tirar o rosto de Plínio, o seu choro, de seu pensamento. E muito menos o que ele disse. Quando terminou a aula, foi para casa e, no ônibus, continuava pensando: *Será que o que ele disse é verdade? Será que foi o doutor Roberto quem obrigou ele a me largar e sumir sem dar explicação? Será que o doutor é mesmo aquele monstro que ele descreveu? Não quero acreditar, mas ele falou com tanta sinceridade, chegou até a chorar... não, o doutor não pode ser da maneira como ele disse. Sempre foi tão atencioso e gentil. Sempre valorizou as mulheres, que elas tinham de ter um trabalho para poderem ser independentes. Mas o Plínio me pareceu tão sincero... não sei o que pensar...*

Chegou em casa. Todos pareciam dormir. Não havia sinal algum de briga, foi para o quarto. Vendo que as crianças dormiam tranqüilas, seus pensamentos foram se acalmando... *parece que hoje não houve briga aqui em casa, ainda bem. Seria tão bom se sempre fosse assim, mas sei que não é. Infelizmente meu pai nunca vai respeitar a gente, e principalmente minha mãe. Também, ela não se dá o respeito, não toma uma atitude contra ele, mas está chegando a hora de eu poder tirar todos desta casa. Só preciso receber o meu diploma e poder receber um salário melhor. Agora preciso dormir. Plínio deve estar mentindo e agora deve estar deitado ao lado da mulher dele e, quem sabe, fazendo amor. Não vou mais pensar nele. Não posso acreditar em tudo que falou... ele já me provou que é um mentiroso sem escrúpulos. Mas, e se o doutor o obrigou mesmo? Se ele não teve outra saída? Será que ele é mesmo infeliz ao lado da mulher? Não sei, mas disse que será capaz de abandonar ela e o filho por minha causa... me pareceu tão sincero... não vou contar para minha mãe o que aconteceu, ela ia ficar preocupada e não vale a pena... ele nunca mais vai se aproximar de mim, não vou deixar... e, mesmo que isso aconteça, vou deixar bem claro que não quero mais nada com ele...*

Demorou um pouco mas, como estava muito cansada, finalmente adormeceu.

No dia seguinte, como sempre, foi acordada por Sara e, como

sempre, levantou-se rapidamente e foi para o escritório. Plínio chegou logo depois dela, mas durante todo o dia só conversou sobre trabalho. Cada vez que ele a chamava em sua sala, ela pensava que era para falar sobre sua proposta, mas ele não disse nenhuma palavra. O tempo passou, o dia de trabalho acabou e ela foi para o ponto de ônibus. Mas, embora não quisesse, não conseguia deixar de olhar para ver se o carro dele se aproximava... e ele não veio. O ônibus chegou e ela foi para a escola. No íntimo ficou decepcionada por ele não ter vindo, mas, ao mesmo tempo, refletia: *Foi melhor assim... se ele viesse, eu teria dificuldade em recusar seu apelo. Ele novamente estava mentindo, só estava me testando, ainda bem que consegui resistir...*

Os dias foram passando e Plínio nunca mais tocou no assunto. Telma foi se acostumando com aquela situação. Uma tarde, quando estava no ponto do ônibus, viu o carro dele se aproximando e parando na sua frente. Sentiu suas pernas tremerem e o coração bater com muita força. Ele parou, saiu do carro e foi em sua direção, dizendo:

— Telma, entre no carro, vou te dar uma carona.

— Não, obrigada, meu ônibus já está chegando.

— Não precisa se preocupar, só quero mesmo te dar uma carona para podermos conversar...

Ele disse isso com a voz tão mansa e sorrindo de uma tal maneira, que Telma, embora soubesse que estava fazendo uma besteira, não resistiu e entrou no carro. Assim que ela entrou, ele colocou o carro em movimento, dizendo:

— Então, pensou na minha proposta e na sua resposta?

— Pensei, mas não tenho o que responder. Já te disse que você faz parte do meu passado, e isso está encerrado. Não quero passar novamente por tudo aquilo que passei. Estou estudando e conseguindo meus objetivos. Na minha vida não existe espaço para qualquer outra coisa que não seja isso.

— Não fale assim, Telma... eu te amo e você não imagina como... todos os dias... lá no escritório... tem sido difícil eu não te tomar nos braços... eu te amo... eu não posso mais ficar longe de você... tenho tentado, mas não estou conseguindo... Será que não entende isso?

Ele falava desesperado e com a voz entrecortada por soluços. Telma tentou argumentar:

— Infelizmente não acredito mais em você, gostaria muito de

acreditar, mas não posso, o que você fez comigo foi muito cruel, eu era praticamente uma criança!

— Precisa acreditar! Já te disse qual foi o motivo! Meu tio me obrigou, sei que deveria ter lutado contra ele, mas não consegui. Sempre dependi dele financeiramente. Sei que trabalho bem, mas, se ele me mandar embora do escritório, dificilmente eu encontro outro emprego para receber o mesmo salário... e, eu o desobedecendo, não conseguirei uma carta de recomendação... Mas, se você não se importar de ter uma vida simples ao meu lado, amanhã mesmo peço demissão e vamos embora juntos.

— Mas, e sua mulher e seu filho, como vão ficar?

— Ficarão muito bem. Ela é de uma família rica, não vai precisar de nada e continuará tendo o mesmo conforto. Se você me aceitar, poderemos ir embora para outra cidade e recomeçarmos a nossa vida de onde paramos.

— Não posso fazer isso, minha mãe e meus irmãos, ao contrário de sua mulher, precisam muito da minha presença. Sou, para eles, a única esperança de conseguirem sair daquela casa...

— Está bem, parece que eles estão acostumados com uma vida simples... Se você me aceitar de volta, poderemos levar também a sua família e, juntos, trabalharemos para nossa felicidade. Precisa acreditar que te amo, Telma, e que cada vez se torna mais impossível para mim viver sem a sua companhia. Para ficar ao seu lado, farei qualquer coisa...

— Tem, também, minha escola e o meu trabalho, não posso abandonar tudo...

— Encontraremos uma outra escola nesse lugar para onde vamos, e você já aprendeu todo o trabalho de um escritório, poderá arrumar um outro emprego. Além do mais, nada disso importa, o que importa é podermos ficar juntos para sempre... te amo, Telma...

— Não sei... e se estiver mentindo novamente, Plínio?

— Não estou mentindo, nunca menti. Só fui covarde por não resistir ao meu tio, mas isso não acontecerá novamente. Sabe que te amo e sei que não conseguirei mais viver sem você...

— Está bem, vou confiar em você. Também te amo e, embora quisesse te esquecer, não consegui. Tentei ficar com raiva, mas foi em vão. Vamos tentar... e tomara que, desta vez, dê certo.

Ao ouvir aquilo, ele parou o carro no meio-fio, abraçou-a e beijou-a calorosamente. Depois, disse entusiasmado:

— Você é maravilhosa! Não vai se arrepender de ter tomado essa atitude! Vou te fazer a mulher mais feliz deste mundo!

Ela correspondeu ao beijo e sentiu que, embora não quisesse aceitar, tinha esperado por ele durante todo o tempo em que estiveram separados.

— Se tudo que estiver dizendo for verdade, vou ser mesmo a mulher mais feliz deste mundo!

— Claro que estou te dizendo a verdade. Agora, vamos para um hotel, estou morrendo de vontade de te ter em meus braços inteiramente. Estou morrendo de saudade daqueles momentos maravilhosos que passamos juntos...

Por uns momentos, ela ficou pensativa, mas, afinal, respondeu:

— Você disse hotel? Por que não para o apartamento que a gente ia?

— Aquele apartamento era de um amigo, e hoje já não é mais dele. Mas em um hotel, também ficaremos bem. Vamos, meu amor?

— Está bem, vamos. Também estou morrendo de vontade de me entregar a você inteiramente.

Foram para um hotel e, lá, se entregaram ao amor com loucura, saudade e paixão. Ficaram lá por todo o tempo que durariam as aulas de Telma, depois foram embora. Ele a levou até a esquina de sua casa e, quando chegaram, ele disse:

— Você é mesmo maravilhosa. Não se arrependerá por ter tomado essa decisão, só...

— Só o quê? — ela perguntou preocupada.

— Só que precisamos esperar meu tio voltar para o escritório. Ele está bem e logo receberá alta do médico. Assim que ele voltar e assumir o escritório, contarei tudo que aconteceu e comunicarei a ele minha decisão de ir embora com você. Mas, até lá, seria bom se não comentássemos com ninguém o que decidimos. Está bem assim?

Ela, completamente apaixonada e entregue, beijou-o de leve nos lábios e respondeu:

— Está bem, farei tudo que você quiser, te amo...

Daquele dia em diante, passaram a se encontrar duas ou três vezes por semana. Plínio demonstrava estar cada vez mais apaixonado, o que deixava Telma muito feliz e, novamente, fazendo planos para o futuro. No escritório, quase não se falavam, somente o estritamente necessário.

Conseguindo a paz

Semanas se passaram e, naquele dia, no meio da manhã, Roberto foi com Nadir ao hospital para se encontrar com Jonas. Este, ao examiná-lo mais uma vez, disse satisfeito:

— Meu amigo, você agora está bem e pode voltar às suas atividades normais, só precisa se alimentar muito bem e não cometer excessos. E os remédios... Quantos comprimidos você ainda tem? — e, ouvindo a resposta de Roberto, prosseguiu — Ótimo! Continue tomando até acabarem e, dentro de um mês, faremos novos exames. Se tiver algum problema pendente, resolva. Atualmente há alguns estudos que demonstram que, muitas vezes, o corpo somatiza algum problema. Foi isso que aconteceu com você, essa pneumonia não tinha razão alguma para aparecer, mas, por algum motivo, houve uma queda em seu estado geral e deu no que deu. Se cuide, amigo! Você é um homem saudável. Por isso, acho melhor pensar bem em sua vida e resolver qualquer assunto que o incomode.

— Você sabe o que me incomoda, Jonas. Acompanhou todo o meu problema com Flávia.

— Sim, e sempre fui contra a sua atitude, mas o pai é você...

— Sei, Jonas, quando estava no hospital resolvi que, assim que ficasse bom, ia procurá-la e é isso o que vou fazer, hoje mesmo!

— Faz bem, Roberto. Sempre te disse que não podemos decidir a vida de nossos filhos. Eles, só eles, são responsáveis por ela. O nosso papel como pais é colocá-los no mundo e darmos a orientação para que se tornem pessoas de bem e sejam felizes. Nada além disso. O resto precisa ficar por conta deles. Flávia escolheu o seu caminho e, se é bom ou mau, somente ela poderá decidir. O que você deve fazer é aceitar sua decisão, torcer para que ela seja feliz e voltar a estar sempre por perto, para ajudá-la em qualquer momento de dificuldade. Como você viu, meu amigo, a vida pode acabar em um minuto, quando menos se espera, e tudo que conseguimos durante o tempo em que vivemos ficará aqui mesmo, não levamos nada, a não ser os momentos felizes que passamos e os amigos que conquistamos. Por isso, o que importa é sermos felizes o máximo de tempo possível e fazermos os nossos, também, felizes.

— Sempre conversamos muito sobre isso, e eu nunca entendi como, um médico, que conhece a ciência como ninguém, pode falar de coisas que transcendem a ela?

— Sou médico sim, e, por isso mesmo, já vi acontecerem coisas que nem a ciência pode explicar. Isso me levou a crer que existe algo mais forte, que comanda o Universo. Existe um Deus, que cuida e olha por todos nós.

— Sabe que nunca pensei muito a respeito disso? Sempre me preocupei com o dinheiro que poderia ter e no conforto da minha família, nunca acreditei muito em religião alguma. Acho que todas elas transformam os homens em bonecos sem vontade e cheios de medo.

— A religião existe como um freio para que muitas coisas ruins possam ser evitadas. O homem tem de entender que um dia terá de responder por seus atos, porque, sem isso, ninguém contém seus impulsos de maldade. Todo ser humano traz dentro de si bondade e maldade misturadas. O bom senso faz com que se escolha a qual das duas daremos mais valor e nos mostra o cuidado que devemos ter para não deixar que o nosso instinto animal prevaleça. A religião, seja ela qual for, nos ajuda muito, mas ela sozinha nada pode fazer. Todos sabemos o que é o bem e o mal, e sabemos que, se atirarmos uma bola de encontro a uma parede, fatalmente essa bola voltará para nós. Assim também é com a vida. Se fizermos o bem, receberemos o bem de volta, mas, ao contrário, se fizermos o mal, também só ele é que receberemos de volta. Já faz algum tempo, sigo uma doutrina que ensina exatamente isso: a responsabilidade que cada um tem sobre seu próprio espírito e o daqueles que o rodeiam. Cada um de nós é responsável por seus atos e, portanto, cada um de nós colhe de acordo com aquilo que plantou.

— Já me falou algumas vezes a esse respeito, mas nunca dei

muita atenção. Estava sempre envolvido com meu trabalho. Mas agora, depois do que me aconteceu, acho que chegou a hora de pensar melhor a esse respeito. Como você disse, meu corpo está somatizando a dor de ter minha filha longe, sem saber como vive e se é feliz. No íntimo, sei que sou culpado por essa situação. Por isso, vou procurá-la e lhe pedir perdão. Vou aceitar aquele vagabundo que ela escolheu e tentar ajudar de alguma maneira. Se eu tivesse morrido, não teria essa chance. Do que adiantaria todo o dinheiro que consegui, se não tenho para quem deixar a não ser ela?

— Ela não deve estar interessada em seu dinheiro, pois, se assim fosse, não teria ido embora e ficaria ao seu lado para sempre, esperando o dia em que você morresse para poder ficar com tudo que é seu... Mas de uma coisa tenho certeza, ela deve estar muito interessada no seu amor, no seu carinho.

— Será mesmo? Será que ela vai me perdoar?

— O amor é sempre mais forte que tudo. Vá ao seu encontro e comprove isso.

— Vou hoje mesmo. Nadir, você vai comigo?

Nadir, que até então tinha ficado sentada, quieta, escutando a conversa dos dois, apressou-se em responder:

— Claro que vou, Roberto! Sabe o quanto sinto saudade dela e como quero abraçá-la...

— Sendo assim, agora preciso me retirar, tenho outros pacientes para passar visita. Roberto, não se esqueça de, no mês que vem, vir fazer novos exames para vermos se tudo continua bem.

— Não vou me esquecer, Jonas. Mas, de acordo com o que me disse, estarei bem e, se resolver meu problema o meu corpo vai deixar de somatizar... — disse rindo.

— Faça isso, meu amigo. Agora preciso ir. Até o mês que vem e, se quiser me contar o resultado da sua visita à Flávia, ficarei muito feliz.

— Claro que vou te contar. Assim que voltar...

Os três saíram juntos da sala. Roberto e Nadir foram para o estacionamento onde tinham deixado o carro. Entraram e, enquanto dirigia, Roberto disse:

— Não vamos esperar nem mais um minuto, agora mesmo vamos à casa de Flávia. Quanto antes conversarmos, melhor será.

— Nem acredito que estou ouvindo isso de você, estou

morrendo de saudades dela e curiosa para conhecer meus netos. Nossa, Roberto, já somos avós! Estamos ficando velhos!

— Velhos, nada, Nadir! Sinto que só agora comecei a viver. Nossa vida, daqui em diante, vai mudar, e posso garantir que será para melhor...

— Tem certeza que vai conseguir chegar lá?

— Acho que vou, mas sempre podemos perguntar. Hoje, vamos encontrar nossa filha, nem que seja preciso perguntar em cada esquina que passarmos.

— Estou tão feliz...

— Eu também, minha querida, eu também...

Roberto seguiu dirigindo. Acompanhava o mapa que Magalhães havia lhe dado e não teve dificuldade para encontrar o bairro onde Flávia morava. Perguntou aqui e ali e, finalmente, descobriu onde ficava a rua. Em poucos minutos estava em frente a uma casa com o número vinte e seis.

— É aqui, Nadir. Vamos descer.

Desceram e se dirigiram até o portão, que estava fechado. Olharam por ele e viram que a casa ficava nos fundos do quintal e parecia pequena. Nadir disse:

— É uma casa muito pequena, Roberto... como ela pôde trocar o luxo da nossa casa por esta?

— Não sei, Nadir, mas também não me importa mais. Agora só estou interessado em encontrá-la, pedir perdão e abraçá-la muito.

— Tem razão. Parece que vamos ter que bater palmas, não estou vendo campainha...

— Então, vamos bater.

Roberto, com força, bateu palmas. Um menino de mais ou menos oito anos saiu da casa e foi ao encontro deles. Aproximou-se, perguntando:

— O que o senhor quer?

— É aqui que mora uma moça chamada Flávia?

— É sim, ela é minha mãe.

Nadir e Roberto, com esforço, conseguiram conter a emoção.

— Ela está em casa?

— Está, sim. Hoje ela não foi trabalhar.

— Poderia chamá-la?

— Agora mesmo. Espere um pouco.

O menino saiu correndo e entrou em casa. Em seguida, uma moça apareceu e ficou olhando, de longe, parada e sem coragem de se aproximar. Nadir, assim que a viu, procurou e encontrou um trinco no portão, abriu e entrou correndo. Flávia, atônita, continuou parada. Nadir se aproximou e, sem nada dizer, chorando, abraçou a filha com muito carinho e saudade. Flávia, também calada, abraçou a mãe e, por trás dos ombros de Nadir, viu o pai que também se aproximava. Olharam-se e ela viu que o pai também chorava. Ele se aproximou e se abraçou a ela e a Nadir. Os três, calados, ficaram abraçados por alguns minutos. Depois se afastaram e, só aí, puderam ver o rosto de Flávia que estava com uma mancha roxa no lado esquerdo do rosto. Não tinham visto antes, porque ela estava com o rosto coberto pelos longos cabelos negros. Roberto, perguntou, nervoso:

— Que aconteceu com seu rosto, Flávia?

— Ela bateu com a cara na porta — foi o menino que respondeu, vendo que a mãe ficara calada.

Nadir e Roberto se olharam, Flávia vendo o rosto dos pais, disse:

— Foi isso mesmo que aconteceu, ontem me distraí e, quando estava saindo da cozinha e conversando com os meninos, não percebi que a porta estava entre aberta e bati o rosto. Não foi, Dudu?

O menino, parecendo assustado, respondeu:

— Foi sim, foi isso que aconteceu, mas quem é esse homem e essa mulher, mamãe?

— São seus avós. Esse homem é meu pai e essa mulher é a minha mãe.

Nadir se abaixou e, carinhosamente, abraçou e beijou várias vezes o menino. Ele, um pouco assustado, a abraçou também. Assim que ela o soltou, Roberto também se abaixou e o abraçou. Depois dos abraços, o menino perguntou:

— Mamãe, é ele que tinha brigado com a senhora?

— Sou eu mesmo, Dudu, mas estou aqui para pedir perdão à sua mãe e, se ela me perdoar, serei o homem mais feliz deste mundo! — Roberto falou, olhando para Flávia com os olhos cheios de lágrimas. Ela também chorava.

Roberto beijou o menino na testa e olhou para Flávia, perguntando:

— Onde estão os outros meninos?

— Estão na creche, logo mais preciso ir buscá-los.

— Temos tempo para entrar e conversarmos um pouco?

— Claro que sim, papai, só não reparem que a casa é muito simples.

— Não estou preocupado com a casa, mas sim com você. Estou com sede...

— Entrem, vou pegar água.

Entraram e puderam constatar que a casa era realmente pequena e pobre. Roberto passou os olhos rapidamente e constatou que só tinha um quarto e a cozinha, e que não havia uma sala de jantar como existia em todas as casas. Percebeu que, por isso, Flávia os levou até a cozinha e lhes mostrou duas das cadeiras que estavam ao lado da única mesa, bem pequena. Eles sentaram-se. O menino sentou-se ao lado da mãe e ficou segurando sua mão.

— Estou muito feliz por estarem aqui, tenho sentido muita saudade. Por várias vezes pensei em procurá-los, mas tive medo que não quisessem me ver nunca mais.

Roberto, percebendo que o menino tentava proteger a mãe de algo que não entendia, perguntou de supetão:

— Dudu, qual foi a porta em que sua mãe bateu o rosto?

O menino, assustado e sem saber o que responder, olhou para a mãe. Ela, também com o olhar suplicante, apavorada, não disse nada. O menino perguntou:

— Mamãe, o que vou falar?

— Somente a verdade, Dudu. Estou aqui para ajudar você e a seus irmãos. Não conheço vocês, mas conheço sua mãe e a amo muito — disse Roberto, acariciando a mão do menino.

— Tenho medo de contar. Meu pai disse que se eu contasse pra alguém ele ia bater muito mais na gente...

— Não precisa ter medo. Estou aqui e nunca mais ele baterá em vocês ou na sua mãe. Agora, preciso te fazer outra pergunta: você gosta de doce e de bala?

— Gosto muito.

— Se sua mãe deixar, te darei dinheiro para ir até a padaria e comprar doces e balas para você e para seus irmãos.

Dudu olhou para a mãe, que, tentando sorrir, concordou com a cabeça.

Roberto tirou do bolso uma nota e deu ao menino. Feliz, ele saiu correndo. Em seguida, voltou-se para Flávia e, olhando bem em seus olhos, perguntou:

— Desde quando isso acontece, minha filha?

— Não sei do que está falando, papai...

— Você sabe do que estou falando, mas, para facilitar, não precisa responder. Seu filho já respondeu. Você e as crianças têm sido espancados por aquele canalha... Não entendo, mas queria entender, por que não nos procurou? Por que continuou vivendo ao lado dele, Flávia?

Flávia percebeu que não conseguiria mentir nem ocultar algo que estava estampado em seu rosto. Sabia da infância que seu pai tinha tido e das muitas surras que ele, seus irmãos e sua mãe levaram. Ele conhecia bem tudo aquilo, por isso só lhe restou uma alternativa; contar a verdade.

— Tem razão, papai. Desde que o Dudu nasceu, ele mudou o comportamento e começou a me agredir por qualquer motivo.

— Por que continuou vivendo ao lado dele e por que teve mais dois filhos, Flávia?

— Eu não tinha para onde ir. O dinheiro que recebo como empregada doméstica não dá para me sustentar e muito menos aos meus filhos. Apesar de tudo, ele é meu marido e sempre exigiu os seus direitos, sem se preocupar em evitar um filho.

— Por que não nos procurou, minha filha?

— Pensei nisso muitas vezes, mas tinha medo do que ouviria do senhor...pois, com certeza, diria: "não avisei? não te falei que ele não prestava?"

Roberto olhou para Nadir que, calada e em lágrimas, ouvia a conversa dos dois. Ela pensou em interferir, mas sabia que aquela conversa era importante e definitiva, e preferiu se calar.

Roberto voltou a olhar para Flávia:

— Tem razão, minha filha. Se tivesse me procurado, provavelmente eu diria isso, mas hoje é diferente. Quase morri e entendi que a vida pode acabar em um segundo. Que o tempo passa muito depressa e que nada do que construímos terá valor se não tivermos ao nosso lado aqueles que amamos, e muito menos valor se não tivermos para quem deixar o fruto do nosso trabalho. Entendi que tudo que construímos, todo dinheiro que conseguimos, deixa de ter valor quando a morte se aproxima, e é por esse motivo, e por amá-la muito, que estamos aqui. Confesso que nunca imaginei que estivesse passando por momentos tão difíceis. Se soubesse, teria vindo muito antes. Perdoe-me, filha, pelo imbecil que fui. Perdoe-me por ter sido tão egoísta e intransigente. Precisa saber que, apesar de tudo, sempre te amei, filha... e quero que volte a viver ao nosso lado, na casa que é sua. Prometo que, lá, você e meus netos terão tudo que precisam, além de paz e tranqüilidade...

Flávia e o pai se abraçaram e choraram juntos. Ela não sabia o que dizer. Nadir se aproximou e, calada, se abraçou a eles.

Depois do abraço, Flávia emocionada, disse:

— Não sou eu quem tem que perdoar, mas, sim, quem deve pedir perdão. O senhor tentou me avisar e evitar que eu sofresse, mas eu, na minha burrice, não dei atenção e também não tive coragem de voltar e enfrentar essa realidade. Sei que, muito mais que eu, meus filhos sofrem com tudo isso, principalmente o Dudu que é o mais velho e tem melhor entendimento, além de ser um menino muito inteligente. Ontem, depois do que aconteceu, chorei muito e pedi a Deus que me ajudasse, que enviasse alguém para me ajudar ou me mostrasse um caminho para seguir. Acho que ele me atendeu e trouxe o senhor e a senhora, mamãe. Eu sentia muito medo e jamais teria coragem de sair desta casa sozinha, pois Mauro sempre disse que, se eu o abandonasse, ele mataria a todos nós. Sabendo como ele é violento, temo que terá coragem para fazer isso. Mas, agora que Deus ouviu minhas preces e está me dando uma nova chance... e sob sua proteção, sei que ele nunca conseguirá nos atingir. Quero ir para casa, papai... e agradecer a Deus por ter ouvido minha prece.

— Não pode imaginar como estou feliz em te ouvir dizendo essas coisas. Como sabe, eu, meus irmãos, e principalmente minha mãe, sofremos muito nas mãos do meu pai e, por isso, jurei que nunca haveria violência em minha casa e que meus filhos jamais presenciariam uma briga. Pensei que havia conseguido, mas só após ter ficado doente foi que entendi que a violência não precisa ser só física. Ela existe também quando se deseja impor algo a alguém, como fiz com você. Não tinha o direito de interferir em sua vida. Podia tentar orientar, mas a vida é sua, Flávia. Meu papel e de sua mãe foi nos unirmos para que você nascesse, mas isso não nos dá o direito de sermos seus donos. Conversei muito com o Jonas e ele me disse que o espírito é de cada um, portanto é livre, e nada ou ninguém pode escravizá-la. Só hoje entendo realmente o que ele quis me dizer. Agora, chega de conversa. Precisamos buscar suas crianças na creche e, depois, irmos para casa. Não precisa pegar nada daqui, a não ser o registro de nascimento das crianças, tudo mais que precisarem, eu comprarei com o maior prazer.

— Quanto ao Mauro, não vou avisar, papai?

— Não, quando ele perceber que você foi embora, com certeza irá lá em casa te procurar e aí terei com ele uma conversa definitiva. Assim que acomodarmos as crianças, iremos até a uma delegacia e faremos um boletim de ocorrência, onde será contado o que ele fez com você e, provavelmente, tirarão algumas fotografias. Caso ele queira brigar na justiça pelos filhos, poderemos mostrar a violência que você sofria. Acredito que isso será o suficiente para ele se afastar definitivamente de vocês. Agora, vamos, minha filha. Nossa vida vai recomeçar e, desta vez, sei que será diferente. Não vou interferir na sua vida. Sei que aprendeu da maneira mais difícil, mas, como diz o Jonas, para tudo sempre existe um motivo e tudo está sempre certo nesta vida. Não vai dizer nada, Nadir?

— Não tenho o que dizer. Só sei que estou muito feliz por vocês, finalmente, terem conversado e se acertado. Que bom, minha filha, que vai voltar para casa... era só isso que eu desejava e que também tenho pedido a Deus, todos os dias, desde que você foi embora lá de casa. Vamos embora, minha filha...

— Vamos, sim, mamãe, e obrigada por terem vindo me buscar...

Estavam saindo quando encontraram Dudu, que vinha correndo, trazendo nas mãos dois saquinhos cheios de balas e doces. Ao ver a mãe saindo, perguntou:

— Pra onde a senhora tá indo, mamãe?

— Para a felicidade, meu filho. Para a felicidade. Vamos deixar esta casa e ficarmos longe de todo esse sofrimento...

— Quando o pai descobrir vai matar a gente, mamãe...

— Não se preocupe com isso, Dudu. Agora estou aqui e você está protegido. Daqui para frente terá que se preocupar em ser criança, nada mais... — Roberto falou, mexendo com carinho nos cabelos do menino.

Foram até creche, pegaram as crianças e depois foram para

casa. A empregada e Nadir providenciaram os quartos onde deveriam ficar. Enquanto isso, Roberto e Flávia foram para a delegacia e fizeram um boletim de ocorrência.

Quando voltaram, encontraram as crianças brincando felizes ao lado da piscina e Nadir, também feliz, não parava de olhar, para os netos.

No dia seguinte, logo pela manhã, Mauro foi até a casa de Roberto e foi recebido por eles. Assim que viu Flávia, disse, gritando:

— Flávia, vim te buscar! Como pôde sair de casa levando meus filhos?

— Papai foi até lá e viu como eu estava machucada... — ela respondeu, com muito medo.

— Você não disse para ele que tinha caído e por isso estava machucada?

— Ela disse, mas eu descobri a verdade! Por isso a trouxe para cá e ficará até quando quiser! — Roberto respondeu enérgico, interferindo na conversa.

— O senhor não pode fazer isso, ela é minha mulher!

— Sua mulher, sim, mas não sua propriedade, seu saco de pancadas! Agora pode ir embora e não volte mais aqui!

— O senhor não pode me obrigar! Só sairei daqui levando a minha mulher!

— Antes de trazê-la para casa, passei na delegacia e fizemos um boletim de ocorrência. Se não sair daqui, agora, vou telefonar para a polícia e faço você ficar preso por muito tempo! Sabe que tenho amigos e poder para isso! Flávia só saíra desta casa se quiser!

Mauro conhecia Roberto e sabia que ele faria o que estava dizendo. Vendo que Flávia não queria voltar para viver ao seu lado, respondeu gritando:

— Estou indo embora, Flávia, mas fique sabendo que, por mais que implore, nunca mais voltarei para você!

Flávia ficou calada e ele saiu.

Assim que Mauro foi embora, Roberto disse:

— Bem, minha filha, poderá ficar aqui até quando quiser. Ele é seu marido e pai de seus filhos, por isso, se quiser voltar a morar ao dele tem toda liberdade. Nunca mais ficarei distante de você, estarei sempre por perto para protegê-la.

— Nem pensar, papai. Estou em casa e feliz.

— Sendo assim, vamos tomar café para nos acalmar...

— Papai, o senhor deve ser a única pessoa no mundo que toma café para se acalmar! — ela disse, soltando uma gargalhada.

E abraçados, foram para a cozinha. Enfim a paz tinha voltado para aquela casa.

Fatalidade

Alguns dias depois, Roberto voltou para o escritório e foi recebido com muito carinho e felicidade pelos funcionários. Entre eles Telma que, apesar do que Plínio havia contado sobre o tio, não conseguia acreditar e pensava: *Ele não parece ser alguém que bate na esposa...*

Assim que Roberto retornou, Plínio não voltou mais ao escritório e Telma não pôde deixar de pensar... *outra vez ele desapareceu sem me dar satisfação. Também, não poderia conversar comigo na frente de todos. Hoje à noite ele vai estar me esperando no ponto do ônibus, como faz quase todos os dias.*

Mas os dias passaram e Plínio não voltou. Telma, sentindo-se uma idiota completa por ter sido enganada outra vez, tentava se conformar: *Que burra! Como pude deixar ele me enganar de novo? Bem feito! Sempre me julguei muito esperta, mas estou vendo que não sou. Preciso me conformar, que ele não vai voltar nunca mais. Agora, diplomada em burrice, tenho de seguir a minha vida...*

Naquele dia Roberto tinha telefonado para Telma avisando que não viria trabalhar. Ela, não tendo que atender Roberto, poderia ir às outras salas para ajudar e prestar atenção nos novos trabalhos que entravam no escritório. *Nunca é demais aprender...* Fez isso até a hora do almoço e então foi para casa. Sara estava com o almoço pronto, mas Telma percebeu que ela não estava bem e perguntou:

— O que a senhora tem, mamãe, está muito pálida.

— Nada que você precise se preocupar. Estou com aquela falta de ar que me dá de vez em quando. Deve ser uma gripe.

— Já disse mil vezes que a senhora precisa ir ao médico e ver por que acontece isso.

— Sabe que a gente não tem dinheiro para pagar médico.

— Sei, mas hoje, quando eu voltar vou com a senhora até o pronto-socorro. A senhora sabe que lá eles atendem na hora e, se precisar de tratamento, eles encaminham.

— Está certo, mas até você voltar vou estar bem. Agora almoce. Depois que seu pai vier almoçar e eu mandar as crianças para a escola, vou me deitar um pouco. Como todas as outras vezes, isso que estou sentindo vai passar e vou ficar bem.

— Mesmo assim vou levar a senhora no pronto-socorro.

Almoçou e voltou para o trabalho. Estava trabalhando quando começou a ficar tonta. Abaixou a cabeça para ver se passava, mas não adiantou. A tontura foi ficando cada vez pior. Sentia enjôo. Com muito esforço, conseguiu chegar ao corredor e caiu em seguida. Uma das moças saía de uma sala no exato momento em que ela caiu. Assustada, começou a gritar e correu para junto de Telma, que estava desacordada. Os colegas ouviram os gritos e se aproximaram para ver o que estava acontecendo. Marieta, que era a mais velha de todos, também se aproximou. Pegou o pulso de Telma e, percebendo que estava muito fraco, disse desesperada:

— A pressão dela caiu. Alguém tem de ir até a copa e trazer o vinagre e um pouco de sal.

Uma das moças correu e trouxe sal e vinagre. Marieta esfregou as mãos e os pés de Telma. E, aos poucos, ela foi voltando a si. Assim que ela melhorou, Marieta fez com que ela colocasse um pouco de sal sob a língua. Em seguida, olhou para um dos colegas, que era o motorista da empresa, e pediu:

— Jorge, temos de pegar o carro do doutor e levar a Telma até o pronto-socorro.

— Será que o doutor não vai se importar? Ele não gosta que eu use o carro para nada que não for da empresa.

— Claro que ele não vai se importar! Se ele estivesse aqui, ele mesmo a levaria. Quantas vezes ele já levou alguém que passou mal aqui no escritório?

— Não precisa, Marieta. Já estou bem.

— Nada disso, Telma, chegou reclamando de dor de cabeça. É melhor a gente ver o que você tem. Não vai demorar muito. Vamos?

Vendo que não adiantaria argumentar, pois sabia que Marieta não a ouviria, Telma concordou e acompanhou Marieta e Jorge.

Chegaram ao pronto-socorro e ela foi atendida por um médico que, ao vê-la, perguntou:

— Que aconteceu com você?

— Não sei, doutor. Estava trabalhando e, de repente, me senti muito fraca e desmaiei.

— Deite-se aí nessa cama que vou te examinar.

Ela atendeu. Marieta, preocupada, continuava ao seu lado. O médico examinou, mediu a pressão, ouviu o coração e disse:

— Parece que está tudo em ordem, mas preciso que faça alguns exames.

— Que exames, doutor?

— De sangue e de urina. Quantos anos você tem?

— Vou fazer dezoito.

— Tem namorado?

— Não, mas por que está perguntando isso?

— Você é muito jovem, não tem namorado, mas seus sintomas parecem ser de gravidez. Por isso preciso dos exames, para ver do que se trata.

— Gravidez?! — ela perguntou, corando e assustada.

— Sim, mas pode ser outra coisa.

Em um segundo, ela se lembrou de todas as vezes que estivera com Plínio e não se cuidara. Começou a tremer, e tanto, que o médico se assustou.

— Não precisa ficar tão nervosa. Acabou de dizer que não tem namorado, portanto não precisa se preocupar. Pode ser uma anemia.

Tomada de desespero e coragem, disse de uma vez:

— Agora não tenho namorado, mas já tive. Estamos separados a mais ou menos um mês.

— Acha que pode estar grávida?

— Não sei, doutor! Não sei! — disse chorando muito.

Enquanto falava, o médico escrevia em um papel. Terminou e, sorrindo, olhou para Telma e lhe entregou o papel.

— Precisa vir amanhã bem cedo, em jejum, para fazer os exames. Quando tiver o resultado, volte para vermos o que fazer.

Ela, sem conseguir evitar as lágrimas, pegou o papel e se despediu.

— Obrigada, doutor. Vou fazer o exame.

— Faça e não se preocupe. Para tudo sempre existe uma solução.

Marieta, que ouviu tudo, pegou no braço de Telma e saíram. Já lá fora, ela perguntou:

— Telma, que história é essa? Nunca disse que estava namorando...

— Não disse, mas namorei durante algum tampo. Por favor, Marieta, não comente com ninguém!

— Pode ficar tranqüila, não vou comentar. Mas, se estiver grávida, não vai poder esconder por muito tempo.

— Não sei o que fazer. Meu pai nunca vai aceitar. Ele é muito violento, vai me bater e em mamãe também. Se eu estiver grávida mesmo, preciso encontrar uma maneira de tirar essa criança de dentro de mim! Meu pai não pode saber! — enquanto falava, ela tremia muito, com muito medo.

— Por enquanto, não pense nisso. Antes de tomar uma decisão como essa, precisa falar com o seu namorado, talvez ele te assuma e à criança também.

— Ele não vai me assumir e muito menos vai querer a criança! É um canalha, se aproveitou do meu amor por ele, me iludiu e me abandonou sem dar explicação alguma! Ele não vale nada!

— Ele precisa saber! Você é ainda muito jovem e não pode assumir, sozinha, uma responsabilidade como essa! Se quiser, vou com você conversar com ele!

— Ele é casado — Telma disse, chorando e tremendo muito.

— Casado? Como foi se envolver com um homem casado, Telma?

— Quando começamos a namorar, ele não era casado.

— Parece que ele te enganou mesmo. Mas, por enquanto, acho que precisa esperar o resultado. Depois, já que seu pai é muito violento, converse com sua mãe, ela vai saber como agir.

— Eu devia ter contado tudo para ela, mas não tive coragem. Ela sempre conversou muito comigo, e eu não posso dizer que não sabia o que estava fazendo. Sabia, e muito bem, mas nunca pensei que ele poderia me abandonar... confiei nele...

— Agora está feito. Faça o exame e, depois, vai saber o que fazer. Mas acho que sua mãe é a única que pode te ajudar.

— Ela não vai poder fazer muito. Meu pai é ignorante e nunca vai aceitar. Ela, assim como eu e meus irmãos, temos muito medo dele.

— Acho melhor você não voltar para o escritório. Vá para sua casa e converse com sua mãe.

— Não posso fazer isso, tenho muito trabalho!

— Não se preocupe com o trabalho. O doutor avisou que não vem trabalhar hoje e, mesmo que vier, você o conhece, sabe que vai entender e não vai se importar. Ele, assim como todos nós, esperamos que fique bem.

— Você é uma boa amiga, Marieta...

— Que nada, só gosto muito de você. Agora o Jorge vai me deixar no escritório e te levar para casa.

— Não precisa. Estou bem. Ele pode ter algum trabalho para fazer e já perdeu muito tempo comigo.

— Se acha que está bem, vamos te deixar no ponto de ônibus. Preciso voltar, que tenho mesmo muito trabalho.

Entraram no carro e Telma ficou no ponto de ônibus. Marieta, preocupada, voltou para o escritório.

Quando o ônibus chegou Telma subiu e sentou-se em um dos bancos. Olhando pela janela, enquanto o ônibus rodava, ela criava coragem para o que tinha que fazer... *vou chegar em casa e contar tudo para minha mãe. Como Marieta disse, se eu estiver grávida, só ela, realmente, poderá me ajudar. Ela vai saber o que fazer... segui os meus impulsos e agora estou com esse problema... mas ela vai saber me ajudar...*

O ônibus continuou andando e ela, envolvida em seu pensamentos que iam e vinham, olhava pela janela

Desceu no ponto de ônibus que ficava na esquina de sua casa. Estava chegando quase uma hora antes do costume. Assim que se aproximou de sua casa, viu Sueli e Marquinhos, que brincavam na rua e, ao vê-la, correram em sua direção. Ela se abaixou e os abraçou, dizendo:

— Já chegaram da aula e não foram trocar o uniforme? Sueli, você sabe que a mamãe não gosta que vocês fiquem brincando vestidos com o uniforme.

— Eu e o Marquinhos chegamos e entramos em casa, mas a mamãe estava dormindo. A gente não quis acordar ela e veio brincar até que ela acorde.

— Dormindo até agora?

— Está sim. Deixa ela dormir, Telma. Ela esta muito cansada...

— Vou deixar, mas agora vamos entrar e trocar de roupa, depois, podem continuar brincando. Já que cheguei mais cedo, vou preparar o jantar. A mamãe precisa mesmo descansar. Vamos?

Entraram bem devagar em casa. Telma os levou para o quarto e ajudou-os a trocar de roupa. Sem fazer barulho, eles voltaram para a rua e só então ela foi até o quarto da mãe. Olhou pela porta, sem entrar, e viu a mãe dormindo de lado. Sorriu e foi para a cozinha. Sabia que, assim que começasse a mexer com as panelas, a mãe acordaria.

Terminou o jantar. Estranhou a mãe não ter acordado com o barulho e foi até o quarto dela. Continuava na mesma posição que ela havia visto pela porta. Estranhou, aproximou-se e, baixinho, chamou por Sara. Vendo que ela não acordava, Telma tirou o cobertor que cobria uma parte da cabeça da mãe e notou que ela estava com os olhos fechados. Tocou em sua cabeça e o desespero tomou conta dela:

— Mamãe, acorde! O que a senhora tem? Por favor, mamãe, acorde!

Chamou várias vezes e depois a chacoalhou. A princípio devagar, depois com mais força, mas não adiantou: Sara continuava com os olhos fechados e sem expressar reação alguma. Telma não sabia o que fazer e só a chamava e chorava. Estava assim quando seu pai chegou, acompanhado pelas crianças. Ao ver Telma em todo aquele desespero, ele se aproximou, perguntando:

— Que aconteceu, Telma, por que está chorando assim?

— Não sei o que aconteceu, pensei que a mamãe estivesse dormindo, mas não consigo fazer ela acordar!

O pai se curvou e tocou no rosto e na testa da esposa. Depois, já chorando, disse:

— Não adianta continuar chamando, minha filha. Ela está morta, Telma!

— Morta?! Como morta?! O senhor deve estar enganado! Ela não pode morrer! — disse aos berros, arregalando os olhos.

E gritava, já sem articular palavra. Mas, vendo o pai chorar, teve de acreditar *mamãe está morta, morta...* e saiu correndo para o quintal da casa e lá continuou chorando por muito tempo, sem conseguir parar. E falava sozinha:

— Não consigo acreditar que isso aconteceu! Minha mãe não pode morrer! O que eu e meus irmãos vamos fazer sem ela?

Não pode ser! Mamãe, por que fez isso! Não podia ter abandonado a gente dessa maneira!

Ficou ali por muito tempo, até que seu pai saiu da casa e se aproximou, dizendo:

— Telma, vou até na esquina chamar a polícia. Você precisa tirar as crianças lá do quarto. Elas estão assustadas, não estão entendendo o que eu digo... Você precisa conversar com elas.

— Polícia, por quê?

— Sua mãe morreu em casa e a gente não sabe qual foi o motivo. Quando isso acontece, a polícia precisa ser chamada para que seja feita a autópsia, só assim poderão dizer o que aconteceu. Precisa lembrar que nunca tive muito jeito para conversar com você ou com as crianças, por isso precisa ser forte e ficar ao lado delas. Estou indo.

O pai saiu e Telma ficou olhando para a casa, como se, de uma hora para outra, ela tivesse ficado estranha, não fosse mais a sua casa. Parecia estar em outro mundo ou sonhando, não podia aceitar aquilo.

Seus gritos tinham chamado a atenção dos vizinhos, que começaram a chegar. Enquanto o pai de Telma saía às pressas, as pessoas perguntavam. E ele, do seu jeito, em poucas palavras, dizia o que havia acontecido. Uma das vizinhas, que era muito amiga de Sara e que sabia tudo o que se passava naquela casa, se aproximou de Telma e abraçou-a, dizendo:

— Telma, seu pai me contou o que aconteceu com sua mãe. Sei que deve estar sofrendo muito, assim como eu, que era a melhor amiga dela. Chore, mas lembre-se que tudo que nos acontece é sempre vontade de Deus...

Ao ouvir aquilo, Telma levantou a cabeça e, com os olhos faiscando de ódio, disse quase gritando:

— De Deus?! A senhora disse que a morte da minha mãe foi vontade de Deus?!

— Disse, sei que neste momento não está entendendo e muito menos aceitando que isso aconteceu, mas Deus sabe o que faz. Acredite nisso...

— Por favor, não venha com essa conversa de quem não sai da igreja! Se Deus realmente existisse, isso não estaria acontecendo! Minha mãe não tinha morrido e eu e meus irmãos não estaríamos sozinhos neste mundo! A senhora conhece tudo o que se passa na minha casa e sabe como meu pai sempre foi violento! Acha que Deus quer mesmo que a gente fique definitivamente nas mãos desse monstro? Não vê que meus irmãos ainda são crianças e que eu não tenho como tirar eles desta casa! Não vê que eu não tenho como criar e educar os dois? Pergunte a esse Deus, de quem está falando, como vai ser a nossa vida daqui para frente! Agora, por favor, me deixe sozinha! Não quero conversar com ninguém, muito menos falar em Deus!

— Está bem, não vou mais falar sobre isso. Sabe que a polícia vai vir aqui na sua casa. Acho que as crianças não devem assistir. Também devem estar assustadas e com fome. Se quiser, pode levá-las lá para casa. Eu posso cuidar delas e dar comida.

Telma, calada, afastou-se e entrou em casa novamente. Seus irmãos choravam abraçados. Ela se aproximou, dizendo:

— Vamos comigo lá para fora.

— Não quero sair daqui, Telma! Estou esperando a mamãe acordar... Por que ela não acorda?

— Não adianta esperar, Sueli. Ela não vai acordar mais. Estamos sozinhos, ela deixou a gente.

— Ela morreu, Telma?

— Morreu, Sueli... ela morreu...

— Então, ela foi *pro* céu?

— Não sei... deve ter ido...

— A mamãe sempre falava que, quando a gente morria, ia *pro* céu, então ela está lá no céu. Por isso, ela não abandonou a gente... só foi *pro* céu e está junto de Deus...

Telma queria dizer que aquilo não era verdade, que Deus não existia, mas, diante do olhar da irmã, não teve coragem e falou:

— Acho que sim, Sueli...

— Ela sempre falava que, quando alguém morria, não era para gente chorar, porque a pessoa estava em um lugar muito bonito. Por isso, não vou mais chorar... você também, não é Telma?

— Eu vou sentir muita falta dela e, por isso, acho que vou chorar por muito tempo.

— Não chora não, Telma. Se você chorar, ela vai ficar muito triste.

— Está bem, mas agora vamos lá para a casa da dona Laurinha. Ela vai dar comida para vocês.

— É bom mesmo, eu estou com fome... — era Marquinhos quem falava.

Telma, diante do que Marquinhos disse, sem poder evitar, sorriu e disse:

— Deve estar mesmo. Agora, vamos para a casa da dona Laurinha, nós três.

Telma pegou Marquinhos no colo e, acompanhada por Sueli, foi para a casa de Laurinha, que os recebeu de olhos molhados, forçando um sorriso.

— Crianças, que bom que vieram. Preparei um jantar para vocês, entrem e venham para a cozinha. O Zezinho e a Liana já estão comendo.

— Obrigada, dona Laurinha, muito obrigada. As crianças vão comer, mas eu não estou com fome — Telma disse, enquanto acomodava as crianças junto à mesa.

— Sei que não está, por isso, enquanto as crianças comem, vamos lá para a sala. Quero conversar com você.

— Está bem.

Depois de servir as crianças, Laurinha e Telma foram para a sala e se sentaram em um sofá. Laurinha, disse:

— Precisa se alimentar para ficar forte, Telma. Sabe que, agora mais do que nunca, com a morte da sua mãe, mesmo sendo tão criança, sabe que precisa cuidar de seus irmãos. Conhece seu pai, ele já era violento com a sua mãe presente, imagine como vai ser agora que ela não está mais aqui.

— Já pensei muito nisso e não sei se vou ter condições de evitar que ele judie e bata na gente. Não sei o que fazer, dona Laurinha... a senhora sabe quanto já sofremos nas mãos dele...

— Sei, sim, minha filha, mas não se desespere. Deus está sempre ao nosso lado e encontrará uma maneira de defender você e as crianças.

— Desculpe, dona Laurinha, sei que a senhora acredita muito em Deus, mas eu, infelizmente, não tenho motivos para acreditar. Nasci pobre, em uma casa onde sempre houve violência. Durante minha vida, vi muitas vezes minha mãe ser espancada e, no dia em que quis ajudá-la, fui espancada também. Agora estou trabalhando e estudando. Quero terminar o colegial e prestar uma faculdade, mas, pelo visto, isso não vai ser mais possível, pois, além de ter que cuidar das crianças, já que minha mãe não pode mais fazer isso, estou com um outro problema, muito grave, e não consigo imaginar como será minha vida sem ela para me ajudar. Ela foi sempre especial e diferente das mães das minhas amigas. Neste momento, estou muito triste, não só por ela ter morrido, mas por todas vezes em que a critiquei e a ofendi. Por que disse tantas coisas horríveis para ela, dona Laurinha? Eu nunca me conformei por ela, apesar de todas as surras, continuar vivendo ao lado do meu pai. Hoje sinto que nem ele nem eu merecíamos o amor dela. Depois de tudo isso, a senhora ainda acha que posso acreditar que Deus existe? Se ele existisse realmente, teria levado o meu pai, que é um monstro e só sabe fazer o mal! Ele, sim, deveria ter morrido, não ela!

— Deus existe sim, Telma, e está mais presente em nossas vidas do que podemos imaginar. Ele ama a todos nós da mesma maneira. Sei que, num momento como este, é difícil para você acreditar e aceitar, mas tenha certeza que tudo dará certo. Quanto à sua mãe, é difícil uma pessoa que pode retornar para Deus vitoriosa, mas ela, tenho certeza, retornou. Ela, apesar de tudo, teve uma vida digna e educou vocês da melhor maneira. Seu tempo aqui na Terra terminou, mas ela estará ao lado de vocês para sempre. Às vezes, não entendemos por que as coisas acontecem de uma maneira que não esperamos e, quando é assim, quase sempre julgamos injustos os desígnios de Deus, mas Ele sabe os verdadeiros motivos e, a nós, só nos resta aceitar e confiar Nele. Quanto ao seu pai, não sei, mas ainda não deve ter chegado a sua hora. Ele não deve ter cumprido o que prometeu, e Deus está dando mais uma chance para que ele cumpra. Agora, precisa se esforçar para não chorar... precisa imaginar que sua mãe deixou de sofrer nas mãos de seu pai e que ela está nas mãos de Deus, que sempre a amou, e muito.

— Para a senhora é muito fácil dizer isso, mas para mim está sendo difícil demais. Não consigo parar de chorar. Ela não podia ter ido para as mãos de Deus, Ele não precisa dela, quem precisa é a gente! Se o que está dizendo for a verdade, eu odeio Deus! Ele não podia ter feito isso com a gente!

— Sei que, no momento, você está desesperada e, por isso, não sabe o que está falando, mas com o tempo vai ver que Deus nunca abandona seus filhos e que sempre estará ao seu lado e de todos nós. Mas agora precisa comer alguma coisa e cuidar das crianças. Elas precisam dormir. Amanhã será um outro dia... além do mais, a polícia já deve estar chegando para levar sua mãe e não acho bom que as crianças vejam. Elas ainda não se deram conta do que realmente aconteceu. Se ficarmos conversando com elas, daremos tempo para que a polícia vá embora.

— Acho que a senhora tem razão, só não entendo porque a polícia tem que levar a minha mãe.

— Ela morreu de algo que ninguém sabe o que foi. Por isso vai ser preciso fazer uma autópsia. Só assim descobriremos o que realmente causou sua morte. Não se preocupe, amanhã cedo ela deve estar de volta e você poderá vê-la.

— A senhora tem razão, mas não vou comer, não consigo...

— Está bem, mas leve alguma coisa, caso fique com fome mais tarde.

— Não precisa, dona Laurinha. Se eu ficar com fome, lá em casa tem comida. Antes de descobrir que minha mãe tinha morrido, eu fiz o jantar. Agora vou ficar com as crianças, como a senhora disse, preciso estar ao lado delas. Boa-noite, dona Laurinha.

— Boa-noite, Telma, e não se esqueça de que, se um dia precisar de ajuda, farei o possível para ajudar. Sabe o quanto fui amiga da sua mãe e como, muitas vezes, a socorri.

— Sei, sim, a senhora foi sempre uma grande amiga. Agora vou levar as crianças.

Telma pegou as crianças e foi para casa. Na sala estavam várias pessoas, todas conhecidas de Telma, que conversavam. Telma passou por elas mas não parou, levou as crianças para o quarto e fez com que se deitassem.

— Agora vamos dormir, meus queridos...

— A mamãe não vai voltar nunca mais, Telma?

— Não, Marquinhos, mas eu vou ficar sempre com vocês.

— Quero a mamãe, Telma...

O menino começou a chorar e Telma não soube o que dizer. Um vulto de mulher, que estava o tempo todo ao lado deles, aproximou-se de Sueli e colocou as mãos abertas sobre sua cabeça. A menina, parecendo ter levado um pequeno choque, disse:

— Não precisa chorar, Marquinhos. A mamãe só foi pra junto de Deus, mas ela não vai esquecer a gente, não. Ela vai vir sempre visitar a gente. Eu sei que ela está num lugar muito bonito e nunca mais, nunca mais mesmo, ninguém vai bater nela. Agora, Telma, acho que a gente precisa rezar. Você sabe que, todos os dias, antes da gente dormir, a mamãe rezava junto com a gente...

Telma fez um esforço enorme para não chorar na frente das crianças e, engolindo em seco, disse:

— Vamos dormir, sim, mas não precisa rezar. Deus nunca ouve quando a gente reza...

— Não fala assim, Telma! Deus ouve sim! A mamãe falava que Ele estava sempre do lado da gente e via tudo que acontecia!

Vendo que a menina estava nervosa, Telma disse, forçando um sorriso:

— Está bem, se quiser, pode rezar, vou ficar ouvindo.

A menina fechou os olhinhos e começou a falar:

— Papai do céu, sei que o Senhor levou a mamãe pra junto do Senhor. Não sei porque fez isso, a gente precisa tanto dela, mas sei que foi porque tem um motivo muito grande. Cuida da mamãe, e cuida da gente também, amém.

Telma ouviu as palavras da menina, sentiu um grande afeto, mas muito ódio daquele Deus com quem ela falava. A entidade, que continuava ali, sorriu e beijou todos no rosto, e só então se afastou. Em seguida, as crianças adormeceram. Telma, que não conseguia ficar calma em nenhum lugar, andava pela casa e passou pelo porta fechada do quarto de Sara. *Quantas vezes me deitei na sua cama e nós ficamos conversando? Quase sempre eu a criticava, mamãe, mas a senhora sempre me ouvia e dava os seus motivos, mesmo que eu nunca os aceitasse. Como queria que estivesse aqui! Juro que nunca mais eu ia criticar suas atitudes. Perdão, mamãe, hoje sei que, ao invés de criticar, eu devia ter dito que gostava muito da senhora. Por que eu não disse, mamãe?* Chorando foi para a cozinha, onde sua mãe ficava a maior parte do tempo. Olhou para o fogão e a pia. Tentou ver a mãe, mas não conseguiu. Não queria acreditar que aquilo realmente estava acontecendo, voltou a chorar muito. *Por que isso teve de acontecer? Mamãe, desculpe por ter sido muitas vezes agressiva com a senhora. Mas a senhora sabe que eu a amo muito e que agora não era hora de ir embora, mamãe. Minha vida está toda atrapalhada e não sei o que vou fazer com ela, me ajude, mamãe...*

O vulto havia voltado ao seu lado e jogou sobre ela um jato de luz branca. Sem saber o motivo, finalmente Telma se acalmou, sentiu muito sono, foi para o quarto, deitou-se e dormiu.

E continuou dormindo até que ouviu vozes conversando e, entre elas, a do pai. Sentou-se na cama, com as pernas penduradas, e pensou *Ele voltou. Será que sabe quando vão trazer minha mãe de volta? E do que ela morreu?*

Levantou-se e foi até a sala, que era de onde vinham as vozes. Assustou-se ao ver a mesa da sala forrada com um tecido preto e três homens que cobriam todas as paredes da casa com cortinas pretas do mesmo tecido. Seu pai e alguns vizinhos acompanhavam o trabalho dos homens. Ao ver Telma, seu pai se aproximou e, chorando muito, abraçou-a, dizendo:

— Minha filha, sua mãe foi embora e agora somos só nós quatro. Prometo que vou ser um bom pai para vocês.

Telma o afastou. Sentia revolta por ver que ele, justo ele, que tanto fizera a mãe chorar, agora chorava muito. Olhou para ele e, secamente, perguntou:

— Onde ela está?

— Está sendo preparada e o corpo logo estará aqui. O enterro foi marcado para amanhã às três horas da tarde.

— Como pode dizer o corpo? Não é um corpo, é minha mãe! — disse nervosa e quase gritando.

— É assim que as pessoas falam dos mortos... — ele disse, desajeitado.

— Pois eu não quero isso! Ela ainda é minha mãe! Não é um corpo! Descobriram do que ela morreu?

— Sim, o médico disse que ela tinha um problema muito sério no coração, que provavelmente era de nascença. Ele me perguntou se ela nunca reclamou de dor ou de muito cansaço. Eu respondi que sim, mas que sempre disse que era gripe e nunca quis ir ao médico. Ele disse que, enquanto ela estava dormindo, sofreu um infarto fulminante e, mesmo que tivesse sido atendida prontamente, seria muito difícil evitar que morresse.

— Bem que eu pedi a ela várias vezes que fosse ao médico.

Hoje mesmo eu disse que a levaria ao pronto-socorro. Por que ela nunca quis ir? Será que ela sabia e queria morrer?

— Não, Telma! Ela nunca deve ter imaginado que o que sentia era tão grave.

Telma ouvia o que ele, entre soluços, dizia. Aquela atitude a enfurecia ainda mais, mas estava muito cansada e abatida, não conseguia mais chorar. Voltou para o quarto, deitou-se e ficou pensando nas conversas que teve com sua mãe: *Mamãe, isso não podia ter acontecido... a senhora sempre foi uma mãe maravilhosa. Sempre fez tudo para que a gente fosse feliz. Será que a senhora sabia da doença que tinha e não quis se tratar, queria morrer? Não, não pode ser. Nunca ia querer abandonar a gente, sabia que, sem a senhora, a nossa vida se tornaria em um inferno pior do que já era. Foi sempre tão carinhosa... estou me lembrando de tantas conversas que tivemos. Como vai ser a nossa vida sem a senhora?*

Ficou deitada até a hora em que a mãe chegou e foi colocada sobre a mesa forrada com o tecido preto. Em cada lado da mesa havia velas brancas e grandes, que foram acesas. As pessoas se aproximaram para ver o rosto daquela que, todos sabiam, havia sofrido muito em toda sua vida. Alguns olhavam e saíam, outros faziam o sinal da cruz e rezavam um Pai Nosso e outros só olhavam de longe e se afastavam.

Telma se aproximou e, chorando baixinho, olhou para o rosto da mãe... *Mamãe, é verdade, a senhora está morta, mesmo. Mas está tão bonita, até parece que está feliz...*

Estava ali, olhando e pensando, quando Laurinha se aproximou. Abraçou Telma e, olhando para o rosto daquela que havia sido sua amiga por tanto tempo, pensou: *Vai com Deus minha amiga. Seu tempo aqui na Terra terminou e sei que neste momento está bem acompanhada e caminhando de volta para a casa do Pai. Que seu caminho seja tranqüilo e, quando acordar, consiga entender e aceitar a vontade do Pai. Que todas as conversas que tivemos sobre a vida após a morte possam te ajudar neste momento.*

Em seguida se afastou e foi para o quarto, onde as crianças já dormiam. Aproximou-se, cobriu Marquinhos que estava descoberto e pediu: *Senhor, meu Deus. Sei que não posso duvidar da Sua bondade e sabedoria, mas é muito triste ver essas crianças sem mãe e sozinhas, nas mãos desse homem que nunca soube amá-las. Peço, Senhor, que Seus braços se estendam sobre elas e que as ajude, para que possam crescer e cumprir os compromissos que assumiram.*

Laurinha saiu do quarto e foi para junto dos outros. Telma ficou ao lado da mãe até que amanhecesse. Quando deu a hora em que deveria ir para o trabalho, foi a um telefone público que havia na esquina de sua casa, telefonou para o escritório e avisou o que havia acontecido. Seus colegas, assim como ela, também se assustaram. Depois do almoço, quando chegou, Roberto foi avisado e ficou desolado: *Pobre menina. Que acontecerá agora com ela e seus irmãos? Embora ela tenha negado, sei que o pai é violento. Farei tudo que for possível para ajudá-la.*

Marieta e mais dois colegas do escritório foram ao enterro. Roberto não quis ir, mas disse para Marieta falar a Telma que ela só precisava voltar ao escritório depois de uma semana. Marieta deu o recado e ficou junto de Telma o tempo todo.

O enterro aconteceu e depois todos voltaram para suas casas. Telma, sempre segurando nas mãos de seus irmãos, também voltou para casa, agora tão vazia, sem a mãe.

Preparou o jantar e deu para as crianças e para o pai, que parecia desolado e chorava muito. Ela sentiu vontade de falar uma porção de coisas, mas ficou calada. Precisava pensar em como seria sua vida dali para frente. Depois do jantar, seu pai saiu, dizendo:

— Vou sair um pouco, preciso respirar ar puro.

Telma ficou calada, foi para o quarto e, depois de ter colocado as crianças para dormir, voltando a chorar, pensou... *Não sei como vai ser nossa vida sem a senhora, mamãe. Estou muito triste, queria poder falar mais uma vez com a senhora nem que fosse só por um minuto, para dizer o quanto gostava da senhora e poder pedir perdão por todas as vezes que lhe disse tantas coisas horríveis, mas sei que agora é tarde. Nunca mais poderei ver e conversar com a senhora, mamãe...*

A entidade, que todo o tempo estivera com ela e com as crianças, aproximou-se e jogou luzes sobre eles. Todos adormeceram em seguida. Durante mais alguns instantes, a entidade ficou ali, e, quando dormiam sossegados, desapareceu.

A ajuda sempre vem

Os dias foram passando. No terceiro dia após o enterro, Telma acordou pela manhã, cuidou das crianças, levou-as para a escola e depois ficou pensando: *Preciso ir ao pronto-socorro para fazer os exames e saber se estou mesmo grávida para tomar uma providência apesar de me sentir completamente perdida e não saber o que fazer...*

Os dias foram passando e ela ficava a maior parte do tempo chorando e não entendendo por que sua mãe havia morrido daquela maneira e sem ter dado tempo para ela se despedir e lhe dizer o quanto a amava. À noite, só conseguia dormir quando o sono a dominava. Tentava não chorar na presença das crianças. Sabia que precisava mostrar a elas que tudo estava bem. Cuidava da casa, dos irmãos e levava-os à escola, mas, cada vez que se aproximava a hora de o pai chegar em casa, Telma tremia de medo. Sabia que, a qualquer momento, ele começaria a brigar por nada e, não tendo mais a mãe para bater, bateria nela e, talvez, nas crianças. Todos aqueles que estavam no velório e no enterro desapareceram, só quem estava sempre presente e disposta a conversar era Laurinha. Em uma das vezes, Laurinha entrou e encontrou Telma chorando. Percebeu que ela, além de muito triste e chorando, estava vestida de qualquer jeito e a casa toda desarrumada. Preocupada, perguntou:

— Você está bem, Telma?

— Não, não estou bem e nunca mais vou ficar...

— Precisa reagir, é ainda muito jovem, tem a vida toda pela frente...

— Que vida? A senhora já parou para pensar como vai ser a minha vida?

— Acho que vai ser muito boa. Vai se casar, ter muitos filhos...

— Não quero me casar! Não acredito em casamento e muito menos nos homens! — disse isso lembrando-se de Plínio.

— Como pode falar assim? É ainda muito jovem, nem teve tempo para conhecer os homens e só está falando isso por causa de seu pai. Saiba que nem todos são como ele... aliás, homens como ele são a minoria, graças a Deus!

— Não é só ele que não presta... sou jovem, mas já ouvi muitas histórias de outros tantos como ele. Também, do que adianta a gente pensar no futuro se a qualquer momento a gente morre de uma maneira estúpida, como aconteceu com a minha mãe?

— A morte da sua mãe não foi estúpida. Se pensar bem, verá que ela não ficou em uma cama de hospital, sofrendo com dores horríveis, como acontece com muitas pessoas. Ela adormeceu e partiu. Essa morte é abençoada...

— Não me importo com o que a senhora diz, não era hora dela morrer! Tinha três filhos que precisavam muito dela! Por que ela? Por que não meu pai, que é tão ruim?

— Não sei te responder, só sei que tudo está sempre certo, e que sua mãe deve estar em um lugar muito bom e feliz...

— A senhora está louca! Como minha mãe pode estar feliz se sabe que ficamos sozinhos e nas mãos desse homem que ela conhece muito bem? Não sei se ela está em um bom lugar, mas com certeza não está feliz!

— Conversei muito com sua mãe a respeito de uma doutrina que sigo e, nessa doutrina, aprendemos que Deus é nosso pai e que sempre está ao nosso lado, nada nos acontece sem Sua permissão. Se sua mãe teve que ir agora e deixar vocês sozinhos, algum motivo houve, talvez você não descubra nesta vida, mas descobrirá em uma outra.

— Que outra? A senhora vem com essa história de céu e inferno? Minha mãe sempre viveu no inferno! A nossa vida sempre foi um inferno e está ficando cada vez pior...

Cheia de dor, Telma chorava. Laurinha se aproximou e abraçou-a, dizendo:

— Entendo a dor que está sentindo, mas a vida precisa continuar. Acredite em Deus e entregue sua vida para Ele, verá que as coisas vão se ajeitando. E não duvide, nunca, que ele te ama muito e aos seus irmãos também.

Telma se abraçou em Laurinha e ficou chorando, a dor vertia em suas lágrimas, e não conseguia se controlar. Laurinha deixou-se abraçar em silêncio e ficou ao seu lado até que, com a voz entrecortada por soluços, Telma disse:

— Hoje vai ser a missa de sétimo dia, dona Laurinha. Até agora meu pai não brigou. Chega em casa, janta e vai dormir, mas tenho medo que, a qualquer momento, ele volte a ficar violento. Se isso acontecer, não sei o que fazer nem como me defender e aos meus irmãos.

— Ele nunca agrediu você ou as crianças, Telma.

— A mim ele agrediu. A senhora não sabe, mas fiquei muitos dias com o rosto roxo.

— Não sabia disso, mas, se acontecer novamente, você precisa ir à delegacia e dar parte.

— Não posso fazer isso, dona Laurinha!

— Não pode, por quê?

— Sem minha mãe, é ele o responsável pela gente. Se a polícia achar que a gente não pode mais ficar com ele, vamos para onde? Para um orfanato? Não quero e nem posso me separar dos meus irmãos.

— Tem razão, mas ele não pode bater em vocês, e acredito que isso não vai acontecer.

— Espero que sim, mas, já que não posso ir até a delegacia, vou encontrar uma maneira de matar esse monstro!

— Nem pense nisso! Aí sim, você irá presa e seus irmãos ficarão sem ninguém. Como já te disse, entregue suas vidas nas mãos Dele e tudo se arranjará.

— Vou tentar fazer isso, embora não acredite muito nesse Deus malvado. Mas, também, não sei o que vai acontecer com minha vida. Como vou continuar trabalhando e freqüentando o colégio? Agora é impossível, preciso cuidar da casa e das crianças. Por que isso aconteceu logo agora que tudo caminhava tão bem em minha vida? Isso não é justo!

— Para tudo na vida sempre tem uma solução. Precisa só acreditar na bondade e justiça de Deus.

— Lá vem a senhora com essa conversa novamente! Que Deus? Aquele que, segundo a senhora, levou a minha mãe e deixou meu pai que não vale um tostão furado? Como quer que eu acredite em um Deus maldoso como esse?

— Não sabemos porque, em nossa vida, acontecem certas coisas que sempre nos parecem injustas, mas posso te garantir que tudo está sempre certo e que, mais cedo ou mais tarde, sempre descobrimos o motivo. Sempre que algo de ruim acontece, pensamos que tudo está perdido, mas quase sempre isso não é verdade. Tem um ditado antigo que diz: quando Deus fecha uma porta, abre um portão. Por isso, tenha calma e aguarde, que tudo se ajeitará e, tenha certeza, Deus não é malvado. Ele nos ama a todos da mesma maneira e deixa que nós mesmos escolhamos o caminho que queremos seguir.

— Queria ter essa mesma fé que a senhora tem, mas não consigo, dona Laurinha... sou ainda muito jovem para poder entender e agüentar o que está acontecendo. Eu me preocupava só com o meu futuro, para isso comecei a trabalhar tão cedo e agora estou estudando. Queria ter uma profissão, poder tirar minha mãe e meus irmãos desta casa, mas não consegui... seu Deus, como a senhora disse, já a tirou e, se Ele resolver tirar meus irmãos também ou a mim, como vai ser?

— Não conheço o futuro, mas acredito na bondade de Deus e sei que nunca nos deixa sozinhos e a ajuda sempre chega, através de alguém, ou de alguma coisa que acontece. Sei que, neste momento, espíritos amigos estão ouvindo a nossa conversa e basta confiar, entregar nossas vidas nas mãos Dele, Telma...

— Não consigo aceitar isso que está dizendo...

— Como você disse, é ainda muito jovem, mas com o tempo, outras coisas acontecerão em sua vida e você entenderá o quanto Ele te ama... Falando nisso, acho que não precisa deixar de trabalhar nem de estudar. Não sei se vai aceitar, mas, quanto às crianças, não precisa se preocupar. Posso cuidar delas e mandá-las para a escola. Sabe que meus filhos estudam na mesma escola e no mesmo horário, não vai ser problema algum. Posso ficar com eles até que você ou seu pai cheguem do trabalho. Quanto ao trabalho, sua mãe me disse que o seu patrão gosta muito de você e quer te ajudar, fale com ele, quem sabe ele te ajuda a encontrar uma solução.

— A senhora faria isso? Cuidaria dos meus irmãos?

— Claro que sim. Gosto das crianças e meus filhos são amigos deles, estão sempre brincando juntos.

— Obrigada, dona Laurinha, não sei como agradecer...

— Não agradeça a mim, mas a Deus que te ama muito. Agora que estou me lembrando, não te disse que a ajuda sempre chega através de alguém ou de alguma coisa? Quando eu estava falando aquilo, não sabia que Deus ia me usar para te ajudar. Ele não é mesmo maravilhoso?

Telma ficou sem saber o que responder e, depois de tanto tempo chorando, conseguiu sorrir.

— Sabe que pode contar sempre comigo, Telma. Agora preciso ir embora para preparar o jantar. Pense bem em tudo que te disse. Até mais.

Laurinha saiu e Telma pôs-se a pensar: *Ela me deu uma boa idéia, só não sei se meu pai vai aceitar. Se ele aceitar, posso conversar com o doutor e, como ele só vem trabalhar a tarde, posso cuidar da casa pela manhã, dar almoço para as crianças e ir trabalhar. Para eu poder ir à escola, à noite, meu pai tem que chegar cedo em casa para ficar com as crianças. O problema vai ser só esse. Ele nunca teve hora para chegar em casa. Hoje, quando ele chegar, e tomara que não venha com vontade de brigar, vou conversar com ele... quem sabe ele aceita e, assim, posso trabalhar e estudar também. Será que estou grávida? Não quero nem pensar nisso! Se for verdade, estou completamente perdida. Mamãe, não tive coragem de ir fazer o exame, mas agora não tem mais jeito, preciso ir antes que passe muito tempo. Não sei como se faz isso, mas se estiver mesmo grávida, preciso descobrir aonde ir para tirar essa criança. Ela não pode nascer. Sabe que meu pai me mataria, mamãe. Por que a senhora me abandonou?*

Foi para o quarto, vestiu as crianças e ficou esperando o pai para irem à missa. Ele chegou e todos foram para a igreja. Muitos amigos e conhecidos estavam lá. Entre eles Marieta. Assistiram a missa. Telma chorou durante todo o tempo: *Não tem mesmo como continuar me enganando, mamãe. A senhora não está mais ao nosso lado. Queria tanto poder conversar com a senhora, mesmo que fosse só por um minuto...*

Quando a missa terminou, as pessoas se aproximaram e Telma os cumprimentou. A última que se a aproximou foi Marieta, que retribuiu o cumprimento e falou:

— Sinto muito por isso que te aconteceu, mas não esqueça que, lá no escritório, todos gostamos muito de você. O doutor não veio, mas pediu que eu te dissesse que ele está esperando que volte ao trabalho.

— Obrigada, Marieta. Vou tentar voltar ao trabalho, mas sabe que agora preciso cuidar da casa e dos meus irmãos...

— Sei disso, a sua vida se complicou muito. Mas, e aquele assunto, já resolveu?

— Ainda não fui fazer os exames.

— Esse sim é um grande problema, ainda mais agora, sem a sua mãe para te apoiar...

— Sei disso, já devia ter feito os exames, mas estou com medo do resultado...

— Não pode demorar muito. Precisa ter certeza para ver o que vai fazer...

— Sei disso... mas parece que encontrei uma solução para voltar ao trabalho e poder continuar a estudar. Vai depender do meu pai e do doutor. Só preciso tomar coragem e conversar com ele. Agora só preciso fazer os exames e saber do resultado...

— Tomara que consiga retomar sua vida.

Despediram-se e todos foram embora. Naquela noite, Telma não teve coragem para conversar com o pai.

No dia seguinte também não teve coragem de ir fazer os exames. Estava preparando o jantar e pensando em como falaria com seu pai, caso estivesse mesmo grávida, quando ele entrou em casa. Como fazia desde que a mãe morreu, ele foi direto para o seu quarto. Telma percebeu que ele não estava nervoso. Caprichou no jantar, foi até o portão, chamou as crianças, que brincavam, e mandou que fossem tomar banho. Enquanto elas tomavam banho, Telma foi até o quarto do pai, que estava deitado na cama, ouvindo rádio. Aproximou-se, dizendo:

— Pai, a comida já está pronta.

— Onde estão as crianças?

— Estão tomando banho.

— Assim que elas terminarem, me chame. Quero comer junto com vocês.

— Está bem, mas antes preciso conversar com o senhor.

Ele sentou-se na cama, olhou sério para ela e perguntou:

— O que quer falar?

Ela respondeu de uma vez:

— O senhor sabe como gosto de trabalhar e estudar...

— Sei, sim, mas infelizmente isso agora não vai ser possível, ao menos por enquanto. Sem sua mãe, você precisa cuidar da casa e das crianças.

— Sei disso, mas estive conversando com dona Laurinha e ela me deu uma idéia...

— Que idéia?

Telma contou o que Laurinha havia proposto. Assim que ela terminou de explicar, o pai pensou por algum tempo e, para surpresa dela, disse:

— Acho uma boa idéia, pode falar com seu patrão e, se conseguir que ele deixe você trabalhar só na parte da tarde, pode voltar ao trabalho. Quanto às crianças, não se preocupe, chego cedo em casa para ficar com elas enquanto você vai para a escola.

Telma ouvia o pai falar aquilo e não conseguia acreditar. Desde a morte da mãe, ela havia notado que ele estava diferente, mas pensou que logo voltaria a ser o mesmo monstro de sempre. Mas não, ele havia mudado mesmo. Feliz com a resposta, e sem perceber, jogou-se em sua direção, abraçou-o e beijou seu rosto, dos dois lados.

O pai, também tomado pela surpresa, ficou sem saber o que fazer e a afastou carinhosamente. Ela foi até o banheiro, tirou as crianças do banho, vestiu-as e deu o jantar. Depois foi para o quarto e ficou pensando: *Ele mudou mesmo, nunca mais brigou e está sempre agradando as crianças. Por que será que antes brigava tanto? Mesmo assim, não consigo acreditar que isso seja verdade. Sei que dentro de alguns dias ele voltará a ser como era antes. O importante é que aceitou, e eu vou poder voltar ao trabalho. E se trabalho, posso continuar a freqüentar a escola. Se conseguir terminar meus estudos, nunca mais vou ter que sentir medo... só me falta resolver o problema dessa criança, se é que estou realmente grávida. Amanhã, pela manhã, vou fazer os exames e, se estiver mesmo grávida, encontro uma maneira de me livrar dessa criança. De qualquer maneira, à tarde, vou conversar com o doutor e ver se ele aceita que eu trabalhe só meio período. Agora preciso dormir, estou com muito sono...*

Ajeitou o travesseiro, cobriu-se e adormeceu. A entidade, que esteve o tempo todo ao seu lado, deu um beijo em sua testa e também na das crianças.

A acusação

No dia seguinte acordou bem cedo e foi para o pronto-socorro. Precisava ser naquele horário e ela tinha de voltar antes que o pai saísse para o trabalho. Fez os exames e teria de aguardar ainda três dias para obter o resultado. Voltou para casa e encontrou o pai coando o café. Assim que a viu entrando, perguntou curioso:

— Onde foi tão cedo, Telma?

Pensou um pouco antes de responder. Sabia que não poderia mentir, pois em seu braço, havia um pequeno esparadrapo e o pai saberia que alguma coisa tinha acontecido. Um pouco desconcertada pensou rápido e respondeu:

— Fui até o pronto-socorro fazer exame de sangue...

— Exame de sangue? Por quê? Está doente?

— Não, todos no escritório precisam fazer exame de saúde e o primeiro é o de sangue. É norma do escritório. Uma vez por ano, todos precisam fazer esse exame.

— Nunca vi isso...

— Não sei como é em outros lugares, mas o doutor quer ter certeza que todos funcionários estão bem de saúde...

— Está bem, agora vou tomar meu café e vou trabalhar.

— Hoje à tarde vou lá no escritório para conversar com o doutor e, se ele aceitar, amanhã volto ao escritório.

— Precisa me avisar qual foi a resposta dele para eu poder chegar cedo em casa e cuidar das crianças.

Ela não conseguia acreditar que aquele homem era o mesmo que ela sempre tinha tido como pai. Ele estava totalmente diferente. Ficou com vontade de perguntar por que ele havia mudado tanto, por que não tinha sido sempre assim, mas ficou calada.

À tarde, depois de levar as crianças até a escola, foi para o escritório. Quando chegou, foi recebida com muito carinho por seus colegas. O doutor não havia chegado, ela foi até sua sala para esperá-lo. Ficou olhando alguns papéis. Ele chegou meia hora depois e, assim que a viu, sorriu, dizendo:

— Que bom que você está aqui, Telma. Como está se sentindo?

— Na medida do possível, estou bem, doutor, mas preciso conversar com o senhor.

— Está bem, venha até minha sala.

Telma o acompanhou e sentou-se na cadeira que ele lhe apontou. Assim que sentou, disse:

— Doutor, desculpe por não ter vindo trabalhar todos esses dias, mas eu não estava bem. Estou aqui para conversar com o senhor.

— Entendo, sei que foi muito difícil o que você passou. Se sua mãe estivesse doente, você estaria esperando, mas, da maneira como aconteceu, é compreensível que você tenha ficado muito mal. Ainda bem que você melhorou, estou contente em vê-la aqui. Sobre o que quer conversar? Se for sobre o seu trabalho, pode voltar agora mesmo, não imagina o quanto tenho sentido sua falta. O trabalho está todo atrasado.

— É sobre isso mesmo que quero falar com o senhor. Como sabe, tenho dois irmãos ainda pequenos e, sem minha mãe, eles precisam de alguém que cuide deles. Meu pai trabalha o dia inteiro e eles precisam ir para a escola. O senhor sabe o quanto gosto de trabalhar aqui e não gostaria de ter que sair. Mas não sei o que vou fazer para dar conta de tudo. Tenho uma vizinha que se comprometeu em levá-los para a escola. Por isso, se o senhor concordar, posso continuar trabalhando, mas só à tarde.

Roberto ficou pensando por alguns segundos e, depois, disse:

— Sei que aqui tem muito trabalho, mas sei também que você conseguirá dar conta e por isso acredito que não haverá problema algum. Sabe que investi em você e, até agora, não me arrependi. Está tudo bem, mas vai continuar freqüentando a escola?

— Vou, sim. Meu pai disse que vai chegar cedo para ficar com as crianças.

— Então, está tudo bem. Você já quer voltar a trabalhar agora?

— Se o senhor deixar, gostaria muito.

— Então, vá!

Telma, sorrindo, saiu da sala de Roberto e foi para a sua. Realmente o trabalho estava todo atrasado e ela começou a colocar as coisas em ordem.

Nos dias que se seguiram, tudo correu bem, ela trabalhou e foi à escola. Laurinha cumpriu o que prometeu e cuidou das crianças na sua ausência. Seu pai também chegou cedo e ficou com elas. Ela ainda tinha de ir buscar o resultado do exame, já estava pronto, não podia passar daquele dia. Acordou cedo, conversou com Laurinha e pediu que ela ficasse com as crianças por algumas horas, dizendo que precisava ir ao pronto-socorro, contando a mesma história que havia contado para o pai, sobre a necessidade dos exames para o escritório. Laurinha concordou dizendo que era bom ela cuidar da saúde. Ela foi até lá e pegou o resultado do exame. Agora estava com o envelope na mão, mas sentia um medo imenso de abri-lo.

Saiu de lá e foi tomar o ônibus que a levaria até perto de sua casa. No trajeto, olhou para o envelope e por várias vezes voltou a guardá-lo na bolsa, não conseguia achar coragem para saber o que ele lhe reservava. Até que, finalmente, abriu-o e leu: *Positivo*. Sentiu que seu coração quase parou. *É verdade, estou mesmo grávida... e agora, o que vou fazer? Se meu pai descobrir, não vai aceitar e, provavelmente, vai me dar uma surra e até me expulsar de casa. Logo agora que ele está tão bom, que nunca mais brigou e nunca mais me maltratou nem às crianças. Preciso descobrir uma maneira de encontrar Plínio. Ele vai saber o que fazer. Quem sabe, fique até feliz em saber que vai ser pai. Ele sempre foi tão carinhoso, sei que da outra vez ele desapareceu... e agora também... mas será que não foi o tio que novamente o obrigou? Ele me ama, sei disso. Só foi obrigado a se casar. Hoje à tarde vou telefonar para ele, até lá não contarei a ninguém.*

Chegou em casa, cuidou dela e fez o almoço. Colocou o uniforme nas crianças e levou-as até a casa de Laurinha, que as recebeu com um sorriso.

— Pegou o resultado do exame, Telma?

— Peguei sim, mas não o abri. Preciso levar para o médico que o doutor indicou. Mas sei que está tudo bem. Agora preciso ir, dona Laurinha.

— Vá com Deus, minha filha e não se esqueça que Ele está sempre ao seu lado.

— Obrigada, dona Laurinha, mas ele pode se preocupar com todo mundo, menos comigo — disse, lembrando-se do resultado do exame.

Dona Laurinha ficou calada e acenou com a mão. Telma foi para o escritório. Estava nervosa e no caminho foi pensando: *Mamãe, como eu preciso da senhora agora. Por que me abandonou? Estou perdida, sem saber o que fazer. Dizem que, quando a gente morre, pode ajudar aqueles que estão aqui. Mamãe, me ajude...*

Chegou ao escritório e viu que Roberto não havia chegado. Entrou depressa em sua sala, abriu a agenda, anotou o número do telefone do escritório onde Plínio estava trabalhando e discou o número. Do outro lado da linha ele atendeu:

— Alô...

— Plínio, sou eu, Telma.

— Telma? Como você está? Soube sobre a sua mãe e sinto muito...

— Estou bem, mas preciso conversar com você.

— Meu tio está aí, na sala dele?

— Não, ele ainda não chegou.

— Então podemos conversar. Sabe que ele não pode saber do grande amor que sinto por você.

— Não sei se você me ama realmente, mas eu te amo muito.

— Como pode duvidar isso? Claro que te amo, estou morrendo de saudade. Só não fui te ver porque voltei a trabalhar aqui e encontrei muitos problemas. Mas, hoje mesmo, estava pensando em ir à noite te encontrar no lugar de sempre.

— Você vem mesmo?

— Não penso em outra coisa. Sabe que te amo, menina...

— Também te amo e vou ficar te esperando.

Desligaram o telefone. Telma quase não conseguia disfarçar a enorme felicidade que estava sentindo... *eu sabia que ele me amava! Tinha certeza disso! Sei que vai ficar feliz quando souber que estou esperando um filho! Não sei como vai fazer, mas sei que não vai me abandonar... obrigada, mamãe por ter me ajudado... eu sabia que podia contar com a senhora...*

Esperou ansiosa que o expediente terminasse. Assim que deu

a hora, saiu correndo. Precisava chegar logo no ponto do ônibus, sabia que Plínio chegaria logo.

Estava lá fazia mais ou menos uns quinze minutos quando o carro dele parou junto a calçada. Sorrindo, ele abriu a porta e disse:

— Entre meu amor.

Telma, mais do que depressa, entrou no carro. Ele a abraçou e beijou-a com paixão, no que foi correspondido. Foram direto para o hotel.

Enquanto dirigia, Plínio fazia carinho em seu rosto e cabelos. Ela ia ficando cada vez mais tranqüila e com a certeza de que ele ficaria feliz com a notícia. Chegaram ao apartamento e, assim que entraram, ele a abraçou com muita força, demonstrando a imensa saudade que sentia dela. Beijaram-se com paixão. Ele a encaminhava para a cama, quando ela se afastou, dizendo:

— Antes, precisamos conversar, Plínio.

— Não pode deixar para depois? Sabe que não temos muito tempo!

— Não, tem que ser agora. É muito importante...

Ele, nervoso e ansioso, disse:

— O que pode ser tão importante que faz com que você adie este encontro que espero há tanto tempo?

Ela abriu a bolsa e, de dentro dela, tirou o envelope e entregou para ele que, surpreso, abriu e leu. Ao terminar de ler, Plínio olhou para ela e perguntou muito nervoso:

— Que significa isto, Telma?

— Que estou grávida... — ela respondeu, com o olhar brilhante de felicidade.

— Grávida?! Grávida? E o que eu tenho a ver com isso?

— Como, o que tem a ver com isso? Estou grávida e não sei o que fazer...

— Se você não sabe, como eu vou saber?

— Essa criança é minha e sua também... precisa me dizer o que devo fazer...

— Como posso saber se essa criança é minha mesmo?

— Claro que sabe... sabe muito bem que foi o primeiro homem da minha vida, que nunca tive outro... — ela disse, já quase chorando.

— Não tenho nada a ver com isso! Está querendo me envolver em algo que eu não tenho nada a ver, mas isso não vai acontecer!

— Como pode dizer isso, Plínio? Sempre disse que me amava e eu acreditei...

— Te amo! Claro que te amo! Mas você sempre soube que eu era casado e se entregou a mim porque quis, nunca te obriguei! Hoje mesmo está aqui por que quer. Pensando bem, está na hora de irmos embora!

— Você não pode fazer isso comigo, Plínio! Meu pai é violento, vai me matar quando souber! Além do mais, não tenho mais minha mãe para me ajudar... não sei o que fazer... — agora ela chorava copiosamente.

— Não tenho nada a ver com isso! Vá falar com o pai da criança!

— Que pai?! Como pode duvidar de mim? Você é o pai, por isso estou falando com você, precisa me ajudar, Plínio...

— Eu sou o pai?! Está louca! Completamente louca!! Sabe muito bem que o pai da criança é o meu tio!

— O que está dizendo?! Seu tio?! De onde tirou essa idéia?

— Você acha que eu nunca soube que você saía com meu tio?

— Não pode estar dizendo isso, Plínio! Sabe que seu tio nunca se envolveria com uma funcionária, muito menos comigo! Ele sempre me ajudou... ele é um homem muito bom...

— Ora, Telma... não se faça de ingênua... nem precisa mais continuar fingindo. Você acha que eu acredito que, se não tivesse algo com você, meu tio teria te ajudado tanto? Além de te dar um emprego... onde, por sinal, você não faz nada e não precisaria estar lá... e ajudar você a se preparar para continuar seus estudos? Claro que não! Ele só faz isso porque você é sua amante! Portanto essa criança é dele! Vá falar com ele e me esqueça!

— Não pode fazer isso! Também não quero essa criança! Acha que estou feliz por isso ter acontecido? Não estou! Logo agora que minha vida estava toda ajeitada, que ia poder continuar meus estudos e ser alguém! Não estou, não! Preciso me livrar dessa criança, só não sei como e não tenho dinheiro! Precisa me ajudar, Plínio!

Ele pensou um pouco, e disse:

— Está bem, a única coisa que posso fazer é te dar dinheiro para que se livre dela, mas, depois disso... quero que me ouça muito bem! ...nunca mais quero te ver na minha frente e, por favor, me esqueça! Tenho mulher e um filho, não posso estragar a minha vida por alguém como você! De quanto acha que precisa?

Telma chorava muito, não tanto por causa da criança, mas pela atitude dele. Não acreditava que aquele homem que estava à sua frente, dizendo aquelas coisas horrorosas, era o mesmo que prometia amá-la tanto. Enxugando as lágrimas com as mãos, respondeu:

— Não sei aonde ir, muito menos quanto custa...

— Descubra um lugar e, depois, me avise quanto custa e te dou o dinheiro! Pensando bem, vou te dar uma quantia que acho ser suficiente. Se precisar de mais, me avise, mas, por favor, me esqueça... e não se atreva a espalhar por aí que sou o pai desse filho... Se você não contou para o meu tio, pode até ser que não seja dele... E, se ainda não contou, não conte, sua mentirosa... Se ele tomar conhecimento do que está acontecendo, eu dou um jeito em você! Sabe que tenho dinheiro para contratar alguém para te matar! Se estragar a minha vida, eu te mato, Telma! Ouviu bem?

Ela, tremendo de medo e ódio, respondeu:

— Está bem, vou me livrar desta criança e nunca mais quero ouvir falar de você, Plínio! Eu te amava muito, mas neste momento estou te odiando, você é odioso... — e ela o odiava com toda a força que achou em seu coração.

Ele tirou da carteira algumas notas e entregou a ela, dizendo:

— Essa quantia deve ser mais que suficiente. Use... e o que sobrar pode ficar com você. Agora vou embora.

Ele estava se dirigindo à porta, quando ela perguntou:

— Vai me deixar aqui? Sabe que é muito longe, como vou voltar para casa?

— Não sei, o problema é seu! Preciso ir embora agora! Porque, se ficar mais um minuto aqui ao seu lado, não sei o que serei capaz de fazer! Estou com muito ódio de você por ter tentado me usar para se dar bem na vida! Logo você, com essa cara de santa! Até nunca mais!

Ele saiu batendo a porta. Ela o seguiu, mas ele andou muito depressa, passou pela recepção do hotel, pagou e, sem olhar para trás, foi embora.

Telma, que corria logo atrás dele, tentou entrar no carro, mas ele não permitiu. Ela ficou ali, pensando e chorando: *Não estou acreditando nisso que está acontecendo, como ele pôde agir dessa maneira? Como ousou dizer aquelas coisas do doutor e de mim? Ele sabe que foi o primeiro na minha vida, que foi o único, que eu nunca tive ninguém, mas o que vou fazer agora? Não sei com quem conversar para me ajudar... mamãe, por que a senhora me abandonou logo agora? Dona Laurinha disse que foi vontade de Deus, mas que Deus é esse? Agora preciso ir embora. Meu ônibus está vindo. Vou para casa. Hoje não vou para a aula. Não tenho condições...*

Deu sinal para o ônibus. Assim que ele parou, ela entrou e sentou-se em um dos bancos. Estava chorando e, por mais que tentasse, não conseguia conter as lágrimas e os soluços.

— Que está acontecendo com você, Telma? Por que está chorando dessa maneira?

Ela levantou a cabeça e se voltou para o lado de onde vinha a voz e viu Rafael, seu vizinho de muitos anos. Um pouco desconsertada, disse:

— Oi, Rafael, não vi que você estava sentado aí.

— Percebi que não viu, mas não respondeu a minha pergunta, por que está chorando dessa maneira?

— Não sei. Comecei a chorar e não consigo parar — mentiu.

— Entendo, você ainda deve estar abalada com o que aconteceu com sua mãe. Foi muito triste, Telma. Desculpe por não ter ido à sua casa. Tive vontade, mas não tive coragem. Fiquei me lembrando da nossa infância e de como ela gostava de fazer bolo pra gente comer. Ela era muito legal...

— Era sim, a melhor mãe do mundo. Não consigo me conformar...

— Sei que é difícil, mas Deus sabe o que faz. Você, como ninguém, sabe o quanto ela sofreu nas mãos do seu pai. Embora ela tenha sempre tentado esconder, todos os vizinhos sabiam o que acontecia em sua casa e como seu pai é violento. Agora, com isso que houve, ao menos ela vai se livrar de todo sofrimento e vai ficar melhor e feliz ao lado de Deus.

— Que conversa é essa? Como ela pode estar melhor ao lado de Deus? Não sei se existe, mesmo, uma alma e nem sei se, realmente, existe Deus. Mas, se for verdade que existe uma alma e minha mãe estiver no céu, com certeza não estará bem nem feliz! Como ela pode estar bem e feliz, sabendo que eu e meus irmãos continuamos nas mãos dele? Não consigo aceitar isso! Ele agora não está espancando ninguém, mas sei que logo vai recomeçar. E as vítimas agora vão ser as crianças e eu!

— Tem razão em ficar tão desesperada, mas o melhor que pode fazer é pensar nela com saudade, sim, mas não com revolta. Estou seguindo uma doutrina que ensina isso. Diz que quando a gente morre não é o fim, porque o espírito não morre nunca e a gente recomeça a vida em outro lugar que, muitas vezes, é muito melhor que aqui.

— Isso tudo é conversa. Ninguém voltou para dizer se é verdade mesmo! A única coisa que sei é que minha mãe foi embora, que estou sozinha e nunca precisei tanto dela como agora! Não é justo nem certo!

— Quem somos nós para julgarmos o que é justo e certo, Telma? Muitas vezes não entendemos o que acontece na vida. Olhe, o nosso ponto está chegando.

Telma olhou pela janela do ônibus e viu que realmente o ponto do ônibus onde deveria descer estava chegando. Levantou-se e, acompanhada por Rafael, desceu; e caminharam juntos.

Rafael morava na casa que ficava do lado esquerdo da casa de Telma, e Laurinha morava na do lado direito. Chegaram em seus portões e Rafael disse:

— Boa-noite, Telma. Espero que reflita sobre o que te falei e fique bem. Nunca se esqueça que Deus é nosso Pai e nos ama muito, por isso nunca nos deixa abandonados e sempre nos envia uma ajuda, venha ela de onde vier.

— Boa-noite, Rafael, e, apesar de eu não conseguir acreditar em tudo que me disse, agradeço por sua atenção.

Cada um abriu seu portão e entraram.

Enquanto andava em direção à porta da casa, percebeu que tudo parecia estar bem, aliviada, pensou: *Ainda bem que meu pai não está mais violento... parece um outro homem. Por que será que ele agia daquela forma quando minha mãe estava viva?*

Entrou em casa e viu que realmente tudo estava bem. As crianças brincavam no chão da sala, tentando montar um quebra-cabeça, e o pai, sentado em uma das cadeira na mesa da sala, lia o jornal. Assim que as crianças a viram, correram para ela, e Marquinhos disse:

— Olha, Telma! O papai trouxe este quebra-cabeça! É muito difícil, mas eu e a Sueli, vamos conseguir montar, você vai ver!

— Sei que vão conseguir — disse, abraçando os dois. Em seguida olhou para o pai, que falou:

— Chegou cedo, Telma. Hoje não teve aula?

— Teve, sim, papai, mas eu não estava me sentindo bem e resolvi vir para casa.

— O que está sentindo?

— Só um pouco de dor de cabeça, mas vou tomar um comprimido e logo vai passar.

— Acho melhor você ir ao médico, não quero que aconteça com você o mesmo que aconteceu com sua mãe. Sabe que ela morreu porque não se cuidou.

— Não preciso ir ao médico, logo vai passar e amanhã vou estar bem.

— Está bem, mas não se descuide. Se quiser, pode comer, terminei de fazer a comida agora a pouco. As crianças já comeram.

— Vou comer mais tarde, agora não estou com fome.

— Dizendo isso, afastou-se e entrou em seu quarto. Realmente não conseguia entender e muito menos acreditar na mudança do pai. Deitou-se pensando: *Gostaria muito de acreditar que ele mudou mesmo, mas sei que, a qualquer momento, ele vai se irritar por qualquer coisa e vai bater em mim e nas crianças. Se eu tivesse certeza que ele mudou realmente, poderia contar sobre a criança que estou esperando, mas não posso... sei que seria um motivo para que ele se irritasse, me batesse e até me colocar para fora de casa. Talvez eu até encontrasse um lugar para ficar, mas teria de abandonar as crianças e isso não posso fazer. Sei que, se ele se descobrir e me expulsar de casa, não vou poder fazer muito, mas sei que preciso estar aqui ao lado das crianças... que vou fazer? Como Plínio pôde agir daquela maneira, inventar aquela coisas horríveis sobre mim e o doutor? Ele não vale nada, mesmo! Bem feito pra mim, eu sabia que ele não prestava e me deixei iludir outra vez! Antes foi ruim, mas não teve maiores conseqüências, diferente de agora, que estou com essa criança dentro de mim e não vou poder deixar ela nascer. Não tenho com quem conversar, se minha mãe estivesse aqui, ela encontraria uma maneira de me ajudar, mas não está. Acho que vou conversar com a Marieta. Ela é mais velha, sabe o que está acontecendo e vai poder me ajudar. É a única que pode fazer isso. Mamãe, como gostaria de falar com a senhora, nem que fosse para lhe pedir perdão por todas as palavras ruins que lhe disse... mas agora é tarde, nunca mais vou poder fazer isso e estou sofrendo muito de remorso. Perdão, mamãe, perdão...*

Chorou baixinho por muito tempo. Telma ouviu quando seu pai entrou no quarto e fechou a porta. Chorou por mais algum tempo, depois adormeceu.

Encontrando um caminho

No dia seguinte, quando levantou, encontrou a mesa do café colocada. Seu pai, antes de sair para o trabalho, comprou pão, ferveu o leite e coou o café. Ele fazia isso desde a morte de Sara. Mas, mesmo assim, Telma ainda não conseguia acreditar... *será que ele mudou mesmo? Tomara!*

Começou a arrumar a casa. Precisava lavar as roupas e preparar o almoço. As crianças acordaram logo depois. Telma lhes serviu o café e continuou com seu trabalho. Depois de tudo arrumado, saiu e foi até a casa de Laurinha. Bateu e entrou. Laurinha estava terminando de arrumar a casa.

— Bom-dia, dona Laurinha.

— Bom-dia, Telma, aconteceu alguma coisa com as crianças?

— Não, elas estão bem, só que hoje preciso pedir um outro favor para a senhora. Sei que já faz muito, mas preciso ir para o escritório. É só hoje, prometo. Tenho que estar lá na hora do almoço. Preciso muito conversar com uma colega e isso só pode ser feito enquanto ela estiver almoçando. Será que a senhora poderia dar a comida para as crianças, fazer elas tomarem banho e vestirem o uniforme? A comida está pronta, em cima do fogão.

— Não se preocupe, farei isso. Sabe o quanto gosto das crianças.

— Obrigada, dona Laurinha, a senhora não sabe como está ajudando a gente. Nem sei como agradecer. A Sueli já está com onze anos, me ajuda muito, mas tenho medo que ela mexa no fogão e se queime, é perigoso.

— Não precisa agradecer, faço porque quero e porque gosto muito de vocês. Pode ir tranqüila. Cuidarei para que estejam prontos na hora de irem para a escola.

Telma sorriu e foi para o escritório. Tinha pressa em chegar, pois precisava conversar com Marieta e ver se ela a ajudava a se livrar daquele problema.

Assim que chegou, foi até o refeitório, onde sabia que Marieta estava almoçando, e se aproximou. Marieta, assim que a viu, se espantou:

— Que aconteceu, Telma?

— Por que está tão espantada?

— Você só chega depois do almoço. Que está fazendo aqui a esta hora?

— Sei disso, mas estou desesperada e acho que você é a única pessoa que pode me ajudar.

— Que aconteceu? Está muito agitada! Fale devagar, não estou entendendo!

— Precisamos conversar, só que não pode ser aqui, nem agora. Será que podemos conversar assim que você terminar de almoçar?

— Claro que sim, mas você não tem que dar almoço para as crianças?

— Hoje, não. Conversei com minha vizinha e ela vai dar o almoço e preparar as crianças para irem à escola. Estou apavorada e precisando muito da sua ajuda, Marieta.

— Está bem, estou terminando de almoçar e depois vamos sair para conversar.

— Enquanto isso vou para minha sala, não quero te apressar. Coma devagar.

Telma foi para sua sala, mas não conseguia esquecer do rosto de Plínio quando lhe contou que estava grávida. Nunca imaginou que a reação dele seria aquela. Fazendo força para não chorar, pensava: *Ele dizia que me amava... como pude ser tão burra?*

Assim que Marieta terminou de almoçar, foi até a sala de Telma e saíram rapidamente. Já na rua, Marieta perguntou, aflita:

— Que aconteceu, Telma? Por que todo esse mistério?

Telma tirou da bolsa o papel que continha o resultado do exame e deu para ela, que leu e perguntou:

— Você está grávida mesmo, Telma?

— Estou sim e isso é um horror. Não sei o que fazer. Preciso me livrar dessa criança e não tenho com quem conversar ou contar. Será que você pode me ajudar?

— Quero ajudar, mas não sei como.

— Você não conhece alguém ou algum lugar onde eu possa ir para tirar essa criança?

— Espere um pouco, Telma. As coisas não podem ser assim. Você está falando em tirar uma vida...

— Que vida, Marieta? Está bem no começo, ainda não está nem formado! Não posso ter essa criança!

— Está no começo, mas já é uma vida, Telma! Acho que deve pensar muito bem antes de tomar uma decisão como essa...

— Não tenho tempo para pensar. Não posso ter essa criança! Não agora!

— Por que não?

— Sabe que estou estudando e que meu sonho é me formar. Se essa criança nascer, não vou ter como continuar trabalhando e estudando. Minha mãe morreu, meu pai é violento e, se souber que estou grávida, além de me bater, vai me colocar para fora de casa e eu não tenho para onde ir. Além do mais, mesmo que tivesse, não posso abandonar meus irmãos que ainda são pequenos.

— Sei que tem muitos motivos, mas, por experiência própria, acho que deve pensar muito bem.

— Como... experiência própria... você já fez isso?

— Sim, e nunca contei isso a ninguém, mas acho que devo contar a você. Tirei uma criança e me arrependo muito. Se minha criança tivesse nascido, hoje estaria com seis anos. O que mais me dói é não saber se seria menina ou menino. Não consigo esquecer. Agora que estou namorando e vou me casar, tenho muito medo de não poder ter filhos.

— Onde está o pai da criança?

— Quando soube que eu estava grávida, me abandonou e, assim como você, não tive coragem de contar para meus pais. Mas, Telma, não faça isso! Se Deus te mandou essa criança, agora, é porque sabe que você vai ter condições de criar...

— Que Deus, Marieta? O mesmo Deus que me fez nascer pobre, com um pai violento e que sempre maltratou minha mãe e bateu nela? Não contente com isso, esse Deus a matou! Se ele não quisesse que eu tirasse essa criança, não teria me mandado essa gravidez agora, e esperaria eu me casar, para meu filho ter um pai! Não posso acreditar que realmente exista um Deus, Marieta! Também, mesmo que existir, não posso me preocupar com Ele! Já que você é contra, não quero te envolver mais do que o necessário. Poderia me dar o endereço de onde foi, para que eu possa ir também...

— Parece que está mesmo decidida. Sendo assim, vou te dar o endereço, pois sei que lá será bem atendida. Só que custa muito caro, você tem dinheiro?

— Tenho, aquele safado me deu dinheiro para eu me livrar da criança e ele ficar com a consciência tranqüila. Engraçado, eu, só eu, sou responsável por essa criança? E ele? Sei que talvez, como você disse, vá me arrepender e sofrer por essa atitude que estou tomando agora, mas e ele... não é responsável também?

— Perante os homens, infelizmente, ele não será responsabilizado, mas, perante Deus, acho que terá de responder. Você tem razão, mas a mulher é mais responsabilizada, porque costuma ser dela a decisão de deixar uma criança nascer ou não.

— Não posso ser responsabilizada! Se esta criança tivesse vindo quando eu tivesse um marido, vivesse uma vida normal como tantos casais que existem por aí, não teria problema algum, mas, da maneira como estou hoje, será impossível deixar que nasça. Não tenho opção, vou mesmo ter que tirar essa criança.

— Está bem, fiz o que foi possível para que desistisse. Como não consegui, vou escrever o endereço neste papel. Vá até lá e converse com a dona Maria das Dores.

Telma pegou o papel e entraram novamente no escritório. A hora do almoço estava terminando. Precisavam voltar ao trabalho.

Quando terminou o expediente, ela saiu rapidamente. Com o papel na mão foi até o ponto de ônibus. Esperou por algum tempo e viu chegando o ônibus que precisava tomar. Com o braço deu o sinal e, assim que ele parou, entrou. Perguntou ao motorista onde ficava a rua que estava procurando. Ele disse que avisaria. Ela se sentou perto dele e ficou aguardando. Mais ou menos meia hora depois, ele disse:

— Moça, a rua que está procurando fica perto do próximo ponto. Pode descer e perguntar, todo mundo conhece.

Ela sorriu e, assim que o ônibus parou, desceu. Perguntou em um bar onde ficava a rua. Um senhor lhe mostrou. Ela foi para lá e, olhando o número no papel, encontrou a casa. Parou em frente ao portão e ficou olhando. Sentiu uma enorme vontade de ir embora, mas resistiu e tocou a campainha. Uma senhora aparentando cinqüenta anos saiu de uma porta e, ao vê-la, perguntou:

— Pois não?

— Uma amiga me deu o seu endereço e disse que a senhora pode me ajudar.

— Qual é o nome da sua amiga?

— Marieta, ela esteve aqui há alguns anos e disse que a senhora a ajudou. Estou desesperada e preciso muito da sua ajuda.

— Está bem, pode entrar. O portão não está trancado.

Telma abriu o portão, entrou e caminhou até a porta da casa onde a senhora a esperava. Assim que chegou, entrou na sala e sentou-se em uma cadeira que a senhora lhe mostrou. Ela estava muito nervosa e sentia que não queria estar naquele lugar, que lhe pareceu assustador, mas ficou firme. A senhora, sorrindo, perguntou:

— Bem, já que está aqui é porque tomou uma decisão, mas preciso perguntar. Tem certeza que quer fazer isso, mesmo?

— Não queria, mas sou obrigada. Agora, não posso ter uma criança.

— Por que não?

— Minha vida está muito complicada. Estou estudando, trabalhando, minha mãe morreu e meu pai é muito violento. Tenho dois irmãos que dependem de mim para defendê-los das agressões do meu pai. Se meu pai souber que estou esperando uma criança, vai ficar furioso, me bater e me colocar para fora de casa. Não tenho para onde ir, e meus irmãos ficariam sozinhos com ele... e isso eu não quero... —Telma disse, chorando muito.

— Parece que está, mesmo, em uma situação complicada. Mas tem certeza que quer fazer isso? Preciso lhe dizer que é o meu trabalho. Muitas moças assim como você passaram por aqui. Algumas delas não sentiram nada e até voltaram outras vezes, mas outras não conseguiram esquecer e sofrem muito a cada ano que passa. Elas sentem remorso por ter tirado uma vida.

— Sei que não vou sentir remorso, porque não tenho outra coisa para fazer. A culpa não é minha, é do homem que me fez isso.

Ele se aproveitou e, na hora de assumir, me abandonou. Esse é o único caminho que tenho para seguir.

— Sendo assim, vou te ajudar, mas sabe que tem um preço.

— Sei, Marieta me avisou e eu trouxe o dinheiro. Pode ser agora?

— Não, disse que trabalha e estuda. Depois que eu te ajudar, vai sentir alguma dor e precisa de repouso ao menos por dois dias. Hoje é terça-feira. Se fizermos hoje, não poderá trabalhar nem ir à escola. Por isso acho melhor que venha na sexta-feira, nesta mesma hora. Assim terá o fim de semana para se recuperar. Está bem assim?

— Preferia que fosse agora, mas tem razão, não posso faltar ao trabalho nem à escola. Volto na sexta-feira, nesta mesma hora.

— Está marcado. Estarei te esperando, assim terá mais alguns dias para pensar.

— Eu não tenho opção, preciso fazer isso. Estarei aqui. Boa-noite.

Telma saiu dali, não sabia por que, mas sentia o coração apertado. Ao seu lado caminhava aquela entidade que esteve ao seu lado e dos irmãos durante o tempo todo. Foi para casa. Quando chegou, tudo parecia bem, seu pai já havia dado o jantar para as crianças. Elas continuavam sentadas no chão da sala, montando o quebra-cabeça, enquanto ele lia o jornal.

Decisão tomada

No dia seguinte preparou tudo como sempre fazia e foi para o escritório. Contou para Marieta como havia sido sua visita à dona Maria das Dores e terminou dizendo:

— Está tudo certo. Na sexta-feira, quando sair do escritório, vou para lá, e assim poderei ficar em casa todo o fim de semana me recuperando. Só estou com um problema, Marieta.

— Que problema, Telma?

— Estou com medo de ir sozinha. Sei que é pedir muito, mas não dá para você ir comigo?

— Está certa que é isso mesmo que quer fazer?

— Estou, sabe que não tem outra solução.

— Ela te disse dos riscos que está correndo, sabe que pode ser perigoso?

— Ela disse tudo, sei dos riscos, mas é a única coisa que posso fazer. Não posso ter essa criança, Marieta. Se pudesse, não estaria pensando nisso!

— Está bem, sendo assim, vou com você. Ainda faltam alguns dias, quem sabe aconteça alguma coisa que faça com que mude de idéia.

— Nada vai acontecer e muito obrigada por ir comigo.

Os dias passaram, Telma não sabia, mas não ficou sozinha nem por um minuto. A entidade, que se apresentava como uma senhora, ficou ao seu lado o tempo todo e lhe dizia baixinho no ouvido:

Não faça isso, minha filha. Você prometeu. Germano está tentando renascer, você sabe como ele precisa disso e, se não permitir, continuará levando com você, por mais uma encarnação, a culpa de só tê-lo prejudicado. Ele te ama, sempre te amou e precisa muito renascer. A vida dele está em suas mãos.

Nesses momentos, Telma sentia-se mal. Sabia que era muito cedo, que a criança estava ainda muito pequena, mas parecia sentir o movimento dela em sua barriga. Por várias vezes pensou em desistir, mas logo o pensamento de seu pai violento e da morte de sua mãe fazia com que voltasse a pensar firmemente. *Não posso mudar de idéia. Se fosse em outra situação, se tivesse um marido, sei que estaria muito feliz com a vinda dessa criança, mas, na situação em que estou, não tem como. Essa é a única solução.*

A sexta-feira chegou. Na noite anterior não conseguiu dormir. Estava ansiosa e muito nervosa. Acordou muitas vezes e pensou: *Tomara que chegue logo a hora. Preciso ficar livre para poder continuar a minha vida sem problemas. Não posso abandonar meus sonhos. Tenho que terminar meus estudos para poder ganhar mais e tirar meus irmãos desta casa. Meu pai está bem, nunca mais brigou ou ficou nervoso, mas sei que é por pouco tempo, que a qualquer momento voltará a brigar e baterá em todos nós.*

Foi para o escritório e, na medida do possível, conseguiu trabalhar, mas não esquecia do que ia fazer.

Quando faltavam dez minutos para o término do expediente, foi até a sala de Marieta que, assim como ela, estava muito nervosa. Assim que entrou, Telma perguntou:

— Você vai comigo, não vai, Marieta?

— Para ser sincera, não gostaria, mas, como te prometi, vou sim, embora saiba que você vai se arrepender dessa sua decisão, Telma.

— Obrigada por me acompanhar, Marieta. Não vou me arrepender, porque não existe outra opção.

— Está bem, assim que terminar o expediente nós vamos.

Assim foi feito. Foram para o ponto do ônibus. Quando chegaram, Maria das Dores já estava esperando por Telma. Ao ver Marieta, perguntou, sorrindo:

— Como vai, Marieta? Faz tempo que esteve aqui. Está tudo bem com você?

— Sim, embora eu não consiga me esquecer do dia em que estive aqui. Esse pensamento me acompanha em todos os momentos da minha vida.

— Sei que é assim com quase todas as mulheres que vêm aqui. Mas, se pensar bem e voltar no tempo, vai ver que, na época, não havia outra solução.

— Talvez a senhora tenha razão, mas, mesmo assim, não consigo esquecer. Minha criança teria, hoje, seis anos...

— Com o tempo vai esquecer. Assim que tiver outros filhos, não se lembrará desse que não nasceu. Agora você, moça, está mesmo disposta? Está vendo, pela Marieta, que poderá se arrepender. Por isso, pense bem, estou aqui para te ajudar, não para complicar sua vida — disse, voltando-se para Telma.

— Estou certa do que quero, dona Maria das Dores. Sei que não vou me arrepender, porque não tenho, mesmo, outra solução. Não posso ter essa criança, não agora.

— Sabe que essa é a minha profissão. Trouxe o dinheiro?

— Sim, está aqui — Telma tirou da bolsa um maço de notas e entregou para ela que, depois de contar, guardou no bolso do avental que estava usando e disse:

— Sendo assim, vamos lá para o meu consultório.

Caminhou na frente e foi acompanhada por elas. Entraram em um quarto que existia nos fundos do quintal. Telma olhou e percebeu que tudo parecia muito limpo. No centro do quarto, havia uma maca forrada com lençóis brancos e, ao seu lado, alguns instrumentos que Telma não tinha a mínima idéia para que serviam. Maria das Dores disse:

— Pode se deitar nesta maca... e fique calma, não vai sentir dor. Quando sair daqui, vai estar livre do seu problema.

Telma obedeceu. Em uma última tentativa, o vulto da senhora que a acompanhava falou: *Telma, ainda está em tempo. Essa sua atitude vai trazer muito sofrimento, não só para você, mas principalmente para Germano. Você prometeu...*

Telma, por um momento, sentiu que não podia fazer aquilo, mas a imagem do pai violento, e a de ter que abandonar seus sonhos, fez com que ficasse calada. Deitou-se, fechou os olhos e esperou.

A entidade, que agora estava acompanhada por outra mais jovem, percebendo que nada mais poderia ser feito para evitar que

Telma fosse até o fim, fez um sinal com a mão e as duas colocaram-se uma de cada lado de Telma e começaram a jogar muita luz branca sobre a criança, que se debatia, tentando evitar ser atingida por aquele aparelho que não sabia o que era. Com as luzes, aos poucos, ela foi se acalmando e adormeceu. Alguns minutos depois, a senhora, carinhosamente, recebeu seu espírito que se desprendeu do corpo de Telma. Com a criança nos braços, foram embora. Nada mais poderiam fazer. Telma havia tomado a decisão e sabiam que ela podia fazer isso, tinha seu livre-arbítrio.

Quando tudo estava terminado, Maria das Dores, disse:

— Está feito. Agora vá para casa, tome esse remédio e se deite. Procure não fazer esforço e, na segunda-feira, vai estar bem e poderá ir trabalhar. Procure esquecer o que aconteceu hoje. É muito jovem e tem a vida toda pela frente.

Sentindo um pouco de dor e com dificuldade, Telma desceu da maca. Acompanhada por Marieta, saiu dali. Estava triste, sentia um vazio muito grande. Marieta entendeu aquele momento da amiga e ficou calada.

Telma chegou em casa na hora de costume, por já ser tarde, as crianças e seu pai estavam dormindo. Foi para seu quarto, subiu com dificuldade no beliche, deitou-se e tentou dormir, mas não conseguiu. Sentia dor e um aperto no coração que não sabia explicar. Por várias vezes se virou na cama, até que, finalmente, adormeceu. Sonhou que estava em um lugar onde havia muitas crianças. Aproximou-se lentamente e viu que todas choravam muito. Tentou pegar uma em seu colo, mas a criança fugiu chorando. Acordou com o corpo todo molhado. Olhou para a janela e viu que já era dia. A casa estava em silêncio, as crianças ainda dormiam. Tentou se levantar, mas não conseguiu, sentiu uma dor muito forte. Levantou as cobertas e viu, apavorada, que a cama estava toda ensangüentada. Assustada, mais uma vez tentou se levantar para descer do beliche, mas sentiu tontura e foi obrigada a se deitar novamente. A dor era muito forte. Com dificuldade, chamou bem alto:

— Sueli, Sueli! Acorde!

A menina acordou assustada, esfregando as mãos nos olhos. Olhando para cima, pôs a cabeça para fora da cama e, não vendo o rosto da irmã, perguntou:

— Que foi, Telma?

— Vai chamar o papai... — Telma respondeu, quase sem forças para falar.

A menina, percebendo que alguma coisa ruim estava acontecendo, saiu correndo e, nervosa, voltou logo em seguida, dizendo:

— O papai não está em casa, Telma. Acho que ele já saiu para trabalhar.

Telma, sentindo muita dor e assustada, quase gritou:

— Vai chamar a dona Laurinha. Peça para ela vir depressa!

A menina, muito assustada, saiu correndo e voltou depois de alguns minutos acompanhada por Laurinha que, assim que entrou no quarto e viu Telma deitada e muito pálida, perguntou:

— Que aconteceu, Telma?

— Estou passando muito mal, dona Laurinha. Acho que preciso ir para o hospital... — Telma respondeu quase sem voz.

— Vou te ajudar a descer daí. Sueli, vai até a casa do Rui e vê se o táxi dele está lá. Se estiver, peça para ele esperar e vem me dizer.

A menina, tremendo muito, saiu correndo. Laurinha, adivinhando o que havia acontecido, perguntou:

— Quando fez isso, Telma?

— Ontem a noite, mas não pensei que seria assim. Estou com muita dor e perdendo muito sangue. Acho que vou morrer, dona Laurinha.

— Precisamos ir depressa para o hospital. Tomara que cheguemos a tempo.

— Por que fui fazer isso, dona Laurinha? Não pensei que fosse assim! Estou com muito medo! Não quero morrer!

— Agora não podemos conversar. Você precisa trocar de roupa. Ainda é muito cedo e o Rui não deve ter saído para trabalhar. Ainda bem que é nosso vizinho. Assim que ele chegar aqui, vamos para o hospital, e é bom rezar para chegarmos a tempo.

Telma estava quase desmaiando. Com muita dificuldade, Laurinha conseguiu tirar seu pijama e colocar um vestido que pegou no guarda-roupa. Sueli voltou, acompanhada por Rui, que, ao ver Telma naquele estado, também se assustou, mas ficou calado. Laurinha, disse:

— Rui me ajude, ela precisa ir para o hospital.

Ele, calado, vendo que Telma não conseguiria andar, pegou-a nos braços e a carregou até o carro. Depois de acomodá-la, saíram rapidamente. Antes de saírem, Laurinha olhou para Sueli, que chorava muito, e disse:

— Sueli, não precisa ficar nervosa. Ela vai ficar bem, cuide do seu irmão.

Sueli, ainda chorando assustada, respondeu:

— Está bem, mas eu queria ir também...

— Sabe que hospital não é lugar para criança, além do mais, seu pai não está em casa e você precisa cuidar do Marquinhos. Ainda bem que ele não acordou. Depois que formos embora, vá até a minha casa, acorde o João, diga para ele que Telma teve de ir com urgência para o hospital e peça que ele vá até a marcenaria para avisar seu pai.

— Está bem, dona Laurinha.

O carro saiu rapidamente. Assim que chegou na emergência do hospital, Telma foi levada em uma maca para dentro e logo foi atendida. Embora não quisesse e sentisse vergonha, não teve como esconder e teve que dizer a verdade. O médico e a enfermeira ficaram calados. Depois de examiná-la, ele disse:

— Entre hoje e amanhã, vamos tentar estancar a hemorragia com medicamentos e, depois, preciso fazer uma curetagem. Vou mandar aplicar uma injeção para acalmar a dor que está sentindo.

— O que é curetagem, doutor?

— É uma espécie de cirurgia. É preciso que seja feita uma limpeza e a isso se dá o nome de curetagem. Depois disso, será necessário ficar aqui por mais alguns dias.

— Não posso ficar internada, doutor. Preciso cuidar dos meus irmãos, tenho escola e trabalho.

— Sinto muito, mas devia ter pensado nisso antes de tomar uma decisão dessas. Não existe outra maneira, é preciso ficar internada. E tomara que consigamos estancar a hemorragia e que não tenha complicações — o médico disse com a voz firme e, parecendo nervoso, retirou-se.

Telma baixou os olhos. Sentia vergonha por estar ali e naquela situação. Seu ódio por Plínio aumentou e pensou: *Não é justo eu estar passando por tudo isso enquanto ele está tranqüilo, sem ser responsabilizado por nada! Tive culpa, sim, mas ele também teve!*

Laurinha, que esteve o tempo todo ao lado de Telma, assim que o médico saiu, disse:

— Bem, Telma, agora que está entregue nas mãos do médico e vai ser internada, não tenho mais nada para fazer aqui. Vou embora e, na hora da visita, volto para ver como você está.

— Obrigada, dona Laurinha, depois que a minha mãe morreu, a senhora tem me ajudado muito e sido uma ótima amiga. Só preciso pedir mais uma coisa. Por favor, aí na minha bolsa tem um cartão com o telefone do meu trabalho. Hoje é sábado, mas, pelo o que o doutor disse, vou ficar internada por alguns dias. Por favor, telefone para o escritório e avise que estou internada, mas não diga o motivo, não quero que meus colegas de trabalho saibam, muito menos o doutor, sei que ele ficaria decepcionado e isso eu não quero. Meu pai também não pode saber o que aconteceu. A senhora o conhece e sabe como é violento. Se ele souber, vai me matar, dona Laurinha...

— Não tem o que agradecer e, se estou tentando te ajudar, é porque gosto muito de você e de seus irmãos, pena que você não conversou comigo antes de fazer uma loucura como essa, mas agora está feito e não há como corrigir. Não se preocupe, na segunda-feira, vou telefonar para o escritório e não vou contar ao seu pai. Ele só ficará sabendo se o médico contar. Que Deus te abençoe. Agora preciso ir embora, até mais tarde.

— Até mais tarde, dona Laurinha, e obrigada mais uma vez.

Laurinha foi embora com o coração apertado. Já na rua e depois de entrar no táxi de Rui, pensou: *Não tenho o que fazer, a não ser enviar muita luz para essa criança que não conseguiu nascer e pedir, de coração, que ela perdoe a Telma, porque ela não tem noção do que acabou de fazer.*

Laurinha chegou em casa. Estava descendo do táxi quando viu o pai de Telma chegando. Ele parecia tranqüilo e, assim que a viu, disse:

— Bom-dia, dona Laurinha, saindo logo cedo?

— Bom-dia, seu Sílvio, o senhor não foi para a mercearia?

— Não, mas por que está perguntando isso?

— A Telma passou mal e fui levá-la ao hospital. Ela ficou internada.

— Internada?! Que aconteceu?

— Não sei, ela precisou ser internada, a hora da visita vai ser às três horas da tarde.

— Não posso esperar até a hora da visita, vou para lá agora mesmo! — ele disse desesperado.

— Não adianta o senhor ir lá, eles não deixarão vê-la.

— Como ela está?

— Agora está bem, mas parece que vai ter que ser operada.

— Operada? Que aconteceu com aquela menina? Será que é apendicite? Só pode ser, só apendicite surge de repente, do nada...

— Pode ser, não sei. Suas crianças devem estar lá em casa. Vou entrar e avisar que o senhor chegou.

Laurinha entrou em casa, Sílvio ficou esperando pelos filhos. Logo depois, Sueli e Marquinhos chegaram. Sílvio percebeu que eles estavam assustados e tentavam disfarçar o nervosismo, perguntou:

— Vocês estão bem?

— Estamos, papai, mas o senhor não foi trabalhar? O seu João foi até a marcenaria para avisar o que tinha acontecido com a Telma, mas o senhor não estava lá.

— Tive que ver um outro negócio, mas o que aconteceu com a Telma?

Sueli contou tudo que havia acontecido. Sílvio ficou intrigado quando ela lhe disse que a cama estava suja com muito sangue, mas pegou as crianças pela mão e entrou em casa. Precisava preparar o almoço e, depois, ir para o hospital. Só mesmo quando encontrasse com Telma poderia saber o que realmente havia acontecido.

Na hora da visita e antes de entrar no quarto em que Telma estava, Sílvio foi informado que o médico queria falar com ele. Entrou no consultório e o médico lhe contou o que Telma havia feito e a gravidade de sua situação. Sílvio ficou desesperado e, chorando, disse:

— Não poder ser, doutor. Ela é ainda uma menina, como pôde fazer isso? Por que ela não me contou antes de fazer uma coisa como essa?

— Não sei, quem pode responder é o senhor. Mas ela fez e, agora, precisamos tentar fazer todo o possível para conseguirmos estancar a hemorragia. Desde a hora em que chegou está sendo medicada, mas a hemorragia, embora tenha diminuído, não estancou. Vou mandar prepará-la para poder ser operada amanhã pela manhã.

— Vai ser mesmo preciso?

— Sim, e preciso que o senhor assine um documento autorizando a cirurgia. Por isso mandei chamá-lo.

— Está bem, doutor. Vou assinar. Agora posso ver minha filha?

— Pode, sim, mas, por favor, não a deixe nervosa. Ela perdeu e ainda está perdendo muito sangue, está muito fraca, por isso precisa ficar em paz para a cirurgia. Se tiver que falar com ela, deixe para quando voltar para casa e estiver fora de perigo.

— Está bem, doutor, e obrigado.

Sílvio saiu do consultório e foi para o quarto onde Telma estava. No quarto havia mais quatro senhoras. Ele, impressionado com a palidez do rosto de Telma, se aproximou, perguntando:

— Como você está, Telma?

— Estou muito fraca, papai, e com muito medo. O médico disse que vai me operar.

— Não precisa ficar com medo, ele me garantiu que você vai ficar boa e que logo vai voltar para casa.

— A Sueli ficou muito assustada. Ela está bem?

— Está sim, a dona Laurinha conversou com ela. Só ficou triste porque não pôde vir comigo. Foi um custo convencer que ela não podia entrar.

— Obrigada por vir, papai. Pensei que o senhor não ia vir.

— Como pôde pensar isso? Sou seu pai e gosto muito de você. Talvez eu não saiba demonstrar, mas você é minha filha...

Telma começou a chorar. Aquele homem que estava ali não lembrava nem de longe o homem que ela havia conhecido desde criança, mas ficou calada e somente sorriu.

Sílvio ficou ali por meia hora, depois beijou Telma na testa e foi embora. Assim que ele saiu, Telma pensou: *Esse não é o homem que conheci como meu pai. Ele está mudado, mesmo! Que bom que é para melhor. Esse, sim, foi sempre o pai que sonhei em ter. Por que só depois que mamãe morreu ele mudou assim? Será que ele está com remorso por ter tratado ela tão mal? Parece que ele não sabe por que estou aqui. Dona Laurinha cumpriu a promessa e não contou...*

Estava pensando e nem percebeu que uma enfermeira entrou no quarto, aplicou-lhe uma injeção e saiu.

Em poucos minutos, ela estava dormindo.

Telma ficou internada por três dias. No dia em que o médico lhe deu alta, disse:

— Estou te dando alta, você está bem e poderá voltar às suas atividades normais. Antes de ir embora, por favor, passe no meu consultório, precisamos conversar.

Telma, embora estivesse se sentindo bem, sentia um pouco de fraqueza, mas estava feliz por poder voltar para casa e para sua vida. Pegou tudo que era seu, sabia que, na hora da visita, seu pai ou Laurinha viriam e a levariam para casa. Meia hora antes, foi até o consultório do médico. Ele era um senhor com mais ou menos cinqüenta anos que, ao vê-la parada na porta, pediu que entrasse e sentasse. Ela entrou e sentou-se. Ele, com o semblante grave, disse:

— Pedi que viesse até aqui porque precisamos conversar. Não sei qual foi o motivo que te levou a tomar uma atitude como essa. Só quero te dizer que é muito jovem e que, graças a Deus, conseguiu ser salva, mas poderia ter morrido ou ter seus órgãos de reprodução comprometidos e talvez nunca mais pudesse ter um filho.

Telma arregalou os olhos, não estava entendendo muito bem o que ele dizia. Ele percebeu e continuou:

— Quem te atendeu cometeu uma agressão que, se não tivesse sido atendida a tempo, poderia ter te levado à morte... e quase inutilizou teu útero para sempre. Por enquanto está tudo bem. A sorte foi muita, pois, a maioria desconhece, muitas mulheres morrem todos os dias no mundo todo por fazerem aborto. Preste atenção antes de ter envolvimento com um homem, conversa com tua mãe, ela poderá te orientar na maneira de prevenir uma gravidez não desejada. Estou te falando apenas como médico, mas existem outras implicações religiosas. Não permitir que uma criança nasça, isso por si só é um crime. Estou somente preocupado com o teu futuro e com a tua saúde.

— Minha mãe morreu e nunca conversei com ninguém sobre isso, doutor...

— Sinto muito por tua mãe, mas deve haver alguém com quem possa conversar. Teu pai, uma amiga... não importa, procure se informar e, se acontecer novamente, não toma essa atitude. Pega este cartão, nele está o endereço do meu consultório e pode me procurar que te atenderei.

Telma ficou sem saber o que dizer, apenas deixou as lágrimas caírem sobre seu rosto. O médico estendeu a mão e, sorrindo, disse:

— Agora pode ir, espero que seja feliz e que este episódio

não seja um empecilho para que possa conseguir realizar todos seus sonhos.

Telma apertou a mão do médico, olhando em seus olhos, como Roberto a havia ensinado, e expressou um breve sorriso. Levantou-se, saiu do consultório e foi para o quarto, esperar por seu pai, ou Laurinha, que viria buscá-la. Logo depois, seu pai chegou. Ficou feliz ao ver que Telma estava com alta e que poderia ir para casa. Ela se despediu das colegas do quarto e saiu com ele. Tomaram um ônibus que os levaria até perto de casa. Durante a ida para casa, ela ficou esperando que ele fosse perguntar, a qualquer momento, o que havia acontecido, mas ele ficou calado o tempo todo. O ônibus parou na esquina da sua casa. Com dificuldade, ela desceu. Sueli e Marquinhos estavam no portão da casa com outras crianças. Assim que viram Telma e o pai, correram para encontrá-los. Telma sorriu ao vê-los e, após abraçá-los, entrou em casa.

Por detrás do muro, ouviu a voz de Laurinha:

— Olá, Telma, que bom que voltou para casa!

— Olá, dona Laurinha! Que bom mesmo e, mais uma vez, obrigada!

Continuou andando e, quando estava chegando na porta da sala, ela se abriu e apareceu uma senhora que, ao vê-la, disse sorrindo:

— Olá, Telma, que bom que está bem e que voltou para casa.

Telma estranhou aquela mulher que falava com ela como se já a conhecesse. Intrigada, olhou para o pai, que disse:

— Vamos entrar, Telma, precisamos conversar.

Ela, intrigada, entrou. Sueli disse:

— Essa é a dona Dirce, Telma. Está morando aqui. O papai disse que ela é quem vai cuidar da gente.

Telma, espantada, ouviu o que Sueli disse. Estava tonta, sem entender o que estava acontecendo em casa. No chão, um menino com mais ou menos a mesma idade de Marquinhos estava brincando com uns brinquedos de montar. Ela olhou para o pai, que disse:

— O nome desse menino é Sílvio, ele é meu filho.

Telma não se conteve, sentou-se em uma cadeira que estava junto à mesa de jantar e ficou olhando, ora para o pai, ora para a mulher. Começou a entender o que acontecia, mas não conseguia acreditar. Lembrou-se de sua mãe, quando dizia *seu pai mudou logo depois que Marquinhos nasceu.*

Continuou olhando para todos. Agora entendia a razão das brigas e de toda a violência, cheia de ódio e raiva, gritou:

— O senhor tem essa criança quase da idade do Marquinhos? O senhor está com essa mulher durante todo esse tempo?

Sílvio sabia o que ela estava pensando e tentou argumentar.

— Sim, mas isso não prejudicou em nada a nossa família.

— Como não? O senhor passou esse tempo todo espancando e humilhando minha mãe! O senhor transformou a nossa vida em um inferno!

— O motivo nunca foi a Dirce ou o Silvinho, sua mãe sempre fez por merecer.

— Ela fez por merecer? Não! O único erro dela foi ter continuado ao seu lado! Acha que vou aceitar isso? Pois não vou! Por isso é que, desde que minha mãe morreu, o senhor não brigou mais? Para poder trazer para a nossa casa essa mulher e esse filho?

— Já está decidido e não vou aceitar que venha querer mandar na minha casa! Sou seu pai e você tem que respeitar a minha vontade! Eu ia demorar mais um tempo, mas a sua doença me obrigou a tomar essa atitude. Com você ausente, alguém precisava cuidar da casa e das crianças e, como a qualquer momento a Dirce a o Silvinho teriam de vir para cá, resolvi que o momento era este. Está feito e, se isso aconteceu agora, a culpa é toda sua. Por que foi tirar o filho que estava esperando? Por que não assumiu o seu erro?

Telma ouviu aquilo como se fosse uma bofetada. Pensou que o pai não sabia o motivo de ter sido internada. Começou a chorar e disse:

— Por sua culpa! Fiquei com medo da sua reação! O senhor sempre foi violento! O senhor, só o senhor foi culpado do que fiz e, se minha criança não nasceu, a culpa é só sua! Não vou aceitar essa mulher nesta casa!

— Se não aceitar, a porta da rua é serventia da casa! Pode ir embora agora mesmo! Vá, vá procurar o homem que te engravidou!

Telma estava furiosa, não conseguia perdoar o pai por ter feito sua mãe, ela e os irmãos sofrerem por causa daquela mulher que, agora, queria ser a dona da casa. Irritada e nervosa, gritou:

— Pois vou embora mesmo! Não sei para onde, mas não fico mais nesta casa!

— Não vai embora, Telma, a gente não pode ficar sem você

— Sueli chorava ao dizer isso. Ela e Marquinhos agarravam-se com força em sua perna.

— Não posso ficar aqui, Sueli. Não posso aceitar essa mulher! Ela foi a causadora de todo nosso sofrimento!

— Ela não é ruim, Telma. Deixou que eu dormisse em sua cama, que agora o Marquinhos e o Silvinho estão dormindo na de baixo. Faz a nossa comida, cuida da nossa casa e ainda conversa com a gente. E ela também faz bolo, não é dona Dirce?

Dirce, que durante todo o tempo tinha ficado calada, aproveitou para falar:

— Telma, sei que não me conhece e que a minha presença aqui, sem te avisar, foi uma surpresa desagradável. Eu não sabia que seu pai espancava sua mãe. Ele sempre me disse que ela era doente. Quando descobri que era casado, meu filho já estava para nascer e continuei com ele. Agora estou repensando a minha vida. Fique na sua casa, seus irmãos precisam da sua presença e só posso te pedir perdão se, de alguma forma, prejudiquei vocês. Esta casa é de vocês. Sou eu quem tem de ir embora.

Telma ouviu aquela mulher e sentiu que estava sendo sincera. Olhou para o pai e disse:

— A senhora não precisa ir embora. Foi enganada por esse homem que, para nós, foi sempre um monstro. Não pode imaginar como tem sido a nossa vida. Ele só deixou de brigar depois que minha mãe morreu. Eu não entendia por quê!! Mas agora já sei... ele queria trazer a senhora para cá. Ele me mandou embora porque, assim como sabia que minha mãe não tinha para onde ir, sabe que também não tenho. Por enquanto não tenho como me sustentar e não posso abandonar meus irmãos. Pode ficar aqui. Vou ficar também, por mais algum tempo, até que encontre um lugar para onde possa ir. Agora vou sair, preciso pensar...

Saiu da casa e começou a caminhar em direção ao portão. Ainda estava um pouco fraca e com dificuldade para andar. Olhou para o lado em que ficava a casa de Laurinha... *ela é a única pessoa que tenho para conversar, sabe tudo que sempre aconteceu na nossa casa, de como ele sempre foi violento e cruel e ela vai poder me dizer o que posso fazer. Preciso fazer alguma coisa, não posso continuar vivendo nesta casa ao lado dessa mulher que foi a causa de tanto sofrimento. Ela pode até não ser má, mas eu a odeio, e muito mais ao meu pai. Por que minha mãe não deixou esta casa e esse homem? Mãe, por que abandonou a gente? Queria tanto poder falar com a senhora, para me dizer o que posso fazer...*

Quando estava na calçada da rua, resolveu entrar na casa de Laurinha, que estava preparando o lanche da tarde. Assim que viu Telma, disse sorrindo:

— Entre, Telma, achei que você viria até aqui e estou preparando um lanche. Sente-se nessa cadeira que já vou servir.

— Obrigada, dona Laurinha. A senhora foi a única amiga que minha mãe teve e sempre esteve ao lado dela em todos os momentos. Por isso sabe tudo o que aconteceu na nossa vida. Como posso aceitar essa mulher tomando o lugar da minha mãe, ainda mais sabendo que ela foi o motivo de toda a violência do meu pai?

— Tem razão, eu era amiga da sua mãe e gostava muito dela, mas, agora, ela não está mais aqui e tenho a certeza de que está em um lugar muito bom e torcendo para que você e seus irmãos sigam a vida, sempre juntos, nem que, para isso, você tenha que aceitar essa situação.

— Também penso nos meus irmãos, mas mesmo assim não consigo engolir mais essa atitude do meu pai. Ele sempre foi um monstro, sempre fez da nossa vida um inferno, enquanto isso, vivia com essa mulher, tinha um filho com ela!

— Telma, não entendemos por que muitas coisas acontecem na nossa vida, mas pode ter certeza de que sempre há um motivo e que, mais cedo ou mais tarde, saberemos que motivo é esse.

— Qual pode ser o motivo de minha mãe ter apanhado de um covarde como ele, de ter morrido e deixado a gente sozinhos? Não existe motivo algum!

— Não posso te dar essa resposta, porque não sei, mas esse motivo existe e nós, talvez, nunca vamos saber, mas, em algum lugar, existe essa resposta. Deus é nosso Pai e nos ama muito. Ele nunca nos deixa sozinhos no abandono.

— Sei que a senhora segue essa religião que prega o conformismo, mas não posso aceitar isso! A vida não é assim! Existe muita injustiça neste mundo, dona Laurinha! Não dá para se conformar e simplesmente continuar vivendo!

— Você está enganada. Não sigo uma religião, mas, sim, uma

doutrina e, nela, aprendi que o espírito é livre e, por essa liberdade, não pode ser escravizado. Aprendi que todos nascemos para ser felizes e que, se isso não acontece, não é por culpa de Deus, mas por nossa mesmo. O espírito é livre e para isso tem a livre escolha de fazer o que quiser, sem que ninguém possa interferir. Aprendi também que, assim como temos a liberdade de fazer o que queremos, também temos a responsabilidade de só fazer o bem e perdoar sempre, levando em conta uma das leis maiores de Deus, a ação e reação. Por ela, sempre que fizermos mal a alguém, devemos saber que o retorno virá, nesta ou em outra vida. Deus é um Pai amoroso e está sempre esperando que, um dia, todos nós voltemos, vitoriosos, para a sua casa. Você pode não acreditar, mas está no lugar em que devia estar e na casa que você mesma escolheu para nascer. Tudo é, sempre, nossa escolha.

— Tudo o que a senhora disse é muito bonito, mas a realidade não é bem assim. Nem sempre podemos escolher o melhor para nós. Às vezes a gente é obrigada a fazer coisas que não gostaria ou a não fazer coisas que gostaria. Deus nunca me deu muita escolha. Nasci em uma casa que, além de pobre, também é violenta. Vi minha mãe ser espancada muitas vezes, sem nada poder fazer. Agora está me dizendo que escolhi essa vida? Não, dona Laurinha, eu não posso ter feito isso. Quando tudo parecia correr bem, minha mãe morre e, como a senhora sabe, tive que fazer aquilo que quase custou a minha vida. Agora volto para casa e descubro que, durante todo o tempo em que fomos maltratados na nossa casa, meu pai tinha outra família. Como posso acreditar nesse Deus que a senhora está falando?

— Você escolheu, sim, e algum motivo deve ter. Eu disse que existe a lei da ação e reação e, por ela, todas as nossas ações, boas ou más, terão sua reação. Não sei o que você fez para ter uma vida como essa que está tendo. Mas teve a oportunidade de renascer e resgatar possíveis erros que tenha praticado em encarnações passadas. Mas, infelizmente, desta vez, por sua escolha, cometeu uma outra ação que exigirá uma reação por parte de Deus.

— A senhora sabe que eu não tinha outra opção. Não podia dizer ao meu pai que estava esperando uma criança, ele não me perdoaria nunca!

— Como você pode ter certeza disso? Ele comentou com você sobre isso?

— Só hoje, quando briguei por causa daquela mulher. Eu pensei que ele não sabia. A senhora contou, dona Laurinha?

— Não, quem contou foi o médico, porque seu pai precisava assinar autorização para poderem te operar.

— Por que ele não comentou antes?

— Ele falou comigo e eu lhe disse que você é muito jovem e não tinha com quem conversar, por isso cometeu essa loucura.

— A senhora pode considerar uma loucura, mas eu não. Não tinha outra opção. Além de não poder contar para meu pai, não podia abandonar meu trabalho e minha escola para cuidar de uma criança. A senhora sabe que meu sonho é receber meu diploma para poder ter um salário melhor e, assim, poder tirar meus irmãos desta casa. Não matei uma criança. Estava só no começo, não era ainda uma criança...

— Se não tivesse feito o que fez, o que aconteceria?

Telma pensou por um tempo, depois disse:

— A criança ia nascer...

— Está vendo? Então... já era uma criança...

— Tem razão, não pensei a esse respeito, mas mesmo assim eu não tinha outra alternativa, dona Laurinha, não podia ter essa criança agora, não neste momento.

— Fazendo o que fez, você deixou de cumprir um compromisso assumido antes de nascer.

— Que compromisso?

— Você deve ter prometido a alguém que o receberia como mãe, dando assim a esse alguém a oportunidade de nascer.

— Se fiz isso, não me lembro, portanto não posso ser culpada! Se fosse em outras circunstâncias, se tivesse uma casa, um marido, essa criança seria muito bem-vinda, mas na situação em que me encontro isso é impossível!

— Infelizmente as coisas para Deus não são assim. Você é, sim, responsável... e, se Ele te mandou essa criança agora, é porque sabia que você teria condições de aceitá-la e criá-la, mas agora já foi feito. Você teve sua escolha, praticou uma ação e vai ter que se conformar com a reação.

— Está dizendo que vou ser castigada?

— Não existe castigo, o que existe é a justiça. Ela terá de ser feita de alguma maneira.

— Isso que está me dizendo é que não é justo! — Telma respondeu, furiosa.

— Por que está dizendo isso, Telma?

— Só tomei essa atitude por causa de um homem que me enganou, iludiu e mentiu! Não é justo que somente eu tenha de pagar por isso! Se ele tivesse me aceito, com minha criança, eu não teria motivo para fazer o que fiz! Ele sim é o maior culpado! E a senhora vem me dizer que eu vou ter que responder sozinha?

— Não, o compromisso com esse espírito foi feito por vocês dois. Ele também deixou de cumprir e também terá de responder por isso. Mas a recusa em cumprir o prometido de um, não libera o outro.

— O que eu poderia ter feito?

— Poderia ter tentado conversar comigo ou com seu pai e, como pode ver, ele agora teria aceitado, pois precisava te contar que sempre teve outra mulher.

— Mas eu não sabia disso! Só sabia que ele era violento, que não me deixava sair sozinha e muito menos com amigas!

— Bem, Telma, agora não adianta mais, já foi feito. Você é jovem, tem uma longa vida pela frente. Terá, com certeza, outra oportunidade para receber esse espírito, não se esqueça que Deus é um pai amoroso e que está sempre disposto a nos perdoar e a nos dar novas oportunidades. O que precisa fazer agora é encontrar uma solução para o momento em que está vivendo e seguir em frente. Pense nessa criança com amor e, com sinceridade, peça perdão. Se for alguém que te amou, com certeza, te perdoará e saberá esperar uma nova chance de renascer para cumprir sua missão. Se for alguém que foi seu inimigo e a quem você prometeu a vida, será um pouco mais difícil, por isso precisa pedir, sim, muito perdão e prometer que, em uma próxima oportunidade, não se recusará a ser sua mãe. Precisa também pedir perdão e ajuda para os espíritos amigos, que todos nós temos, para que o convençam a te perdoar. Eles também estão sempre ao nosso lado, nos ajudando nos bons e maus momentos. Quando nascemos, alguns ficam lá, torcendo muito por nós e nos ajudando, só não podem interferir no nosso livre-arbítrio, ou melhor, nas nossas escolhas. Essas são responsabilidade somente nossa. Toda vida deve sempre ser bem-vinda, Telma, seja de um ser humano, de um animal ou mesmo de uma flor, um fruto, qualquer vegetal.

— A senhora me deixou preocupada. Não sei se acredito em tudo que disse, mas, se for verdade, sinto que não mereço perdão.

— Diz isso porque não acredita no perdão de Deus e no enorme amor que sente por todos nós. Deve entregar sua vida a Deus e, confiando Nele, seguir em frente.

— Não sei como fazer isso, dona Laurinha. Não posso voltar para casa, nem tenho para onde ir...

— Não pode voltar para casa? Por quê?

— Eu odeio meu pai, aquela mulher e aquele menino! Nunca vou perdoar! Meu pai, por causa deles, sempre maltratou a gente, e maltratou muito mais a minha mãe.

— Sabe, Telma, somos engraçados. Agora mesmo conversamos a respeito do perdão. Você entendeu que precisa ser perdoada por algo que, hoje sabe, foi um erro, mas não pára um minuto para pensar que, também, precisa perdoar.

— Mas é diferente! Meu pai foi sempre muito cruel!

— Não existe diferença, Telma. Sempre precisamos pedir perdão e principalmente perdoar. Disse o certo. Não tem para onde ir. E, tendo de ficar na casa de seu pai, talvez a convivência com essa mulher seja importante para o seu crescimento espiritual. Talvez você tenha que aprender a conhecê-la e ver que ela pode ser uma grande amiga sua.

— Isso nunca vai acontecer, dona Laurinha! Ela nunca vai ser minha amiga! Ela destruiu a nossa vida!

— Não foi ela, Telma. Foi seu pai, e, não pode deixar de reconhecer, muito a mais sua mãe, que permitiu que ele agisse daquela maneira. Como te disse, o espírito é livre e, por isso, não pode ser aprisionado, seja por amarras ou por atitudes. Sua mãe teve o direito da escolha, mas por conveniência, medo ou seja sei lá por qual motivo, achou melhor continuar vivendo ao lado dele.

— Ela dizia que tinha medo e, também, que não tinha uma profissão... e, assim, não tinha como cuidar da gente.

— Nós sempre arranjamos uma desculpa para não tomar uma atitude, pois, quando resolvemos agir, sabemos que haverá problemas que teremos de superar. Sei que nem sempre é fácil, mas sempre devemos tentar.

— Para a senhora é muito fácil dizer isso e julgar! A senhora fala assim porque tem um bom marido. Duvido que diria a mesma coisa se tivesse um igual ao meu pai e estivesse na situação da minha mãe! Muitas vezes também a critiquei, mas hoje, na situação em que me encontro, sei que ela não tinha mesmo como tomar uma atitude. Não tinha como sustentar a gente nem pagar aluguel.

— Talvez você tenha razão. A teoria é sempre bem mais fácil que a prática. Tenho mesmo um bom marido, filhos maravilhosos e agradeço a Deus todos os dias por isso. Na realidade, se estivesse na sua situação ou na situação de sua mãe, não sei como agiria, mas acho que, sabendo, como sei, que o espírito é livre, não teria ficado ao lado de um marido assim. Por tudo isso que disse, acho que deve voltar para casa e continuar vivendo lá. Termine seus estudos, torne-se uma profissional para poder receber um ótimo salário e, quando se casar, poderá ter a opção de ficar ao lado do seu marido, se ele for bom, gostar de você e de seus filhos, não porque depende dele financeiramente para sobreviver. Se fizer isso, sei que terá uma vida feliz. Sei que, aqui, só os homens têm direito a uma educação que os prepara para vencer na vida. A mulher não é preparada para o trabalho, somente para ser dona de casa, esposa e mãe... mas as coisas estão mudando e, logo, ela será uma parte importante na sociedade e poderá competir com o homem, no trabalho de igual para igual. Será livre para escolher seu próprio caminho.

— A senhora está sonhando! Mas, no que depender de mim, vou ter a minha profissão e ser dona do meu nariz.

— Vê como não estou sonhando? Você mesma nunca aceitou essa situação, por isso, diferente das moças da sua idade, sempre quis estudar e trabalhar. Portanto, pode ver que não estou sonhando, que isso vai realmente acontecer. Agora volte para sua casa e procure conviver bem com a mulher que seu pai escolheu. Estude, trabalhe e, principalmente, fique perto dos seus irmãos. Você ainda é muito jovem, mas teve de crescer antes do tempo e, acredite, terá sempre ajuda dos céus e conseguirá tudo que deseja na vida.

— Nossa, dona Laurinha, a senhora me deixou cheia de esperança!

— A vida é feita de esperança e, aconteça o que acontecer, por mais que errarmos na vida, Deus estará sempre nos esperando e enviando ajuda em todos os momentos, e a esperança só deixará de existir quando estiver tudo acabado. Agora vá e faça sua parte, deixe o resto por conta de Deus.

— E quanto ao homem que me enganou? Sinto que não posso perdoar ele.

— Com o tempo, tudo estará esquecido. Sua vida vai continuar e, se Deus quiser, para melhor! Mas, se levar com você mágoa e ressentimento, dificilmente alcançará a felicidade que sonha e deseja. A mágoa, o ódio só nos trazem sofrimento. Procure esquecer, Telma, e caminhe sabendo que Deus não te abandona nunca.

— Vou tentar, mas sei que não vai ser fácil.

— Pode não ser fácil, mas não é impossível. Agora vá. Seu pai deve estar preocupado.

Telma fez uma careta e saiu sorrindo.

Entrou em casa e viu uma cena que jamais em sua vida imaginou que poderia ver. Seu pai estava sentado no chão ajudando as crianças a montarem um brinquedo. Na cozinha havia barulho de torneira aberta e panelas. Desolada, sem poder expressar o que sentia, pensava: *Não acredito no que estou vendo! Como posso aceitar que meu pai tenha mudado tanto? Que aquela mulher está lá cozinha fazendo o trabalho que era da minha mãe? Dona Laurinha que me perdoe, mas, apesar de tudo que me falou, não consigo aceitar nem perdoar... que situação a minha...*

Calada, passou pela sala, entrou em seu quarto e deitou-se. Baixinho, começou a chorar, sentia-se impotente e tendo que aceitar uma situação que não queria.

Relembrando

Naquele mesmo momento, em algum lugar, Sara abriu os olhos e estranhou: *Que lugar é este? Não conheço este quarto...*

Tentou se levantar, mas não conseguiu. Seu corpo estava pesado e parecia preso à cama. Com medo, pensou: *Que me aconteceu? Meu Deus do céu, que lugar é este?*

Estava muito assustada e nervosa, olhou para a porta do quarto que estava aberta. Tentou se levantar novamente e desta vez conseguiu. Com dificuldade, desceu da cama e se encaminhou para a porta. Saiu do quarto, olhou e viu um longo corredor com outras portas que estavam abertas. Começou a andar, quando uma jovem se aproximou dela, perguntando:

— Sara, já acordou? Desculpe, estava ao seu lado até agora, mas tive de sair por um momento. Vamos entrar, precisa voltar para a cama.

Sara ficou sensibilizada com o carinho que havia na voz e nos olhos daquela moça e, sem resistir, acompanhou-a de volta para a cama. A moça a ajudou a se deitar novamente, dizendo:

— Logo ficará bem, suas energias ainda são diferentes das daqui, mas logo se acostumará com a energia daqui.

— Energia? Não estou entendendo o que está dizendo! Que me aconteceu? Que lugar é este?

— Fique calma, sei que está assustada, mas não tem motivo para isso, logo tudo será esclarecido. Você acordou um pouco antes da hora, não sei qual é o motivo, mas deve existir algum. Logo saberemos.

— Não me respondeu... Que lugar é este e o que estou fazendo aqui?

— Já disse que logo terá respostas para todas as suas perguntas, mas fique calma, está no melhor lugar que poderia estar.

— Como posso estar em um bom lugar que não sei qual é? Parece um hospital... Mas o que me aconteceu? Eu não estava doente!

— Estava muito doente, só que não sabia, mas agora está bem e logo se acostumará com as energias daqui e assim poderá ver que este lugar é realmente muito bom.

— Como... doente? descansar? Não posso descansar! Preciso estar ao lado das minhas crianças! Não sei se sabe, mas meu marido é muito violento, não sei o que vai fazer com elas se eu não estiver lá!

— Suas crianças estão bem, e não precisa se preocupar.

— Não estou entendendo, ou melhor, estou com medo de entender. Espere, parece que te conheço...

— Conhece, sim. Com o tempo vai se lembrar de quem sou.

— Você se parece com a Selma, minha irmãzinha que morreu há muito tempo, mas não pode ser, ela era uma criança...

Sara olhava para a moça que estava ali e, intrigada, tentava se lembrar de onde a conhecia, quando a porta se abriu e por ela entrou uma senhora que, sorrindo, se aproximou. Sara, ao vê-la, estremeceu.

— Mamãe, não pode ser a senhora! A senhora morreu! Já sei o que aconteceu. Eu não estava me sentindo bem, adormeci e estou sonhando. Mesmo sendo um sonho, fico feliz em ver a senhora.

— Não é um sonho, minha filha, é realidade, estou mesmo aqui.

— Se não é um sonho, o que é então?

— Você retornou para a casa do Pai.

— Está dizendo que morri?

— Não, essa palavra não existe aqui, porque se traduz em muita dor e, se prestar atenção, verá que está mais viva do que nunca. Somente retornou para o seu verdadeiro lar.

— Não! Isso não pode ter acontecido! Minhas crianças não podem ficar sozinhas nas mãos do Sílvio! Ele é violento e pode machucar elas! Preciso voltar, mamãe! Não faça essa maldade comigo e com meus filhos! Telma está sozinha, ela é ainda muito jovem e não poderá defender os irmãos do pai! Isso não está certo! Meu lugar é junto deles! — Sara, disse, chorando e gritando.

— Seu tempo ao lado delas terminou. Terão de continuar sozinhas para poder escolher seus próprios caminhos. Você fez a sua parte, permitiu que elas nascessem, ensinou as primeiras palavras, a andar e deu a elas as noções do certo e do errado...

— Não, isso não está acontecendo! Diz que estou sonhando, por favor, mamãe! Sílvio é violento e vai machucar as crianças! Principalmente Telma, que não o suporta!

— Você cumpriu bem a sua parte, só não teve forças, mais uma vez, de conseguir evitar que ele fosse violento. Voltaram juntos para a Terra para mutuamente se ajudarem a ser menos violentos. Você, de uma certa maneira, conseguiu; ele, ao contrário, não. E você, infelizmente, não conseguiu fazer com que entendesse que estava errado e que deveria mudar de atitude. Deixou-se intimidar pelo medo e não reagiu. Deveria ter colocado um ponto final, desde a primeira vez em que ele te bateu, mas foi relevando até as coisas chegarem ao ponto que chegaram. Nisso, minha filha, você falhou.

— O que eu poderia fazer? Ele é meu marido e como ficariam minhas crianças se eu o abandonasse? Eu não tinha como sustentá-las!

— Ele era seu marido, mas não o seu dono. O espírito é livre e ninguém pode prendê-lo ou obrigá-lo a fazer o que não quer. Por várias encarnações você voltou para poder fazer com que Sílvio mudasse, mas, na maioria das vezes, se omitiu ou se deixou dominar pelo medo de reagir, enfrentar a vida sozinha e seguir adiante. Não confiou na bondade de Deus e nem acreditou que nunca estaria sozinha, que outras portas se abririam. Talvez ele, ficando sozinho, sem você e sem as crianças, refletisse em tudo que fazia e pudesse mudar. Mas ele ainda terá uma chance, e tomara que aproveite! Foi permitido que você acordasse, porque precisamos da sua ajuda.

— Minha ajuda? Que posso fazer?

— Lembra-se do Germano?

— Não, não me lembro e nem quero me lembrar! Será que a senhora não entende que preciso voltar! Não posso ficar conversando ou tentando ajudar, se eu mesma preciso de ajuda! Não vê que meus filhos estão abandonados! Preciso voltar, mamãe...

— Sinto muito, minha filha, mas não pode ser. Seu tempo terminou e seus filhos não estão e nunca ficarão abandonados. Como todos nós, são filhos de Deus, e um pai nunca abandona seus filhos. Fez a sua parte e, se quiser, poderá ajudar Telma... e ela está precisando muito da sua ajuda.

— Sabia que ela não podia ficar sozinha com o Sílvio! Quero ajudar minha filha. Que preciso fazer?

— Sílvio, depois que você partiu, nunca mais brigou. Você pode nos ajudar a ajudar Telma, mas, antes, precisa se lembrar de como tudo se passou.

— Lembrar do quê? Sei como tudo se passou e como foi a minha vida!

— Pensa que sabe, mas não é verdade. Neste momento está esquecida de como foi o seu passado, aliás, o nosso.

— Do que está falando, mamãe! Claro que me lembro de como foi o nosso passado. A senhora foi uma ótima mãe. Só que morreu muito cedo, me abandonou... Por que, mamãe? Não sabe como senti sua falta...

— Estive sempre ao seu lado, torcendo para que reagisse e fizesse com que Sílvio mudasse, mas isso não aconteceu e eu, embora estivesse ao seu lado, não podia interferir. Como está acontecendo com você, também aconteceu comigo. Você precisava continuar sua vida sozinha sem a minha companhia. Precisava fazer suas escolhas, não porque eu quisesse, mas porque precisava.

— Isso não é justo, mamãe! Assim como Telma, eu era muito jovem quando a senhora morreu. Estava casada com o Sílvio há pouco tempo. Depois que a senhora morreu, fiquei muito triste, perdida, sem saber o que fazer da minha vida. A sua presença me fez muita falta...

— Mas foi preciso que fosse assim. Seus filhos nasceram, você deu a eles as primeiras noções do que é certo e errado e a educação que julgou ser a certa e que conhecia. Não deu mais porque não estava ao seu alcance. Agora terão de continuar sozinhos.

— Não entendo por que tem de ser assim, mamãe! Não é certo uma mãe morrer antes de ver seus filhos crescidos.

— Sei que não entende, mas tudo está sempre certo. E mesmo sendo nós mesmos que sempre escolhemos o nosso destino, quase sempre não aceitamos e nos revoltamos. Agora precisamos ir ter com o Germano. Ele está precisando muito da nossa ajuda. Tomara que consigamos fazer com que entenda e perdoe o que aconteceu.

— O que aconteceu que tem a ver comigo, mamãe?

— Não tem a ver com você, mas sim com Telma.

— O que a Telma fez? Quem é Germano?

— Assim que o vir, você se lembrará de tudo e entenderá que Telma deixou de cumprir um compromisso que havia feito com ele. Segure em uma das mãos de sua irmã. Vou segurar na outra e, juntas, fecharemos os olhos e iremos até ele. Agora vamos.

Sara, assustada, segurou a mão da irmã. Esta, sorrindo, acolheu-a com força, transmitindo-lhe confiança, e fechou os olhos. Rita, a mãe de Sara, segurou na outra mão e, em poucos instantes, estavam em um grande quarto, onde um rapaz estava deitado em uma cama tendo ao seu lado uma senhora. Aproximaram-se da cama e Rita, perguntou:

— Como ele está, Albertina?

— Acordou muitas vezes, mas fizemos com que dormisse novamente. Ele não está em boas condições e vai precisar muito da nossa ajuda.

— Sei disso e é por isso, também, que estamos aqui.

— Que bom que vieram! Como está, Sara?

Sara estranhou aquela pergunta, pois não conhecia aquela mulher que lhe falou com tanta intimidade, mesmo assim, respondeu:

— Não estou bem, pois estou longe da minha casa e dos meus filhos. Estou preocupada com eles e não sei o que estou fazendo aqui.

— Olhe bem para esse rapaz, minha filha. Tem certeza que não o conhece?

Sara, ouviu a mãe. Aproximou-se ainda mais da cama e olhou atentamente. Depois de alguns segundos, falou alto:

— É o Germano, mamãe! Estou me lembrando! Por que ele está aqui, está doente?

— Não o corpo, mas seu espírito está muito doente. Com uma das piores doenças do espírito, encarnado ou desencarnado.

— Que doença?

— O ódio e o desejo de vingança.

— Está com ódio de quem?

— Da Telma.

— Da Telma?! Por quê?!

— Sente-se aí nessa poltrona e feche os olhos. Precisa lembrar-se de tudo, para entender e poder ajudar não só o Germano mas a Telma também.

Sara, preocupada, sentou-se e fechou os olhos. Imediatamente se viu caminhando por um corredor muito grande. Parou diante de uma porta e entrou. Lá dentro encontrou Sílvio que, ao vê-la, sorriu e disse:

— Olá, meu amor, que bom que chegou. Estava preocupado com a sua demora.

— Tentei chegar antes, mas não consegui. Tive um problema para resolver. Uma das crianças está com febre.

— Acha que devemos chamar o médico, Sara?

— Está louco? Não vamos gastar dinheiro com médicos. Além do mais, o doutor Roberto está viajando e, se vier outro médico, poderá notar as marcas de espancamento. Já te disse mais de mil vezes para não espancar as crianças desse jeito, Sílvio. Algum dia, alguém poderá descobrir e isso não seria bom. Poderíamos perder este orfanato e, se isso acontecer, não sei do que viveríamos.

— Ninguém vai descobrir, Sara. As crianças estão muito bem doutrinadas e nunca contarão a ninguém. Sabem que, se fizerem isso, o castigo será maior.

— Mesmo assim, é melhor tomar cuidado. Pode castigar as crianças, elas merecem, mas sem deixar marcas. Existem outras formas de castigo, podemos deixá-las no quarto escuro. Acho que já é o suficiente.

— Tem razão, Sara. Embora o doutor Roberto esteja conosco há muito tempo, notei que ele não quer que as surras continuem. Ele tem medo de que as autoridades descubram que está nos acobertando durante esse tempo todo. Mas essa tua idéia do quarto escuro me parece uma boa solução! O que não podemos é deixar que as crianças percam o respeito.

— Fico pensando como era na época em que mamãe resolveu fundar este orfanato, Sílvio. Gastou uma fortuna para poder ajudar as crianças que ficaram sem pais durante a guerra do Paraguai. Nunca entendi por que fazer tudo isso. Sei que a nossa fortuna era imensa e o que ela gastou não representou nada. Mesmo assim, não devia ter gasto tanto. Poderia ter feito como fizemos depois que ela morreu, pedir ajuda para o governo e para a sociedade, que sempre está disposta a ajudar, principalmente às crianças.

— Tem razão, Sara. Nossas famílias tinham muito dinheiro, mas esse dinheiro está terminando. Os quadros e as obras de arte foram vendidos e substituídos por cópias perfeitas. Da fortuna que nossos pais deixaram, não resta quase mais nada.

— Por isso precisamos tomar cuidado para que aquilo que acontece aqui não caia nos ouvidos do público. E, ao mesmo tempo, precisamos encontrar uma maneira de conseguirmos mais dinheiro, pois, se alguma coisa acontecer, se alguém vier a descobrir que gastamos o mínimo com a alimentação das crianças e que quase todo dinheiro que arrecadamos gastamos conosco, com as nossas viagens e roupas boas, poderemos perder tudo e ficarmos na rua da amargura, sem um tostão sequer. E aí, você sabe, além de nossos amigos nos condenarem, vão se afastar de nós para sempre.

— Isso não me incomoda nem um pouco, porque precisamos e merecemos ter uma boa vida, Sílvio. Mas, se algo acontecer, precisamos estar preparados para poderemos fugir deste país e recomeçar a vida com todo luxo que sempre tivemos — Sara disse rindo com desdém.

— Tem razão, mas não consigo encontrar uma maneira para impedir que descubram o que fazemos.

— Está bem, mas precisamos pensar numa saída. Este orfanato precisa de dinheiro. Bom, não é bem o orfanato que precisa, mas nós, não é meu amor? — ela disse, piscando um olho num sinal de cumplicidade.

Estavam conversando quando a porta se abriu e, por ela, entraram Telma, Plínio e um rapazinho de mais ou menos doze anos. Assim que os viram, Sara disse:

— Olá, minha irmã, está tudo bem com vocês.

— Está, mas o que tinham de tão urgente para conversar?

— Germano, como você está? — Sara perguntou com um sorriso.

— Estou bem, tia Sara. Mamãe, preciso ficar aqui? Gostaria de ir conversar com as crianças.

Sara olhou para Telma, que disse:

— Pode ir, Germano.

O menino estava saindo quando Sara disse:

— Vá se encontrar com as crianças, mas não dê muita atenção se elas disserem que estão com fome. Elas gostam de mentir... Por mais que comam, nunca ficam satisfeitas.

O menino voltou o olhar para Telma que, com as mãos e os olhos, fez um sinal para que saísse. Ele saiu correndo.

Assim que o menino saiu, Sílvio disse:

— Bem, pedi que viessem porque estive fazendo um balanço das nossas finanças e a situação não está boa. Resta muito pouco da nossa fortuna, e o dinheiro que temos recebido como doação não dará para que continuemos tendo a mesma vida de antes.

— Não pode ser! Como o dinheiro terminou?

— Ora, Telma, sabe que mamãe, quando morreu, deixou um testamento repartindo em partes iguais uma boa quantidade de dinheiro que nos deixaria bem para o resto da nossa vida, desde que não gastássemos além do que podíamos. Mas sabe muito bem que isso não aconteceu. Gastamos muito além e ainda usamos o dinheiro que ela destinou ao orfanato. Mamãe sempre se preocupou muito com este orfanato e nunca permitiu que as crianças daqui passassem algum tipo de necessidade. Agora o nosso dinheiro, isto é, o do orfanato — disse isso com ironia — está terminando. Por isso precisamos pensar em como conseguir mais.

— Precisamos pensar mesmo, Sara! Não me imagino pobre, sem poder possuir tudo que desejo e sem ser recebida na alta sociedade. Eu não suportaria!

Plínio e Sílvio, calados, ouviam as duas conversando. Telma se voltou para Plínio e disse:

— Precisamos encontrar uma solução, Plínio. Já imaginou como seria a nossa vida sem dinheiro?

— Enquanto vocês estão conversando, estou pensando e acredito que tenho uma solução.

— Que solução?

— Sabem que o Germano tem uma grande fortuna para receber...

— Sei disso, mas ele só receberá quando fizer dezoito anos e isso vai demorar muito. Além do mais, esse dinheiro é do Germano e não nosso, Plínio.

— Sim, o dinheiro é dele e falta mesmo muito tempo. Mas, se ele morrer antes disso, o seu dinheiro, por não ter família e, como sabem, por ele ter sido registrado em meu nome, virá todo para mim. Esse foi o preço que a mãe dele pagou para que eu o registrasse e ela não passasse a vergonha de ter um filho sem pai.

— Não estou entendendo o que está dizendo, Plínio. Ele é muito jovem e saudável, não vai morrer.

— Se esperarmos que morra de morte natural, isso não acontecerá logo... mas podemos pensar em uma maneira de abreviarmos sua vida...

— Está falando em matar? — Sara perguntou, assustada.

— Sim, Sara, e com sua morte todos os nossos problemas estariam resolvidos. Eu receberia a sua fortuna e voltaríamos a ter a nossa vida de sempre, sem nos preocupar com dinheiro nem...

— Mas, Plínio, ele é nosso filho... — Telma interrompeu-o.

— Ele não é nosso filho, Telma. Ele é filho da minha primeira esposa. Eu somente o registrei como meu filho. Sabe que, quando a conheci, ela já estava grávida. Me casei com ela e, quando seu filho nasceu, registrei-o como se fosse meu. Ela ficou doente três anos depois e, sabendo que ia morrer, deixou em testamento que ele receberia a sua herança e, caso ele morresse, o beneficiário seria eu.

— Sei de tudo isso, Plínio, quando nos casamos aceitei recebê-lo como filho. Ele está comigo desde os cinco anos. Não posso nem pensar em fazer isso que está insinuando, Plínio!

— Então, minha querida, acostume-se a viver na pobreza. Ele é a nossa única solução.

— Espere aí, Telma. Plínio tem razão. Essa é mesmo uma solução, posso até dizer que é a única. Só que existe um problema... como vamos fazer isso? Se o menino morrer, a polícia vai investigar e, fatalmente, chegará a nós.

— Não se fizermos bem feito, Sara. Precisamos pensar em uma maneira que não levante suspeitas quanto à morte dele.

— Como pode ser isso, Sílvio?

— Não sei, mas deve existir uma maneira, Sara.

— Venho pensando nesse assunto há muito tempo e acho que sei como fazer tudo sem que haja suspeita alguma. A morte dele será natural.

— Como seria isso, Plínio?

— Vai depender de você, Telma...

— Eu?! Como?!

— Existe um tipo de veneno que, administrado aos poucos, levará Germano à morte e ninguém desconfiará.

— Levará quanto tempo, Plínio?

— Não posso dizer, Sara, mas sei que é eficiente. Mesmo assim, se demora um pouco mais ou não, não tem importância, ao menos saberemos que um dia acontecerá e, com a morte dele, estaremos salvos.

Telma pensou por um instante, depois disse:

— Eu nunca pensei em fazer uma coisa como essa, mas também não consigo me imaginar sem dinheiro, por isso acho que vale a pena. O que preciso fazer?

— Terá de administrar todos os dias uma certa quantia do veneno no suco, no leite ou na comida que ele for comer. Com o tempo, o veneno começará a fazer efeito e, fatalmente, ele morrerá.

— Só isso?

— Sim, pode parecer simples, mas não sei quais serão os sintomas, por isso tem de estar preparada para fingir que não sabe o que está acontecendo. Isso se estende a todos nós, provavelmente ele terá que ser atendido pelo doutor Roberto... é importante que ele acompanhe todo o processo para, assim, poder dar o atestado de óbito sem que haja suspeita alguma. Estão dispostos?

— Será que o doutor não vai desconfiar?

— Não, mas mesmo que desconfie, nada que algum dinheiro não resolva...

Um olhou para o outro e depois acenaram com a cabeça, confirmando. Estavam conversando quando ouviram uma batida na porta. Telma foi até lá e abriu-a. Por ela, entrou Laurinha, uma das meninas mais velhas da casa. Estava nervosa e, aflita, disse:

— Com licença, desculpem por interromper, mas a Maria do Carmo não está bem, ela parece que vai morrer.

Todos se levantaram. Sara perguntou:

— Que está dizendo, Laurinha? Onde ela está? Eu mandei que ela fosse para a cama!

— Ela se escondeu lá na adega. Ela está deitada e não consegue se levantar.

— Essa menina é um estorvo! Vou até lá para ver o que está acontecendo.

Dizendo isso, Sílvio se levantou e saiu da sala. Laurinha quis acompanhá-lo, mas ele não deixou, dizendo:

— Fique aqui, Laurinha. Preciso conversar com essa menina! Não se preocupe, ela ficará bem.

Saiu da sala e foi para a adega. Lá encontrou encolhida, deitada em um dos cantos da sala, uma menina com mais ou menos seis anos. Ele se aproximou e a chacoalhou dizendo:

— Que está fazendo aí, menina?

— A dona Sara disse para eu ficar aqui e, se saísse, ela me bateria...

— Por que ela fez isso?

— Por que eu estava com fome e fui na cozinha pegar um pedaço de pão. Ela me pegou mexendo no armário da comida...

— Sabe muito bem, que tem hora para comer. Se ela te castigou, foi porque não esperou a hora certa para se alimentar.

— Eu estava com fome e ainda estou. Minha barriga está doendo muito...

— Levante-se daí e vá para seu quarto! — ele gritou.

A menina tentou, mas não conseguiu, com muita fraqueza, caiu novamente. Ele a pegou pelo braço e a levou empurrando. As outras crianças viram aquela cena e choravam. Nervoso, Sílvio gritou:

— Fiquem quietos! Sabem o que vou fazer com cada um se continuarem chorando! Estou muito nervoso, por isso é melhor irem para seus quartos e dormir! Hoje, por castigo, não terão jantar!

As crianças, apavoradas e sabendo o que ele era capaz de fazer, foram para seus quartos e, chorando muito, se deitaram.

Sílvio, depois largar Maria do Carmo na cama, voltou para a sala.

— Que aconteceu, Sílvio?

Ele olhou para os outros, que pareciam assustados.

— Agora está tudo bem, Sara. Não lhes disse que era só para incomodar? Dei-lhe um corretivo e agora está deitada em sua cama. Logo ficará bem.

— Ainda bem que está tudo bem, agora precisamos ir. Amanhã voltaremos para dizer se consegui o veneno.

Os dois concordaram e, assim que saíram, Sara perguntou:

— Sílvio, o que você acha do plano do Plínio?

— Apesar de não se saber se vai demorar muito, acho que pode dar certo, aliás, tem que dar certo! Como ele disse, é a nossa única solução e salvação.

Sara e Sílvio tinham optado por morar no orfanato. Na verdade, precisaram fazer isso. Assim, quando alguém viesse visitar o orfanato, podia ver que as crianças não ficavam sozinhas. Mas, com o tempo, para economizar dinheiro, foram mandando embora os funcionários que havia lá. Agora, quem cuidava da limpeza eram as crianças. A arrumação da casa, que era muito grande, também eram elas que faziam. As maiores foram encarregadas de preparar a comida.

Sara e Sílvio foram para a cozinha para ver o que havia para o jantar. Laurinha, uma jovem com dezesseis anos, era a encarregada e responsável pela alimentação. Sara se aproximou, já ordenando:

— Laurinha, prepare uma sopa para as crianças, e não use carne! A carne que tem aí é só para mim e o Sílvio. Vá até a horta e pegue alguns legumes, e não use muito, precisamos economizar.

Com os olhos baixos, Laurinha respondeu:

— Está bem, senhora.

Laurinha preparou o jantar e, como fazia todos os dias, preparou uma bandeja com a comida especial preparada para Sara e Sílvio e levou-a para o quarto deles. Em seguida, chamou as crianças e serviu a sopa rala. As crianças, com fome, comeram e agradeceram.

Em sua casa, Telma, Plínio e Germano também jantavam. Após terminarem o jantar, Telma disse:

— Germano, já que terminou o jantar, se quiser, pode ir para o seu quarto.

O rapaz, acostumado com a rigidez da casa e sem protestar, obedeceu, saiu da mesa e foi para seu quarto.

Quando perceberam que estavam sozinhos, e Laurinha tirava a mesa, Plínio disse:

— Vamos para a sala de estar, Telma? Precisamos conversar.

Telma sorriu, levantou-se e caminharam juntos para a sala ao lado. Plínio, disse:

— Amanhã vou providenciar aquele remédio do qual falamos, precisamos começar o tratamento o mais rápido possível.

— Eu não queria, mas não tendo outra opção, também acho que deve ser o mais breve possível. Agora, vamos tratar de tomar um café e, depois, dormir?

— Vamos, sim. Amanhã será um longo dia.

Ficaram ali até Laurinha servir o café, que eles tomaram; depois foram para seu quarto e se prepararam para dormir.

Colocando o plano em ação

No dia seguinte bem cedo, Plínio saiu de casa. Telma sabia que ele tinha ido em busca do veneno que seria administrado a Germano. Ela, no íntimo, sabia que aquilo não era certo, pois Germano, além de ser um bom rapaz, era educado, carinhoso e os amava muito. Mas, ao mesmo tempo, não conseguia se imaginar pobre e, se aquela era a única solução, teria de ser feito.

No orfanato, Sara e Sílvio estavam dormindo quando foram acordados com batidas fortes em sua porta. Levantaram-se apressados e nervosos por aquele atrevimento. Sílvio abriu a porta e Laurinha, chorando muito, disse:

— Senhor, a Maria do Carmo está muito mal. Não sei o que ela tem.

— Por que está dizendo isso? Como se atreve a nos acordar dessa maneira?

— Desculpe, senhor, mas ela está muito ruim. Seus olhos estão parados e parece que viraram vidro! Acho que ela está morrendo...

— Que bobagem é essa, Laurinha? Sabe que essas crianças são mentirosas e sei que você é igual a elas!

— Não é mentira, senhor. Ela está muito mal...

— Está bem, volte para junto dela que vou em seguida.

Laurinha saiu apressada e Sílvio voltou para o quarto. Sara estava sentada na cama e perguntou, um tanto assustada:

— Que conversa é essa, Sílvio? Que aconteceu?

— Nada aconteceu, Sara! Essas crianças mentem muito!

— Pode ser, mas se for verdade e essa menina morrer, que vamos fazer? Não vai ser a primeira vez, e a polícia, da última vez que aconteceu, ficou desconfiada. Não podemos aparecer com mais uma morte, Sílvio.

— Não haverá morte alguma, Sara! Estou indo para ver o que está acontecendo realmente.

Sílvio se vestiu e foi para um dos quartos onde as crianças dormiam. Entrou e viu que várias crianças estavam ao lado da cama onde ele havia deixado Maria do Carmo. Aproximou-se e empurrou as crianças que, ao vê-lo, saíram assustadas. Ele percebeu que Maria do Carmo estava quieta e realmente com os olhos vidrados. Seu corpo estremeceu. Sabia que ela estava morta. Lembrou-se do que Sara havia dito em relação a mais uma morte. Pegou a menina no colo e saiu dizendo para as crianças:

— Ela só está desmaiada, vou levá-la para o hospital, logo mais trarei notícias. Agora podem ir tomar café.

Dizendo isso, saiu carregando a menina. As crianças estavam assustadas, principalmente as mais velhas, pois já haviam visto aquilo acontecer outras vezes. Sílvio, lembrando-se da conversa que teve com Sara, levou Maria do Carmo até um dos quartos, colocou-a em uma das camas e voltou para seu quarto. Encontrou Sara que terminava de se vestir. Disse:

— Ela está morta, Sara...

— Meu Deus, que vamos fazer, Sílvio? Não podemos comunicar à polícia! Eles vão investigar e ver que as crianças estão sendo mal alimentadas e que muitas estão doentes.

— Sei disso, precisamos pensar em uma maneira de sumirmos com o corpo.

— Como podemos fazer isso? Além do mais, as crianças sabem que ela morreu.

— Elas não sabem, pensam que está desmaiada e que eu a estou levando para o hospital.

— Mesmo assim, que vai dizer quando a menina não voltar?

— Diremos que ela foi adotada por alguém. Não é difícil enganarmos as crianças, o difícil será darmos um fim no corpo.

Sara estava desesperada. Sabia que não conseguiriam enganar a polícia mais uma vez. Pensou por algum tempo, depois disse:

— Podemos esperar escurecer e, à noite, a enterramos no quintal, lá nos fundos, onde ninguém vai. Para que as crianças deixem de se preocupar, vamos preparar um almoço com tudo que elas gostam. Ficarão tão felizes em ter o que comer, que se esquecerão de Maria do Carmo.

— É por isso que te amo tanto, você, além de ser inteligente, pensa rápido. É isso mesmo que vamos fazer.

Sara saiu e foi para a cozinha, era hora de elas estarem lá. Laurinha servia chá, pois não havia mais café nem leite para serem preparados para elas. Servia também um pedaço de pão amanhecido, que as crianças molhavam no chá para conseguirem comer. Sara, sorrindo e brincando com os cabelos de algumas crianças, disse:

— Não se preocupem com a Maria do Carmo, foi levada para o hospital, ficará bem e logo voltará para casa. Estivemos pensando e acho que está na hora de termos um almoço muito bom. Hoje vamos ter arroz, feijão e muita carne para comermos. Vocês querem?

As crianças, na sua inocência, gritaram felizes:

— Queremos! Queremos!

— Pois bem, vocês nunca se esquecerão do almoço de hoje. Laurinha, pegue a carne que está guardada e prepare para o almoço.

— Toda ela, senhora?

— Sim, toda ela.

— Mas a senhora sempre disse que era para ser servida somente para a senhora e para o seu Sílvio.

— Sim, eu disse, mas hoje é um dia especial. Faça toda ela e deixe que as crianças comam à vontade.

— Sim, senhora.

Laurinha estranhou, mas ficou feliz em poder servir para as crianças uma refeição completa. Ela tinha dezesseis anos, sabia que só sairia dali quando fizesse dezoito e ainda faltava muito. Mas também sabia que, assim que saísse, daria um jeito de contar às autoridades o que acontecia ali. Por enquanto, ficaria quieta para poder cuidar das crianças da melhor maneira que pudesse.

Um pouco antes da hora do almoço, Plínio chegou em casa. Encontrou Telma lendo na biblioteca e entrou, perguntado:

— Telma, onde está Germano?

— Está estudando em seu quarto. Trouxe o veneno?

— Sim, está aqui neste vidrinho. A dose é de dez gotas por dia.

— Não pode ser uma quantidade maior, Plínio?

— Não, Telma. Não podemos despertar suspeitas.

— Está bem, vou colocar no suco que ele toma na hora do almoço.

Estavam, conversando quando Sara chegou. Perceberam que estava muito nervosa. Ao vê-la, Telma perguntou:

— Que aconteceu, Sara, o que trouxe você até aqui? Parece que está nervosa...

Sara contou o que havia acontecido com Maria do Carmo e na decisão que ela e Sílvio tomaram.

Telma e Plínio ficaram apavorados, Plínio disse:

— Mas acredito que essa seja mesmo a melhor maneira de nos livrarmos do corpo. Tem razão, Sara, esse corpo não pode aparecer... não agora. Se já estivéssemos com a fortuna de Germano em nossas mãos, poderíamos ir embora deste país e ninguém nos encontraria, mas agora isso não é possível. Hoje à tarde iremos para o orfanato e ajudaremos vocês a colocarem em prática o que decidiram.

Sara foi embora e Germano desceu. Ao vê-lo, Telma se aproximou e, sorrindo, perguntou:

— Germano, já está pronto para o almoço?

— Sim, mamãe e estou com muita fome.

— Então vamos almoçar. Depois do almoço, eu e seu pai vamos ao orfanato.

— Gostaria de ir também e ficar com as crianças mais tempo. Quando eu era pequeno e a vovó estava viva, ela sempre me levava e me deixava ficar muito tempo brincando com elas. Depois que ela morreu, nunca mais a senhora me deixou ficar brincando com elas. Sinto saudade das crianças, principalmente da Laurinha.

— Você poderá ir quando quiser, mas hoje não. Vamos conversar sobre dinheiro e organizar a compra de alimentos. Será muito maçante. Além do mais, enquanto estivermos em reunião, as crianças estarão em aula... E só voltaremos bem tarde, à noite temos convites para passar na casa dos Mendonça.

— Está bem, mamãe, irei um outro dia. Agora vamos almoçar?

— Vamos, sim, meu filho.

Foram até a mesa que estava colocada com esmero. Sentaram-se e começaram a comer.

Assim que terminaram, Telma e Plínio foram para o orfanato.

Sara e Sílvio os esperavam. Estavam nervosos... a morte da menina não estava em seus planos. Assim que entraram, Sara, disse:

— Que bom que chegaram.

— Onde ela está, Sara?

— Está no quarto dos fundos. As crianças pensam que a levamos para o hospital.

— Qual foi a causa da morte dela?

— Não sabemos e agora não interessa... se a polícia vier a saber, poderemos ter sérias dificuldades. Sabem que este não é o primeiro caso, por isso precisamos fazer o que Sílvio decidiu.

— Tem razão, mas como faremos?

— Assim que anoitecer e as crianças forem dormir, pegamos o corpo da menina e o enterramos no fundo do quintal, naquele lugar bem lá no fundo, aonde ninguém vai.

— Se vierem a descobrir, Sílvio, não será pior?

— Não se preocupe, ninguém vai descobrir, Telma.

— Mas as crianças sabem que houve alguma coisa com a menina, Sílvio.

— Com o tempo esquecerão e, quando perguntarem, diremos que ela foi adotada por uma família, Plínio.

— Sendo assim, acredito que essa seja a melhor solução.

— Também acho, por isso, vamos continuar agindo da mesma maneira que sempre agimos. Hoje, no almoço, as crianças ficaram felizes, pois fazia muito tempo que não tinham uma comida tão boa. Vamos contratar um palhaço para que venha amanhã ou depois. Assim elas continuarão felizes e se esquecerão de Maria do Carmo.

— Ótima idéia, Sara! Vamos fazer isso. Conheço um palhaço que é muito engraçado. Eu e Sara podíamos ir conversar com ele agora, não é, Plínio? — Telma olhou para Plínio, que concordou com a cabeça.

Elas saíram em busca do palhaço. Sílvio e Plínio continuaram no orfanato, conversando sobre a melhor maneira de enterrar a menina sem despertar suspeitas.

A tarde passou e a noite chegou. Após as crianças irem para os quartos e eles comprovarem que todos realmente dormiam, foram para os fundos do quintal e entraram em um pequeno quarto que havia lá. Esse quarto era usado para guardar coisas velhas e nunca ninguém ia lá, a não ser Sílvio, uma vez ou outra, para levar uma coisa qualquer. Plínio e Sílvio cavaram um buraco fundo o suficiente para o que eles achavam ser necessário para o corpo da menina ficar totalmente encoberto. Depois foram até o quarto onde ela estava, pegaram o corpo, levaram e o enterraram. Em seguida disfarçaram o buraco com uns móveis velhos que havia por lá, colocando-os amontoados por sobre a terra mexida. Quando viram que tudo estava com uma aparência normal, saíram tranqüilos, pois sabiam que ninguém mais, por muito tempo, iria até lá.

Voltaram para o escritório, Plínio e Telma despediram-se e foram para casa.

No dia seguinte, depois do almoço, o palhaço que Sara e Telma haviam contratado veio ao orfanato e distraiu as crianças durante a tarde toda. Elas estavam felizes, até Laurinha achava que Deus havia ouvido suas preces e havia mudado a maneira de agir daqueles que deviam cuidar do bem-estar delas.

O tempo foi passando e não demorou muito para Germano começar a sentir muitas dores. Telma e Plínio, fingindo preocupação, o levaram ao médico, que, apesar de examinar o rapaz de todas as maneiras, não conseguiu encontrar o motivo daquelas dores.

Telma continuou, todos os dias, a administrar o veneno, tomando cuidado para não exceder a dose. As dores foram aumentando e Germano sofria muito com elas. Aos poucos, ele foi entrando em desespero, pois sentia que ficava mais fraco a cada dia. Telma e Plínio procuravam cercá-lo de cuidados e demonstravam preocupação, levaram o rapaz a muitos médicos e faziam questão de que as pessoas soubessem o quanto estavam preocupados. Embora Germano fosse examinado por muitos médicos, nenhum deles descobriu o que acontecia na realidade, somente Roberto, que era quem cuidava das crianças do orfanato, desconfiou. Ao examinar Germano, chamou Telma e alertou-a:

— Telma, os sintomas são de envenenamento...

— Envenenamento? Como pode ser isso, Roberto?

— Não sei, mas seria interessante se fizéssemos alguns exames para ter certeza. Pode ser que, por algum motivo, ele esteja querendo se matar e está ingerindo algum tipo de veneno.

— Fazer exames?

— Sim, são exames fáceis.

— Preciso conversar com Plínio a esse respeito...

— Está bem, faça isso, mas não pode demorar muito, pois, se realmente ele está ingerindo algum tipo de veneno, será preciso descobrir a tempo, para evitarmos que morra...

Telma conversou com Plínio, que, ao saber das desconfianças de Roberto, disse, nervoso:

— Como ele pode desconfiar, Telma? Germano passou por tantos médicos e nenhum deles desconfiou de coisa alguma!

— Não sei, Plínio, mas ele está determinado a fazer os exames...

— Não pode, Telma! Sabe que, se fizer esses exames, descobrirá que Plínio está mesmo ingerindo veneno! Precisamos encontrar uma maneira de impedir que esses exames sejam feitos!

— Não sei o que podemos fazer, Plínio... estou muito nervosa e acho que poderíamos deixar esse plano para lá e pararmos de administrar o veneno...

— Nem pensar, Telma! Sabe que a morte dele é a nossa única esperança! Se isso não acontecer, estaremos arruinados!

— Tem razão, mas Germano está sentindo tantas dores, que às vezes sinto pena dele. Ele é um bom menino, não deveria sofrer tanto...

— Se continuarmos por mais algum tempo, não vai demorar e tudo ficará bem. Ele morre, recebemos a herança e seremos felizes para sempre, meu amor.

Telma, que além de amar muito Plínio era fraca e nunca soube lhe dizer um não, conformada, concordou:

— Está bem, vou continuar administrando o veneno...

— E eu vou conversar com Roberto... sei que encontrarei uma maneira de chegarmos a um acordo.

Plínio saiu dali e foi ao hospital onde sabia que Roberto estava, entrou em sua sala e, depois de se sentar, disse:

— Roberto, estou aqui porque Telma me disse que você quer fazer alguns exames em Germano para descobrir o que está acontecendo, pois desconfia que ele está se envenenando.

— É isso mesmo, Plínio. Essa doença dele está muito estranha, precisamos descobrir o que é e, se ele estiver ingerindo veneno, impedir que continue. Acredito que, mesmo que isso esteja acontecendo, ainda é tempo para que o pior seja evitado.

— Estou agradecido por sua preocupação, mas, antes de fazermos os exames, quero te fazer uma pergunta.

— Que pergunta?

— Sei que está em sérias dificuldades financeiras, pois sua esposa perdeu muito dinheiro no jogo, não é verdade?

— Sim, sabe que é verdade, eu mesmo te contei.

— Assim como me confiou um assunto tão grave, também preciso confiar em você.

— Pode confiar, sabe que sou amigo de vocês.

— Pois bem, assim como você está arruinado, a nossa família também está e precisamos da sua ajuda para que possamos ficar bem novamente.

— Não sabia que estavam nessa situação. Sempre pagaram meu salário em dia e nunca tivemos problema algum. Mesmo tendo conhecimento de que algumas vezes me calei em relação ao que acontecia no orfanato.

— Sim, muitas vezes precisamos da sua ajuda e do seu silêncio... e agora estamos precisando novamente.

— Não estou entendendo o que está querendo me dizer...

— Mas vai entender.

Plínio contou todo o plano e terminou dizendo:

— Como vê, nossa única solução é essa. Somente com a morte de Germano poderemos recuperar nossa saúde financeira e sermos felizes outra vez.

— Não posso fazer isso, Plínio. Sou médico e fiz um juramento...

— O juramento não vai te tirar da ruína. Você é quem sabe, está em suas mãos. Sabe que muitos outros médicos examinaram Germano e não desconfiaram do envenenamento, pode fazer igual a eles e omitir o que descobriu. Se fizer isso, assim que recebermos a herança, prometo que será muito bem recompensado. A herança é enorme e todos nós nos livraremos da ruína.

Roberto pensou por algum tempo, depois resolveu colaborar:

— Está bem, farei de conta que nada descobri, mas não se esqueça do que prometeu, preciso muito desse dinheiro.

— Não precisa se preocupar, quando recebermos o dinheiro, você, assim como nós, ficará livre da ruína. Mas, antes disso, terá que nos fornecer o atestado de óbito.

— Está bem, farei isso...

Germano foi ficando cada vez pior e as dores aumentavam. O sofrimento era tanto que, no íntimo, desejava que a morte chegasse. Telma por muitas vezes chegou a ter pena e desejou parar de colocar o veneno nos sucos do rapaz, mas, depois, pensava no quanto a morte dele ia beneficiá-los e continuava.

Nos últimos dias de vida, Germano sofreu muito. Entrou em coma e ficou internado em um hospital por vários dias. E, embora os médicos tentassem tudo, foi impossível descobrirem a causa de sua morte. No enterro, Plínio, Telma, Sara e Sílvio choraram muito. O que causou muita pena a todos que ali compareceram. Enganados pelas aparências, achavam que conheciam e sabiam o quanto aquela família amava o rapaz.

Depois do enterro foram para casa e, assim que chegaram, Plínio disse:

— Agora precisamos esperar o advogado nos chamar e nos comunicar a liberação do dinheiro. Por enquanto vamos continuar fingindo e demonstrado a enorme dor que estamos sentindo.

Tranqüilamente, sentaram-se ao redor da mesa e começaram a jantar.

Em sua casa, Roberto pensava: *Está feito. Sei que não ter contado me torna cúmplice do crime, mas o que poderia fazer? Sem essa cumplicidade, estaria arruinado. Agora ao menos terei condições de me recuperar...*

E, assim como os outros, jantou e foi dormir sem remorsos.

Encontro com a verdade

Sara, a princípio ainda confusa, assistiu tudo o que acontecera no orfanato. Embora os nomes e roupas fossem diferentes, reconheceu a si mesma e os outros. Ficava cada vez mais atônita ao lembrar-se de tudo que ajudara a acontecer. Sabia que havia tomado parte em tudo aquilo. Não conseguia olhar para sua mãe e irmã, que chegaram naquele momento. Lágrimas corriam de seus olhos. Com vergonha e chorando, ela acompanhou o sofrimento de Germano e de Maria do Carmo. Com os olhos inchados e molhados, olhou para a mãe, perguntando:

— Nós fizemos isso, mamãe?

— Infelizmente, sim, minha filha. Todos usaram o direito da escolha e escolheram mal. Aqui deste lado, eu, que nessa vida também havia sido a mãe de vocês, a que havia fundado o orfanato, sofria muito ao ver o que faziam e as condições em que estava aquele orfanato, que fora criado com todo amor e sofria, principalmente, por ver o que faziam com as crianças, que já sofriam por não terem pais e, por aqueles que deveriam cuidar delas com o mesmo amor que cuidei.

— Sinto muito, mamãe. Não pode imaginar como estou envergonhada e triste.

— Sei disso, mas não terminou aí. Germano e Maria do Carmo foram trazidos, adormecidos, para cá e ficaram assim por muito tempo. Temíamos que não entendessem o que havia acontecido. Precisávamos de um tempo para escolhermos e falarmos as palavras certas quando acordassem. Precisávamos convencê-los a perdoar, mas sabíamos que era quase impossível.

— Que aconteceu conosco, Sílvio, Telma, Plínio e eu?

— Como todas as pessoas acompanharam o sofrimento fingido

de Telma e Plínio durante a doença de Germano e sua morte sem sequer desconfiar do que realmente havia acontecido, vocês receberam o dinheiro sem problema algum e com ele a vida de luxo voltou. Com tanto dinheiro, esqueceram-se do que tinham feito. O dinheiro era como entorpecente. Nunca foram descobertos por morte nenhuma, nem a de Maria do Carmo, nem a de Germano. No orfanato, agora com medo de que houvesse uma investigação e fossem descobertos, Sara e Sílvio providenciaram para que as crianças fossem bem alimentadas e contrataram até uma professora. Eram bem vistos pela sociedade, que continuou ajudando o orfanato. Como previram, as crianças, sentindo-se bem tratadas e acreditando que Maria do Carmo estava feliz na casa que a havia adotado, aos poucos foram se esquecendo dela.

— Isso não é justo, mamãe! Não podíamos ter ficado impunes! Deveríamos ter sido descobertos e recebermos o castigo merecido! Os crimes que cometemos foram horríveis! Nunca poderia imaginar que havia feito uma coisa como essa!!

— Tem razão, não é justo, mas aconteceu. Ficaram impunes e puderam usufruir sem qualquer remorso daquele dinheiro... e tinham cometido até crimes para se apossar dele...Mas, embora tenham ficado impunes perante os homens, para Deus não existe impunidade ou castigo, apenas justiça.

— Não entendo o que está dizendo. Como não tem castigo? Deus foi conivente com todo o mal que praticamos?

— Não, nem por um minuto. Quando Ele nos criou nos deu o livre-arbítrio para que nós mesmos pudéssemos ter a vida que escolhêssemos.

— Ainda continuo achando que isso não está certo. O que acontece quando escolhemos mal ou usamos o nosso livre-arbítrio para o mal?

— Estamos nós mesmos escolhendo a punição e a vida que teremos em uma próxima encarnação.

— Laurinha me falou alguma coisa a esse respeito, mas confesso que, apesar de achar que algumas coisas poderiam ser certas, nunca prestei muita atenção. Tinha problemas maiores como a violência de Sílvio e a proteção que precisava dar aos meus filhos.

— Sei disso, mas alguma coisa você, mesmo sem saber, guardou.

— Vi que Laurinha foi uma das meninas que moravam no orfanato! Por que ela veio a ser minha vizinha e me ajudou tanto?

— Laurinha morava no orfanato porque também havia escolhido a vida que teria. Em uma vida anterior, teve uma família carinhosa que só se preocupou no seu bem-estar, em lhe dar tudo que a fizesse feliz. Ela nunca deu valor e só os fez sofrer. Nessa vida, pediu para ser órfã e, assim, aprender a dar valor a uma boa família.

— É assim que funciona, mamãe?

— Sim, Sara, e é aí que está a justiça de Deus. Ele sempre nos dá o livre-arbítrio, mas também nos mostra as conseqüências das nossas escolhas.

— Então o crime que cometemos teve sua justiça e conseqüências?

— Claro que sim. Apesar de todo dinheiro, luxo e o respeito que tinham das pessoas, um a um foi morrendo e retornando à casa do Pai. Como haviam cometido vários crimes e eram muito apegados ao dinheiro, foram enviados para o vale e lá ficaram por muito tempo, sofrendo assustados com imagens de monstros que eram criados pela imaginação. Ficaram separados e em vão procuravam um pelo outro. O sofrimento de vocês foi imenso. Viam diante de si, embora eles não estivessem lá, Maria do Carmo, Germano e tantas outras crianças que maltrataram. Essas imagens os atormentavam constantemente. Sofreram ao perceber que, ali onde estavam, aquele dinheiro pelo qual haviam feito toda sorte de maldades não tinha valor algum. Descobriram, através de muito sofrimento, que não importa que sejamos ricos ou pobres, humildes ou possuidores de todo poder, respeitados ou não pela sociedade, todos, um dia, teremos de retornar e enfrentar nossa própria consciência e que, se existe alguém, além de Deus, a quem não podemos enganar, esse alguém somos nós mesmos. O dia do acerto chega, mais cedo ou mais tarde, e dele ninguém pode escapar.

— Isso causa medo, mamãe...

— Não é para causar medo, minha filha, é para se pensar muito bem nas nossas ações e nos rumos que tomamos. Precisamos estar conscientes de que, boa ou má, cada uma delas terá sua reação.

— Que aconteceu depois, mamãe?

— Nesse meio tempo, Maria do Carmo e Germano foram despertados e tomaram conhecimento do que havia acontecido. A primeira reação deles foi de revolta e ódio, mas conversamos muito e os fizemos entender que vocês estavam caminhando e ainda em um estágio de evolução em que, como todos, tinham seus erros e acertos. Também os lembramos do longo tempo de caminhada em que todos vocês estavam juntos e das muitas coisas que já haviam passado e que, por isso, deviam perdoá-los — e contou à filha as atitudes que Germano tinha tido naquele despertar.

Era como se Sara o ouvisse dizendo:

— Eles praticaram todos esses crimes e saíram impunes! Como quer que nós também os perdoemos? Eles impediram que continuássemos na Terra e, assim, cumpríssemos a nossa missão!

— Até um certo ponto você tem razão, mas não podemos nos esquecer que tudo que acontece tem seu motivo. Realmente, vocês pediram para nascer e a sua principal missão seria ficar novamente sob responsabilidade deles, para que pudessem se redimir de erros passados, mas, também desta vez, não a cumpriram; por isso não havia necessidade de vocês continuarem lá. Eles haviam enganado os homens e não foram punidos por isso. Mas da justiça de Deus não teriam como escapar. Depois de muito tempo e como já eram companheiros de outras jornadas e vocês os amavam, entenderam e esperaram até o dia em que eles retornassem definitivamente, mas sabíamos que, para isso, teriam de se arrepender... e isso demorou muito tempo. Daquele dia em diante, ficamos sempre perto deles, esperando o momento em que, finalmente, entendessem e se arrependessem do que haviam feito e, assim, poderiam ser resgatados.

Nessa altura, Sara perguntou a mãe:

— Maria do Carmo e Germano fizeram isso? Conseguiram perdoar, mamãe?

— Sim, não só perdoaram como, com a nossa ajuda, foram resgatar vocês naquela vida. São espíritos que já aprenderam o valor do amor, da amizade e do perdão e sabem que todos somos passíveis de erros. O tempo passou e conseguimos resgatá-los um a um. Voltaram humilhados e sofrendo muito pelo remorso. Depois que todos estavam aqui, permitimos que se reencontrassem. Esse encontro, a princípio foi emocionante, vocês se abraçavam e choravam uns nos braços dos outros, mas, de repente, tudo mudou e um acusava o outro pelo fracasso. Você acusava Sílvio por ter sido tão violento e ele por você nunca ter tentado evitar. Telma acusava Plínio por ter articulado tudo e ele, igualmente a ela por não ter se colocado contra. Brigaram muito e deixamos, pois sabíamos que aquele momento era necessário e importante. Depois de muito discutirem, chegaram, finalmente, à conclusão de que todos tinham sua parcela de culpa e de que não adiantava continuar com aquela discussão e, sim, tinham de pensar em uma maneira de resgatar todos os erros cometidos. Pediram uma nova chance. Nesse momento em que pediram uma nova chance, a porta se abriu e por ela entraram Germano e Maria do Carmo. Vocês, ao vê-los, tentaram se esconder, envergonhados, mas eles se aproximaram. E foi assim:

Germano, primeiro olhando nos olhos de Plínio e depois nos de Telma, perguntou:

— Por que fez aquilo, mamãe?

Telma ficou sem saber o que responder. Ele voltou a perguntar:

— Por que fez aquilo, mamãe?

— Perdão, Germano, foi por medo da pobreza e por ganância, mas estou muito arrependida e prometo que, se Deus me der uma nova chance, vou te receber como filho e farei o possível e o impossível para que seja feliz... e eu te darei todo o amor que te neguei, serei a melhor mãe do mundo!

— Promete isso?

— Claro que sim, aprendi muito durante o tempo em que estive no vale, longe de todos e, por isso, com muito tempo para pensar. Você será muito feliz ao meu lado, filho...

Ela chorava muito enquanto dizia isso. Ele abriu os braços, os dois chorando, abraçaram-se e Telma beijava com carinho todo o rosto dele. Plínio se aproximou e também chorando os abraçou e disse:

— Te peço perdão, Germano e também prometo que estarei ao lado de Telma e que também farei tudo para que sejamos felizes.

— Ficaram ali por muito tempo abraçados e chorando. Maria do Carmo olhou para você e para Sílvio que, desde que ela entrou na sala, não tiveram coragem de encará-la. Ela se aproximou e, com a mão, levantou o seu rosto e depois o de Sílvio, dizendo: " Posso imaginar tudo o que passaram e como estão neste momento. Já senti muito ódio, mas hoje não. Sinto que aprenderam e extensão de seus erros e quem sou eu para julgar. Eu os perdôo por tudo que fizeram e pedi uma nova chance de nascer novamente e na casa de vocês. Eu e Germano temos uma missão importante para cumprir.

Lutaremos contra todo tipo de violência, mas, para que isso aconteça, precisamos renascer".

— Você e Sílvio a abraçaram e juntos choraram muito. Depois, você pediu perdão a Maria do Carmo e prometeu que a receberia como filha e, junto com Sílvio, lhe daria o melhor lar do mundo. E que iria ajudá-la, para que, ao lado de Germano, ela conseguisse cumprir sua missão.

— No final tudo ficou bem, mamãe?

— Sim, no que se tratava do perdão. Mas nem tudo seria fácil como imaginavam, pois, embora houvessem se reencontrado, tudo estivesse esclarecido e o perdão fora dado, a justiça não havia se cumprido. Tiveram muito tempo para pensar e decidiram que teriam de passar por tudo o que infligiram aos outros Por isso escolheram voltar juntos e, desta vez, conseguiriam não errar nas escolhas. Viveriam em lares violentos e, cada um à sua maneira, lutariam contra os erros. Eu e alguns amigos nossos, que somos seus companheiros de várias jornadas, nos propusemos a voltar e ajudar vocês em tudo que fosse possível, para, desta vez, conseguirem vencer seus instintos. Eu voltaria e novamente seria sua mãe. E, com meu exemplo, você aprenderia a se defender e não aceitar a violência. Você teria um marido violento e sentiria na pele a dor que a violência causa. Eu deveria te ensinar a lutar contra isso a se impor. Eu faria minha parte, o resto seria por sua conta. E assim fiz, Sara, mas você não, você permitiu que Sílvio continuasse sendo o mesmo violento de sempre e, novamente, nada fez para impedi-lo, a não ser ficar se lamentando e chorando pelos cantos.

— Mas o que eu poderia ter feito, mamãe? Não tinha uma profissão, não tinha como manter a mim e aos meus filhos...

— Não seria fácil, mas, com a ajuda de Deus e de seus amigos que aqui ficaram, com um pouco mais de empenho você conseguiria. As portas seriam abertas, uma oportunidade de trabalho surgiria e você continuaria com seus filhos longe da violência... Mas você preferiu se acomodar àquela situação.

— Sinto muito, mamãe, por ter falhado outra vez...

— Bem, mas agora está feito. Terá outras chances, tantas quantas forem necessárias, porque Deus nos conhece a todos, e muito bem... Sabe que não somos perfeitos e, também, que temos toda uma eternidade para chegarmos à perfeição.

— Tem certeza disso que está falando?

— Claro que sim e a prova é que Ele sempre nos dá o direito de escolher como precisamos agir para nos redimirmos dos erros cometidos.

— Como assim?

— Você e Telma, por virem de um lar sem problemas e por terem sido criadas no luxo e feito todo tipo de desmandos para continuarem assim, desta vez decidiram que nasceriam em um lar violento, seriam pobres e ficariam sozinhas sem a companhia das mães, que seriam as pessoas em quem mais confiariam. Isso aconteceu com você e, agora, com Telma. Assim como, quando morri, aconteceu com você, também ela está se sentindo sozinha e desesperada com a sua falta. Não sabe, como você não sabia, que está passando exatamente pela mesma sensação de abandono que Germano e também as crianças do orfanato sentiam sem os pais.

— Pobre filha, se eu estivesse viva e visse isso acontecer com outra pessoa, não entenderia e acharia que Deus não é justo. Mas hoje, depois de tudo que sei, entendo a oportunidade que Ele está dando para que Telma, assim como aconteceu comigo, aprenda na própria carne.

— Deus não erra nunca, minha filha.

— Tem razão, mamãe. Mas poderei ver Telma de vez em quando, não é?

— Claro que sim, assim como fiz várias vezes com você, poderá lhe intuir e ajudar no que for possível, só não poderá interferir no seu livre-arbítrio.

— Estou pensando... me parece que há algo mais que não está dando certo...

— Sim, muitas coisas, mas o que está pensado agora?

— Telma e Plínio se encontraram, mamãe, mas foi tarde demais, ele está casado com outra...

— Sim, encontraram-se e tiveram a chance de ficar juntos, mas, desta vez, por culpa da ganância dele, isso não aconteceu. Além de continuar o mesmo ganancioso de antes, julgou que a sua condição de homem lhe dava o direito, mais uma vez, de enganar e mentir. E, infelizmente, outra vez, Telma se deixou envolver e Germano foi concebido.

— O que está dizendo, mamãe, Telma está esperando um filho de Plínio?

— Não mais, ela o abortou e é por isso que precisamos da sua ajuda. Germano desta vez está mais revoltado e não quer perdoá-la. Precisamos tentar convencê-lo a lhe dar uma nova chance. Tentamos, mas até agora ele não aceita nossos argumentos. Está irredutível, diz que vai grudar-se ao corpo dela, o que poderá trazer a ela doenças graves.

— Nada pode ser feito para evitar que ele faça isso?

— Somente a nossa persuasão, porque, pela Lei, ele tem esse direito. Precisamos convencê-lo, mais uma vez, que mesmo tendo o direito, não deve fazê-lo, pois isso só atrasaria a sua própria evolução.

— Como é complicado, mamãe...

— Não é complicado. Nós é que complicamos, com nossa ansiedade. Bem, agora que já sabe do passado, precisamos nos reunir novamente e tentarmos acertar essa situação.

— Como poderemos fazer isso, mamãe? Eles terão de morrer para podermos nos encontrar?

— Não, ainda não chegou a hora deles. Precisam ficar na Terra por muito tempo e, cada um a seu modo, tentar cumprir sua missão.

— Então, como é feito?

— Neste momento, Sara, é noite alta e todos estão dormindo. Alguns amigos nossos já os estão trazendo para cá.

— Trazendo, mamãe?!

— Sim, enquanto dormem, o espírito se desprende do corpo, fica ligado apenas por um fio prateado. Sendo assim, podem se locomover e aí é que são levados para vários lugares. Alguns para salas de aula, onde aprendem e recebem forças para continuar. Outros, para ajudar nas equipes de cura. Muitas doenças são curadas durante a noite, sem que a pessoa saiba. Outros, para receberem ajuda em seus momentos de tristeza ou depressão. O corpo dorme, mas o espírito não. O espírito está em eterna evolução.

— Por que, quando a gente acorda, não se lembra?

— Porque não é necessário, mas sempre fica uma leve lembrança. A isso é que se dá o nome de sonho.

— Está dizendo que o sonho é uma vivência do espírito?

— Sim, Sara. Quanto mais intensa foi essa visita, mais intensa será a lembrança. As pessoas não sabem que, muitas vezes, enquanto dormem, prestam serviços maravilhosos para a espiritualidade. Se prestar atenção, perceberá que, muitas vezes, ao acordar pela manhã, muitas idéias surgem; ou encontra-se a solução para algum problema.

— Está errado a gente não saber de tudo que acontece aqui...

— Não é errado, Sara, só não é necessário. Independente de saber ou não, o espírito está em constante evolução, não importando sua classe social, sua crença ou sua origem, todos são filhos do mesmo Deus e a todos Ele ama igualmente.

Estavam conversando quando, para surpresa de Sara, apareceram na sala Telma, Plínio, Sílvio e Roberto. Pareciam um pouco adormecidos, mas foram abrindo os olhos aos poucos e viram-se naquele lugar que, para todos, era estranho. Telma, ao ver a mãe, gritou:

— Mamãe! A senhora está aqui? Tenho sentindo tanto a sua falta! Por que abandonou a gente?

Sara abriu os braços e ambas, chorando, abraçaram-se com saudade e ternura.

— Também me assustei quando me vi aqui, minha filha, mas agora entendo qual foi o motivo de ter partido tão de repente. Estou feliz por te ver novamente. Como está tudo lá em casa? As crianças estão bem, Sílvio está batendo nelas ou em você?

— Está tudo bem, mamãe. Papai, desde o dia em que a senhora se foi, mudou completamente, nunca mais brigou nem bateu em ninguém — Telma resolveu não falar sobre Dirce.

Sílvio, que seguia a conversa das duas, disse:

— Sara, que lugar é este? Como você está aqui? Você morreu! Quem são essas pessoas?

Sara voltou-se para ele e, sabendo de todo o passado, respondeu:

— Minha mãe e minha irmã, que você não conheceu, Sílvio. Elas estão aqui para ajudar a gente. Estou feliz por te ver e por saber que está se portando bem com as crianças.

Plínio, que assim como os outros estava confuso, interrompeu a conversa mesmo antes de Sílvio dizer qualquer coisa:

— Telma, que está fazendo aqui com seus pais? Está querendo me obrigar a assumir a criança que está esperando? Sabe que não posso fazer isso, que sou casado e já tenho um filho!

Telma, emocionada e feliz por rever a mãe, continuava com lágrimas correndo por seu rosto. Ao ouvir a voz de Plínio, voltou-se para ele, dizendo:

— Você não precisa se preocupar, não tem que assumir o nosso filho, ele não existe mais. Fiz o que me sugeriu, fui a um lugar e tirei a criança que ia nascer.

— Ainda bem que você resolveu tudo, porque quando me vi aqui e ouvi você dizendo que são seus pais, me assustei. Pensei que havia me colocado em uma armadilha.

— Nada está bem, Plínio, ao contrário está muito complicado — foi Rita que respondeu.

— Complicado por quê? Se essa criança não existe mais, também não existe mais preocupação.

— Essa criança existe, sim, e está muito revoltada.

— Como existe, Telma, você não disse que a tirou?

Telma olhou para Rita e disse:

— Não pode ser! Sei que a tirei e quase morri por ter feito isso...

— Telma, mesmo vendo sua mãe, não acredita que há vida após a morte? Essa criança existe sim e tem o nome de Germano. Está revoltado com vocês e quer vingança, por não terem cumprido uma promessa, e é por isso que estão aqui.

— Não estou entendendo...

— Nem eu, mamãe, a senhora não morreu?

— Sim, Telma, mas descobri que a morte não existe e que nunca estive mais viva do que agora.

— Não pode ser... — era Sílvio quem falava.

— Pode, sim, e é, Sílvio.

— Sei que todos estão confusos, mas essa confusão vai terminar agora. Fechem os olhos e terão todas as respostas.

Todos, confusos mas querendo respostas, fecharam os olhos e viram-se, primeiro, naquela sala do orfanato, no momento exato em que Sílvio saía para castigar Maria do Carmo e, depois, pela manhã, quando ele constatou que ela havia morrido. Na seqüência, viram o momento em que planejaram como seria o seu enterro e, logo depois, já estavam na casa de Telma e viram quando ela colocou o veneno em um copo com suco, fazendo que Germano o tomasse. E viram, como num carrossel, toda a agonia dele, até sua morte. E presenciaram a morte de cada um, a ida para o vale, todo sofrimento, o arrependimento e o resgate feito por Germano, Maria do Carmo e Rita. Viram a conversa que tiveram com Germano e a promessa que Telma e Plínio lhe fizeram.

De repente, já haviam voltado para a sala onde estavam Sara, Selma e os amigos que os tinham trazido até ali. Olharam-se, e como se uma força interna invisível os comandasse, começaram a chorar. Telma foi a primeira que falou:

— Plínio, fizemos isso mesmo! Estou me lembrando!

— Fizemos, sim. Matamos Germano e, agora, tornamos a matar. Como pudemos fazer isso, Telma?

— Não sei... não sei...

— Simplesmente porque pensaram que o dinheiro era o mais importante e que, com ele, poderiam comprar tudo — disse Rita.

— Mas o dinheiro é importante. Sem ele não se vive...

— Sei disso, Telma, mas ele não pode se tornar o motivo de um crime. É hora, no entanto, de esquecer esse tempo que já passou. Precisamos pensar no presente e no que faremos para corrigir os erros cometidos agora.

— Eu não tinha como assumir essa criança! Eu estou casado!

— Mas, quando encontrou Telma, ainda não estava, Plínio. Na encarnação passada, você também enganou, mentiu e se aproveitou da boa fé das pessoas. Com sua ganância, chegou às mais tristes conseqüências! Matou Germano, que Deus havia te confiado e que deveria ser tratado como um filho, com carinho e amor. Nesta, apesar de ter prometido mudar, e de achar que não participou diretamente, ajudou para que ele novamente fosse morto.

— Não consigo entender essa teoria. Se era para eu ser pai dele, porque me fizeram conhecer Luísa e permitiram que eu me casasse com ela e tivesse um outro filho? Estou achando que, se tudo isso que disse for verdade, vocês passam o tempo todo nos testando!

— Tudo que acontece tem sempre um motivo, Plínio. Isto não foi mostrado, mas Telma foi a primeira que morreu. Luísa era amiga de Telma, mas sempre foi apaixonada por você e, assim que te viu sozinho, insinuou-se, você se deixou envolver e começaram a conviver. Ficaram juntos por algum tempo, mas logo se separaram, pois você, ao lado dela, transformou-se em um homem violento. Nesta vida, iriam se encontrar, mas não ficariam juntos. Quando conheceu Telma, ainda não havia se casado e sabia que não gostava de Luísa... Mas outra vez a sua ganância falou mais alto e o seu mau-caráter também. Viu em Telma uma presa fácil... e em Luísa, a oportunidade de se tornar um homem rico. Seus pais morreram quando você era ainda uma criança, mas não ficou no abandono. Roberto e Nadir cuidaram de você e tiveram muito amor e carinho na sua criação. Nesta vida, você teria que lutar contra o seu mau-caráter e a sua ganância... e, por enquanto, isso você não conseguiu. Como sempre teve muita influência sobre Telma, também desta vez mentiu e enganou. E ela, que sempre foi covarde, não resistiu e praticou o mesmo crime outra vez.

— Então, a culpa não foi minha, foi de Telma! Ela que foi covarde, não eu! Sou homem, quem tem que se cuidar é a mulher! Ela é responsável pelo filho!

— Aqui não existem homens ou mulheres, existem apenas espíritos. Vocês eram responsáveis por Germano e, por culpa dos dois, ele não nasceu. Agora está revoltado e disposto a tudo.

— Se são tão poderosos, podem evitar isso! Deve existir uma maneira de não permitir que ele continue com esse sentimento de vingança. Se quiser, posso até recebê-lo como filho, só que com Luísa, que é minha mulher verdadeira!

— Você já está, novamente, tentando barganhar e me envolver em seus truques, mas isso não será possível. Germano era responsabilidade sua e de Telma. Agora, talvez ele demore um pouco para renascer. Antes precisará ser tratado e, para que esse tratamento comece, é necessário que novamente ele exerça o perdão. Você ainda continua o mesmo de sempre, Plínio, mas terá muito tempo para se redimir. O tempo conserta tudo.

Rita voltou-se e, ao ver Sara e Sílvio abraçados e chorando, disse a eles:

— Estão chorando por terem se lembrando de tudo?

— Sim, mamãe, e também por Telma não ter me contado o que estava acontecendo. Se tivesse feito isso, eu poderia ter evitado que ela fosse obrigada a fazer o que fez. Por que não confiou em mim, Telma?

— Fiquei com vergonha, mamãe, achei que a senhora não ia entender. Quando resolvi lhe contar, já era tarde, foi no dia em que a senhora morreu. Perdão, mamãe, sei que está decepcionada comigo...

— Não estou decepcionada, Telma, mas muito triste. Você não devia ter feito o que fez, minha filha.

— Sei disso, mas não tinha outra solução. A senhora, mais do que ninguém, sabe como papai é violento. Ele nunca ia aceitar...

Rita interferiu:

— Agora já está feito e não adianta ficar lamentando. O que precisamos fazer é tentar consertar.

— Mamãe, a Maria do Carmo está com Germano?

— Não, Sara, ela está renascida e dormindo.

— Por que ela não está aqui?

— Não havia necessidade que viesse. Ela perdoou vocês e está feliz.

— Ela renasceu? Mas a senhora disse que ela seria minha filha outra vez...

— Ela é sua filha...

— Sueli?! A Sueli é a Maria do Carmo?

— Sim, e tem uma missão muito importante...

— Que bom, mamãe, ao menos não falhei na minha promessa...

— Sim, Sara, ainda bem! Mas agora vamos nos preparar e fazer uma oração para que toda luz e proteção venham até nós e nos ajudem a convencer Germano.

Fecharam os olhos e acompanharam as palavras de Rita.

— Senhor nosso, Pai. Sei que nos conhece e sabe que estamos aqui reunidos porque conhecemos nossas falhas e estamos tentando resgatá-las. Sabemos que são muitas, mas sabemos também o quanto nos ama e, por isso, estará sempre de braços abertos para nos receber, não importando o tempo que demore. Ajude-nos a bem cumprir a nossa tarefa. Faça com que os bons sentimentos de Germano possam aflorar e que ele supere todo o ódio, a mágoa e a dor que está sentindo, e que, novamente, ele use do perdão e dê uma nova chance para que Telma e Plínio também possam ter uma outra chance. Obrigada, Senhor.

Quando Rita terminou sua oração, abriu os olhos e viu que todos estavam compenetrados e deixando que as lágrimas caíssem por seus rostos. Entendeu aquele momento e, confiante, disse:

— Estamos prontos. Agora, só depende de cada um e da reação de Germano.

Rita caminhou na frente, pisando com passos firmes. Eles a acompanharam e foram até um dos quartos que havia ali. Quando entraram, viram Germano sentado em um dos cantos do quarto. Seus olhos estavam vermelhos e com grandes olheiras pretas. À sua volta, vultos que riam e falavam sem parar. Todos sentiram medo e pararam onde estavam, sem coragem de se aproximar. Somente Rita continuou e chegou até ele, falando com a voz firme:

— Germano, olhe quem está aqui.

Germano, com dificuldade, olhou para o ponto que ela indicava e, ao ver Telma e Plínio, gritou:

— Vocês!? Que estão fazendo aqui? Vieram rir da minha desventura? Não estão satisfeitos com todo o mal que me fizeram?

— Não, Germano, eles não estão aqui para isso, estão aqui porque precisam conversar com você.

— Conversar, o quê, vovó? Não tenho o que conversar com eles! Podem ir embora e me deixar aqui, mas não pensem que os esqueci, me vingarei de cada um! Disso podem ter certeza! Odeio todos vocês! Odeio, entenderam?

— Entendemos que você está nervoso e sabemos que tem o direito de estar assim, mas também sabemos que o ódio e o rancor só nos fazem ficar infelizes, Germano... — era Rita quem falava — é melhor você ouvir o que eles têm para dizer e, no final, se ainda assim não quiser perdoar, eles irão embora e você poderá fazer o que quiser...

— Não temos o que conversar. Já está feito e, mais uma vez, me enganaram, mentiram para mim!

— Meu querido, precisa entender que, quando estamos renascidos, é muito difícil aceitarmos a vida que nós mesmo escolhemos, e mais difícil ainda é cumprirmos nossas promessas.

— Não sei se é difícil, só sei que por muitas vidas eles me enganaram e continuarão enganando! Mas agora chega, não quero mais confiar neles, só quero a minha vingança!

— Sabe que tem o direito de fazer isso, mas também sabe que o perdão é a melhor solução para tudo. Converse com eles, deixe que eles lhe expliquem o que os levou a fazer o que fizeram...

— Não quero conversar, muito menos saber os motivos. Sei que, se me amassem como disseram da última vez, não haveria empecilho algum! Estou cansado e com muito ódio!

— Converse comigo, Germano. Preciso que me perdoe, eu estava em uma situação muito difícil e não tinha como deixar que você nascesse, não agora... Mas prometo que, assim que tudo estiver bem, se você quiser, poderá nascer e será muito amado. Se eu soubesse de todas as conseqüências que teria com a minha atitude, teria sido diferente... mas não sabia, Germano. Preciso que me perdoe por esta e pelas outras vezes que te fiz sofrer...

— Não quero mais conversar com você, Telma, nem com ninguém! Não quero mais ouvir mentiras! Só quero ficar sozinho, me deixem em paz, por favor!

Telma olhou para Rita. Estava triste e amargurada, mas não tinha mais argumentos, sentia que o ato que praticou tinha, sim, suas conseqüências e entendia o sofrimento de Germano. Rita, também desolada, disse:

— Nosso tempo está terminando, em poucos minutos vocês despertarão. Está na hora de irmos. Outro dia voltaremos e continuaremos essa conversa. Germano terá tempo para refletir e entender que ninguém tem o direito de julgar nem de atirar a primeira pedra. Agora, vocês seguirão ao lado desses companheiros queridos que foram buscá-los. Confiemos na bondade e justiça de Deus.

Telma, Plínio, Sílvio e Roberto, desolados e entendendo todo mal que fizeram nas suas encarnações, mas percebendo que nada mais poderiam fazer, acompanharam as entidades que os tinham levado até lá.

Depressão

Telma despertou e lembrou-se vagamente... *sonhei com minha mãe, ela estava linda! Mas tinha outras pessoas com ela, quem eram aquelas pessoas? Acho que vi meu pai, o Plínio e o doutor, não consigo me lembrar do sonho. Que estranho...*

Ouviu um barulho de panelas e isso bastou para, irritada, lembrar-se... *aquela mulher está aí tomando o lugar de minha mãe! Dona Laurinha disse que tenho de aceitar, ao menos até me formar e conseguir receber um salário melhor, mas como vou conseguir? Como vou aceitar essa mulher, sabendo que foi por causa dela que meu pai maltratou tanto a gente e principalmente minha mãe? Não sei se vou conseguir! Eu odeio os dois! Vou conversar com o doutor e, com essa mulher aqui em casa, posso voltar ao meu horário normal de trabalho. Assim... trabalhando o dia inteiro e indo à escola à noite... terei pouco tempo para conviver com eles! Vou tentar me acostumar com a idéia, pois sei que será por pouco tempo.*

Levantou-se, vestiu-se e, calada, passou pela cozinha, saindo sem dar bom-dia ou se despedir. Dirce e Sílvio tomavam café e viram quando ela saiu. Dirce olhou para Sílvio, dizendo:

— Não tem jeito, Sílvio. Ela não vai me aceitar nunca...

— Mas terá de aceitar! Esta casa é minha e sou eu quem manda aqui!

— Sei que a casa é sua, mas era de sua mulher também e Telma tem razão de estar assim, perdeu sua mãe de uma maneira inesperada, fez uma agressão contra seu corpo e contra si mesma. Sem ser avisada, está sendo obrigada a me receber aqui em sua casa! Ela tem seus motivos, Sílvio, tem mesmo. Na situação dela, talvez eu estivesse sentindo o mesmo...

— Também entendo, mas ela terá de se conformar. Não sei, Dirce, mas parece que sonhei com Sara. Ela estava chorando e eu acordei não me sentindo muito bem. Estou com uma sensação estranha.

— Que sensação?

— De que ela quis morrer para se livrar da minha presença...

— Ora, ela morreu porque chegou a hora, você não tem nada a ver com isso. Agora tome seu café. As crianças, daqui a pouco, estarão acordando.

Sílvio tomou café e foi para o trabalho. No caminho, pensava no sonho... *vi Sara chorando e parece que eu chorava também... Que lugar era aquele? Parecia uma casa muito grande e acho que vi muitas crianças. Será que Sara está no céu? Deve estar... ela, apesar de tudo, sempre foi uma boa esposa e mãe...*

Telma chegou no escritório e todos a receberam com muito carinho. Pensavam que ela havia sido operada de apendicite. Foi para sua sala e viu que sobre sua mesa havia muitos papéis. Organizou-os, vendo o que eram, e começou a trabalhar. Por ter muito trabalho, a manhã passou rápida.

Quando Roberto chegou, Telma foi até sua sala, bateu de leve e entrou. Ao vê-la, Roberto estranhou:

— Telma, o que está fazendo aqui? Sabe que tem mais alguns dias para ficar em casa.

— Sei, sim, doutor, mas estou me sentindo bem e já posso voltar ao trabalho.

— Embora ache que é um pouco cedo, não posso negar que estou contente com sua volta. Como já pode ter visto, o trabalho está todo atrasado.

— Percebi, mas não se preocupe, logo estará tudo em ordem. Quero comunicar ao senhor que, a partir de hoje, vou trabalhar no meu horário normal.

— Não estou entendendo... quem vai cuidar da sua casa e das crianças?

— Meu pai trouxe, para dentro de casa, uma mulher que vai se encarregar de todo o trabalho e das crianças, também.

— Isso é muito bom, você já tem muitos compromissos com o trabalho e a escola.

— Isso é verdade, mas eu não estava me queixando, estava dando conta de tudo, sem problema algum.

— Parece que não está contente com a presença dessa mulher.

— Não estou mesmo, mas, como tudo em minha vida, não tenho opção, vou ter que suportar a presença dela.

— Não sei o que está acontecendo em sua casa, mas você está se preparando muito bem e logo terá outras opções. Não se preocupe, a vida é mesmo assim, sempre nos prepara armadilhas, acho que é só para ver até onde agüentamos.

— Tem razão, mas vou agüentar tudo até ter meu diploma nas mãos.

— Sei disso... e depois vai ter um escritório como o meu, com placa e tudo — Roberto disse, rindo.

— É isso mesmo, doutor — Telma falou, também rindo.

— Está bem, não pode imaginar o quanto desejo que consiga seu diploma e, com ele, a sua independência financeira. Agora pode ir, tem muito trabalho.

Obedecendo o convite, Telma saiu da sala do doutor e foi para a sua. Tinha mesmo muito trabalho.

Passou o dia inteiro pondo em ordem o trabalho atrasado e à noite foi para a escola. Tinha faltado a muitas aulas e precisou pedir as matérias aos colegas, para poder recuperar o perdido.

Os dias foram passando. Ela comprou um despertador e colocou na prateleirinha que havia na parede perto da sua cama, onde agora também Sueli dormia. Assim poderia acordar antes de todos e ir embora, sem ter que encontrar seu pai e, principalmente, Dirce. Só sentia falta era dos irmãos, pois não almoçava mais em casa e, à noite, quando voltava da escola e preparava sua marmita para o dia seguinte, todos estavam dormindo.

O tempo todo lembrava-se de sua mãe e do que sonhara e, todas as noites, pedia para sonhar com Sara outra vez. Mas isso nunca mais aconteceu.

A vida foi continuando e parecia que tudo estava bem. Mas uma manhã, ao acordar, Telma sentiu uma tristeza inexplicável e, sem saber por que, começou a chorar enquanto pensamentos tristes teimavam em não sair de sua cabeça: *De que adianta continuar vivendo, trabalhando e estudando tanto? Que tipo de vida estou tendo? Para que continuar levando essa vida sem sentido, se, quando me formar, pode acontecer o mesmo que aconteceu com minha mãe, posso morrer... acho que não vale a pena continuar vivendo nem esperar que a morte chegue. Dona Laurinha disse que a vida lá do outro lado é bem melhor que aqui e que lá é o nosso verdadeiro lar. Acho melhor morrer... poder encontrar minha mãe e ser feliz ao lado dela... acho melhor me matar para adiantar essa hora e me afastar desta vida que não me deu nada...*

Levantou-se e começou a se vestir, mas aquele pensamento não a abandonava: *tenho mesmo que encontrar uma maneira de me matar, não quero mais continuar vivendo assim...*

Foi para o escritório e, como todos os dias, foi recebida com carinho por todos, mas não sentiu vontade de conversar com ninguém, queria ficar sozinha e, daquele dia em diante, tornou-se uma pessoa cada vez mais triste e amarga, não lembrava, nem de longe, aquela Telma que todos conheciam, cheia de vida e de esperança. Ela não sabia, mas Germano, cheio de ódio estava o tempo todo a seu lado e dizendo: *É isso mesmo, para que quer continuar vivendo? Você tem de se matar e, assim, vir para o meu lado. Estou aqui junto de você e ficarei até o dia em que se decida a morrer e, nesse dia, estarei te esperando e te atormentarei para sempre. Você não perde por esperar, Telma, não perde mesmo!*

Telma não ouvia, mas sentia sua presença e, nessas horas, começava a chorar sem conseguir se controlar. Mudou muito, só queria ficar sozinha, não queria conversar com ninguém e, nas horas em que não estava trabalhando ou na escola, só queria dormir. Em sua mente apareciam várias maneiras que poderia usar para se matar. Ela pensava, mas ainda não havia escolhido uma que tivesse coragem de praticar. Germano, sempre ao seu lado, dizia: *É isso mesmo que tem de fazer, Telma! Pode se jogar na frente de um carro, se enforcar... ou tomar veneno, como fez comigo!* Nessas horas, ela sentia uma enorme vontade de fazer exatamente aquelas coisas e, vencida pelo cansaço, adormecia.

A mudança dela foi tanta, que os colegas de trabalho e da escola perceberam. Uma manhã, Marieta se aproximou:

— Telma, tenho notado que você não está bem. Está

acontecendo alguma coisa? Está sempre triste, cansada, e parece que tem chorado muito. Seus olhos estão inchados e com olheiras profundas. Que está acontecendo, minha amiga? Sabe que pode confiar em mim, que pode me contar qualquer coisa. Já dei provas da minha amizade...

Germano ao ouvir aquilo, começou a gritar no ouvido de Telma: *Não pode confiar nela! Foi ela quem fez com que você me matasse! Foi ela quem te deu a idéia e te levou naquele lugar! Ela não gosta de você! Nem ela nem ninguém! Você não vale nada, precisa mesmo morrer!*

— Você não é minha amiga, Marieta, e é culpada por tudo que fiz!

— Que está dizendo, Telma?

...foi ela, sim, quem te levou naquele lugar e te obrigou a me matar! dizia Germano, rindo e rodopiando ao lado de Telma, que imediatamente, respondeu:

— Foi você quem me levou naquele lugar e fez com que eu fizesse aquilo!

— Telma!! Não pode dizer isso! Eu não queria que fizesse aquilo, te alertei e até contei o que eu sentia por ter feito a mesma coisa! Você foi quem insistiu para que eu fosse junto...

...é mentira! Se ela não tivesse dado o endereço, jamais você teria ido!

— Se você não tivesse me dado o endereço, eu jamais teria ido! É você, sim, a culpada de tudo!

— Não sabe o que está dizendo, Telma! Foi você quem quis e me forçou a ir junto, eu não queria... — Marieta disse, quase chorando.

— Não quero conversar nunca mais com você. Nunca pensei que um dia diria isso, mas te odeio!

Dizendo isso, Telma se afastou e foi para sua sala. Marieta ficou parada e aturdida com aquilo que ouviu Telma dizer... *Ela está completamente louca. Foi ela quem insistiu e me fez acompanhá-la! Não tive culpa...*

Em sua sala, Telma chorava sem parar. Estava totalmente sem ação e Germano continuava ao seu lado, rindo, rodopiando à sua volta *...você me enganou e mentiu, mas essa foi a última vez, nunca mais voltará a fazer isso! Vou trazer você para cá e te atormentar por toda a eternidade!* Dizendo isso, ele se afastou e ela continuou ali, triste e chorando sem um motivo aparente.

Germano saiu dali, acompanhado por seus amigos recentes, que também o influenciavam, e foi para o escritório onde Plínio trabalhava. Assim que entraram, viram que ele estava sentado na sua cadeira em frente à mesa. Germano, com muito ódio, disse aos que o acompanhavam:

— Vocês estão vendo? Esse aí, juntamente com aquela outra, foi o que não cumpriu a promessa, mas agora ele vai me pagar e quero que me ajudem.

Os companheiros de Germano nada disseram, mas imediatamente foram para junto de Plínio e começaram a ouvir o que ele pensava: *Quando meu tio ficou doente, achei que era providência divina. Se ele tivesse morrido eu, hoje, não teria problema algum. Ele não morreu e, pior, reatou com Flávia, que poderá, a qualquer momento, querer ir para o escritório... se ela fizer isso, vai descobrir o desfalque que dei. É muito dinheiro! Meu tio não desconfia, porque acredita, cegamente, na minha honestidade e na minha capacidade... e eu sou mesmo capaz. Ele só descobre meu roubo se mandar fazer uma auditoria e isso ele não vai fazer. Preciso encontrar uma maneira de me livrar dele e de Flávia. Com a titia não haverá problema algum, assim com meu tio, ela tem absoluta confiança em mim... quando meu tio e Flávia morrerem, com certeza ela vai me dar carta branca para eu continuar à frente dos negócios...*

A ouvirem aquilo, Germano e os outros começaram a rir e a rodopiar em volta de Plínio, que sentiu a cabeça doer. Germano, furioso, dizia aos outros:

— Estão vendo como ele continua o mesmo de sempre? Ele engana o tio, a tia, a mulher e todo mundo, assim como enganou aquela outra, mas essa merecia, e muito! Os dois são iguais! Agora está imaginando uma maneira de matar Roberto. Ele não presta, mesmo! Mas estamos aqui e vamos destruir a vida dele e daquela outra!

Continuaram ao redor de Plínio, rodopiavam e batiam na sua cabeça e em seu corpo. Plínio sentiu que a dor de cabeça aumentava cada vez mais, que já nem agüentava... *Que dor de cabeça estranha. Nunca senti igual, é horrível... acho melhor ir para casa, tomar um comprimido e me deitar para ver se passa.*

Com a cabeça latejando, pegou o paletó e foi para casa.

Motivo da obsessão

No outro plano, Rita estava indo para o quarto de Sara, quando a encontrou vindo do lado contrário. Assim que a viu, disse:

— Sara, que bom que te encontrei! Parece que está muito bem!

— Estou, sim, mamãe. Estive até agora em um curso, me preparando para fazer parte de uma equipe de cura.

— Está gostando?

— Muito! Não sabia que a gente trabalhava depois da morte.

— Sei... Como todas as pessoas, achava que depois da morte a gente ia descansar, não é?

— Sim, mas, agora, acho que, se isso fosse verdade, eu não estaria tão bem como estou. Já imaginou a gente ficar parada, sem ter o que fazer? Só de imaginar que vou poder ajudar muitas pessoas, fico feliz.

— Que bom que está feliz, Sara!

— Fiquei mais tranqüila depois que vi Telma e me recordei de todo o passado. Só posso agradecer a Deus a vida que me deu. Mereci cada minuto que passei ao lado de Sílvio. Julgava que era injusto, mas hoje sei que, por muito mal que ele tenha me causado, não chegou nem perto do que fizemos àquelas pobres crianças. Só tem uma coisa que está me incomodando e me deixando triste...

— O que é?

— Fui até ao quarto onde Germano estava e o encontrei vazio, ele saiu de lá.

— É justamente sobre isso que estava querendo conversar com você.

— Aconteceu alguma coisa de ruim, mamãe?

— Como você viu, Germano estava acompanhado por entidades que ainda não encontraram a luz.

— Vi, sim, e estranhei. Como entidades como aquelas podem ficar em um lugar como este? Não é perigoso, mamãe?

— Não, Sara. Aqui temos total proteção e só foi permitido que elas se aproximassem porque o próprio Germano as atraiu.

— Atraiu? Como ele fez isso... e por quê?

— Com os sentimentos de ódio e rancor que está sentindo, atraiu outros espíritos que se encontram na mesma situação. Esses, acostumados com a maldade, encontraram em Germano o que mais buscam... a desarmonia e a doença.

— Mas a senhora disse que Germano era um espírito que já havia entendido e, por isso, tinha perdoado a todos que lhe fizeram mal.

— Disse e era verdade. Só que mesmo um espírito que já encontrou a luz e entendeu que tudo está sempre certo e que somente o perdão pode libertá-lo, às vezes, levado por sentimentos de rancor e ódio, esquece e volta para o caminho dos errantes.

— Está dizendo que mesmo um espírito de luz pode perder essa luz?

— Sim, o livre-arbítrio não cessa nunca, Sara. Sempre poderemos escolher o caminho que quisermos. Germano, neste momento, está esquecido de tudo o que aprendeu e aceitou, porque só tem como propósito a vingança.

— Onde ele está, mamãe? Confesso que estou com medo da sua resposta...

— Isso mesmo que pensou. Ele está ao lado de Telma e de Plínio e está tentando se vingar.

— Se for assim, eles estão perdidos, pois poderão ser obsedados a qualquer momento!

— Não é assim, Sara. Assim como aqueles espíritos só conseguiram se aproximar de Germano porque ele, através do ódio e do rancor que está sentindo, permitiu; o mesmo acontece com todos. Germano só conseguiu se aproximar de Telma porque ela permitiu.

— Como assim?

— Ela está com muito ódio, mágoa e rancor... do Plínio, do Sílvio... e até de Deus, por julgá-lo culpado da sua morte, Sara. Esses sentimentos permitiram que Germano se aproximasse e exercesse sobre ela um total domínio. Se, ao contrário, ela estivesse bem, aceitando tudo o que lhe aconteceu e seguindo sua vida, nem Germano nem outro espírito qualquer, mesmo que quisesse, conseguiria se aproximar dela.

— Quer dizer que são nossos pensamentos que atraem o mal?

— Sim, e assim podemos atrair para o nosso lado a companhia que queremos, boa ou má. Somente nós somos responsáveis por tudo que nos acontece. Neste momento, Germano está ao lado de Telma, fazendo com que ela entre em uma depressão violenta, que poderá levá-la ao suicídio.

— Meu Deus... e não podemos fazer nada para impedir que isso aconteça, mamãe?

— Sim, podemos tentar, mas sem nos esquecer que Germano também está exercendo seu livre-arbítrio e contra isso nada podemos fazer.

— O que vamos fazer?

— Precisamos ir ter com eles e tentarmos reverter essa situação. Você, com o amor que sempre teve por Telma, será de grande ajuda.

— Quando partimos, mamãe? Sinto que Telma está precisando muito do nosso apoio.

— Está mesmo, mas não só ela... Germano também. Ele conseguiu um estágio de compreensão admirável, no entanto poderá pôr tudo a perder se continuar preso a esses sentimentos. Temos de nos preparar, eu, você, sua irmã e nossos amigos. Precisamos partir hoje mesmo, antes que seja tarde.

— Vamos fazer isso, mamãe! Estou muito ansiosa para rever minha casa e minhas crianças.

— Ainda hoje fará isso. Poderá rever suas crianças. Mas preciso te prevenir que, embora sinta vontade, não se aproxime delas. Sua energia está diferente da delas e, se as abraçar, poderá lhes fazer mal. Promete que vai se conter?

— Prometo! Preciso ver minhas crianças, saber como elas estão.

— Está bem, Sara. Vamos nos dirigir ao encontro de nossos amigos, chamar sua irmã e, depois, iremos.

Foram até uma sala. Assim que entraram, viram um senhor e mais quatro pessoas sentados ao redor de uma enorme mesa. Rita sorriu, dizendo:

— Obrigada, Matias, por nos ajudar neste momento em que tanto precisamos.

— Ora, Rita, sabe que fico feliz sempre que tenho uma missão para cumprir! Esta em especial, pois, além de gostar muito de vocês, também gosto muito do Germano e estou triste por ver que ele pode perder tudo que conquistou. Eu e meus companheiros estamos ansiosos para irmos, antes que seja tarde. Sentem-se, vamos nos concentrar e pedir ajuda, para que nossa empreitada dê bons resultados.

Sentaram-se, fecharam os olhos e ouviram o que Matias disse:

— Senhor meu Pai, sei que neste momento está ao nosso lado e ouvindo nosso pedido. Sabemos que não será fácil, mas, por favor, Senhor, ajude-nos e nos inspire para que possamos agir da maneira certa para ajudar não só o Plínio e a Telma, mas principalmente Germano, que já conquistou sua luz e está perto de perdê-la. Cofiamos em Sua bondade e proteção.

Depois dessa oração, prepararam-se para partir.

Quando chegaram na casa, Sara viu, admirada, que Sílvio estava sentado em uma cadeira na sala de jantar, lendo jornal, enquanto Sueli, Marquinhos e Silvinho brincavam no chão, terminando de montar um brinquedo com peças de encaixar, faltavam só algumas peças para ficar totalmente montado. Ela intrigada, disse:

— Mamãe, parece que tudo está bem. Sílvio está muito tranqüilo, as crianças brincam... parece que não estão sentindo minha falta. Quem é esse menino que está brincando com meus filhos?

— Sim, tudo está muito tranqüilo.

— Só que não respondeu a minha pergunta, quem é esse menino que está brincando com as minhas crianças?

Antes que Rita respondesse, Sara ouviu um barulho na cozinha, correu para lá e viu Dirce, que estava lavando a louça do jantar. Intrigada, perguntou:

— Quem é essa mulher, mamãe?

— É a mulher com quem Sílvio vai se casar.

— Casar?!? Como casar? Que história é essa, mamãe? — perguntou, começando a ficar irritada.

— Não fique nervosa, Sara. Estava programado que você morreria muito cedo e Dirce, essa mulher, que sempre foi muito amiga de Sílvio, ia se casar com ele, para poder terminar de criar seus filhos e dar a ele uma chance de se redimir e controlar sua violência.

— Casar? Mas faz tão pouco tempo que morri. Como ele já tem uma nova esposa?

— Isso não importa e não foi para isso que viemos até aqui. Nossa missão é outra, Sara.

— Sei que é... Mas só preciso compreender o que se passou. Quem é esse menino, mamãe? — Sara perguntou nervosa e quase gritando.

— O nome desse menino é Sílvio e é filho deles.

— Filho? Como pode ser filho? Ele tem quase a mesma idade de Marquinhos!

— Sim, a diferença é de meses.

— A senhora está me dizendo que, desde a época em que Marquinhos nasceu, Sílvio tinha uma outra mulher e um filho?

— Isso mesmo, minha filha, mas isso não importa mais agora. Você não pertence mais a este lugar e a nossa missão é Telma. Sílvio e Dirce continuarão sua jornada... mas, se não conseguirmos ajudar Telma, a dela poderá terminar antes do tempo e de uma maneira trágica.

— Durante todo o tempo em que ele me bateu e fez da nossa vida um inferno estava com outra mulher? — Sara disse, parecendo não ouvir o que a mãe tinha falado.

— Sara, minha filha, volte à realidade! Estamos aqui para ajudar Telma e Germano! Deixe para lá o que aconteceu antes da sua morte.

— Como posso deixar, mamãe? Ele foi um monstro! — no mesmo instante em que dizia isso, Sara voltou para a sala onde Sílvio lia o jornal, partiu para cima dele e começou a bater em seu rosto, sua cabeça e em todo o corpo. Todos que vieram para aquela missão, a princípio, levaram um choque e ficaram parados. Depois de alguns segundos, Matias colocou-se à frente de Sara e segurou-a pelo braço, dizendo com a voz firme:

— Pare com isso, Sara. Você não pode se deixar dominar pela violência e o ciúme. A nossa missão aqui é outra!

Sara, chorando, se afastou de Sílvio e disse:

— Como posso aceitar isso? Ele, o tempo todo, teve outra mulher e foi por causa dela que transformou a nossa vida num inferno!

— Você se recordou do passado e sabe que Sílvio, com a sua ajuda, sempre foi violento. Você, que pediu para viver em um lar violento e transformá-lo em um lar de paz, é que precisava ter lutado contra a violência, mas não o fez. Perdeu sua chance. Sílvio, desde que você morreu daquela maneira inesperada, tem refletido muito sobre a conduta que tinha em relação a você e está tentando mudar. Já que você não conseguiu, vamos deixar que Dirce tente. Ele precisa entender que a violência é um mal que tem de ser afastado. Por enquanto ele está se comportando muito bem, com ela e com as crianças. Vamos torcer para que ele continue assim e entenda, de uma vez por todas, que dentro de um lar só deve existir amor, carinho, compreensão e respeito. Portanto, fique calma, para que possamos voltar para o verdadeiro motivo que nos trouxe até aqui.

— Não consigo deixar de sentir muita raiva por tudo que ele me fez!

— Sendo assim, sinto muito, mas não poderá continuar ao nosso lado. Terá de retornar, para que tenha tempo de refletir sobre tudo o que aconteceu.

— Não quero voltar! Preciso ajudar Telma e Germano!

— Sabe que sempre tivemos e teremos de escolher. Nada poderemos fazer para que perdoe Sílvio, isso depende exclusivamente de você. Para que tenhamos alguma chance junto a Germano, é preciso que ele entenda que estamos aqui por amor. Se perceber que você traz dentro de si sentimentos de ódio, ciúmes e principalmente de vingança, não conseguiremos que nos ouça. Por isso é que não poderá ficar aqui. Mas não se preocupe, faremos o possível e o impossível para ajudar Plínio e também os dois.

Sara, parou de chorar e, voltando-se para a mãe, disse:

— Perdoe-me, mamãe. Preciso pedir perdão a todos vocês. Sei que estão aqui para ajudar minha filha e estou sendo ingrata. Mas não consegui me conter.

Rita a abraçou, dizendo.

— Entendemos, minha filha. Sabemos que você está recém-chegada e que ainda está com energias pesadas adquiridas na Terra. Com o tempo, entenderá que tudo faz parte do crescimento. Sua missão aqui na Terra, terminou. Deixe que os que ficaram continuem sua jornada e consigam entender e resgatar todos os seus desacertos. A nós só nos resta poder ajudar da melhor maneira e torcer para que consigam.

— Entendi, mamãe, mas, por favor, não me mandem embora. Preciso ficar ao lado de Telma para ajudá-la neste momento.

— Sei que tem vontade de ajudar, minha filha, mas, como Matias disse, se continuar com todo esse ódio e revolta, não tem como continuar aqui. Para podermos tentar obter algo junto a Germano, precisamos estar tranqüilos e ele precisa sentir que só temos amor para dar.

— Sei disso e, embora seja muito difícil de aceitar essa situação, preciso entender, perdoar e continuar o meu caminho. Neste momento, o mais importante são Telma e Germano. Perdoe, meu Pai, por este momento de fraqueza.

— Está bem, Sara. Podemos perceber que sua intenção é realmente só de ajudar. Entendemos que foi uma surpresa para você o que está acontecendo nesta casa, mas agora vamos continuar o nosso trabalho. Mais tarde conversaremos sobre o que te deixou transtornada — Matias falou.

— Obrigada, Matias. Sei como é importante o seu trabalho e o da sua equipe. Prometo que não se arrependerá da oportunidade que está me dando.

Matias ia dizer algo mais, quando viram a porta da casa se abrir e, por ela, entrar Telma. Como não se sentia bem, estava voltando para casa antes da hora de costume. Não teve vontade de ir à escola. Como já estava acontecendo já há alguns dias, ela estava com os olhos vermelhos e com olheiras profundas. Entrou em casa e, sem falar com ninguém, foi para seu quarto e se deitou. Sara, ao vê-la, correu ao seu encontro, mas Rita se colocou à sua frente, impedindo que a seguisse, dizendo:

— Espere, Sara, não pode se esquecer do que eu falei sobre a energia. Aqui, não pode abraçar Telma, isso só lhe fará mal.

— Mas, mamãe, estou com tanta saudade...

— Sei disso, mas somente a sua presença já vai dar a ela um bem-estar inexplicável. Fique ao lado dela, mas a uma certa distância. Matias e sua equipe cuidarão dela.

Sara parou no lugar em que estava. Matias olhou para os integrantes de sua equipe e, indo na frente, fez com que os outros o seguissem. Entraram no quarto onde Telma estava deitada chorando, enfiada em seu beliche. Todos se colocaram em volta de sua cama e começaram a jogar sobre ela luzes brancas. Aos poucos Telma foi se acalmando e, com saudades de sua mãe, pensando... *mamãe, quero ir para o seu lado, está muito difícil continuar vivendo. Estou cansada e não quero mais viver. Preciso que me ajude a encontrar uma maneira de ir para seu lado. Só a senhora pode me ajudar a morrer, mamãe...*

— Não, minha filha, não pode pensar assim, ainda tem muito para viver. Deus sabe o quanto gostaria de te ajudar, mas somente você poderá fazer isso, mudando sua maneira de pensar e acreditando que nunca está sozinha, que pode errar mil vezes e sempre terá a oportunidade do perdão — Sara disse, chorando e acompanhando com os olhos as luzes que eram enviadas por Matias e os da sua equipe. Sara continuou falando:

— Estamos aqui e vamos te ajudar, mas não a morrer e sim a viver. Sua vida está apenas começando e você será muito feliz, minha filha. Acredite nisso...

Sara chorava, Rita a acompanhava, Matias e os outros continuavam enviando luzes. Foi nesse momento que, após uma lufada muito forte de vento, entraram no quarto Germano e seus companheiros. Ao verem o quarto iluminado pelas luzes, pararam, e Germano perguntou, nervoso:

— Que estão fazendo aqui? Sabem que não podem ajudá-la! Ela é minha e me pertence! Tenho esse direito!

— Sabemos que tem esse direito, Germano, mas ela também tem o direito de ajuda e isso você não poderá impedir. Sabemos que sua influência é grande sobre ela, mas sabemos também que o que mais está te ajudando é o sentimento de culpa que ela está sentindo.

— Por isso estou aqui! Ela tem que sentir, mesmo, muita culpa! Ela me matou outra vez! Tem mesmo que se arrepender! É uma mentirosa e traidora!

Ao mesmo tempo em que falava, começou a jogar farpas com pontas de fogo sobre Telma, no que foi acompanhado por seus companheiros. As farpas se aproximaram de Telma, mas não conseguiram acertá-la, foram impedidas pela luz que a envolvia. Nervoso, Germano, gritou:

— Vocês não podem fazer isso! Não podem proteger essa assassina!

— Podemos dar uma chance a ela de repensar sua vida e ver que nem tudo está perdido, que sempre existe o perdão e a oportunidade de que nossos possíveis erros sejam resgatados. Deus é nosso Pai, Germano, e, portanto, também você deveria refletir sobre isso.

— Não quero refletir, Matias! Já repensei e perdoei muitas vezes, mas agora chega!! Preciso me vingar e vou fazer isso!

— Você tem esse direito, está exercendo seu livre-arbítrio e pode fazer o que quiser, só que podemos e estamos aqui em uma última tentativa de fazer com que Telma se reencontre com a Luz.

— Sei que agora não tenho o que fazer aqui, Matias, por isso vamos embora, mas, se ela não reagir e não entender o que fez, voltaremos e vocês não poderão mais nos impedir. Vamos embora porque temos algo importante para fazer junto ao Plínio.

Imediatamente desapareceram. Matias respirou fundo, dizendo:

— Por ora está tudo bem, eles devem ter ido ao encontro de Plínio. Vou esperar que Telma adormeça, depois eu e meus companheiros iremos para lá. Vocês ficarão aqui ao lado dela.

Dizendo isso, convidou os outros para que o acompanhassem em uma oração.

Depois da oração, Telma, parecendo ter recebido um alívio imediato, adormeceu. Matias e seus companheiros desapareceram. Sara, sua mãe e sua irmã continuaram ao lado dela.

Constatando a verdade

Plínio chegou em casa nervoso e com muita dor de cabeça. Estava entrando em casa quando Germano e seus amigos apareceram e se colocaram ao seu lado. A dor de cabeça piorou. Por isso, pensava: *Que dor estranha é essa que estou sentindo? Nunca tive uma dor igual a essa, devo ter comido algo que fez mal...*

Luísa estranhou ao vê-lo chegar antes da hora e disse:

— Que aconteceu, Plínio?

— Por que está me fazendo essa pergunta?

— Nunca chega em casa antes das dez horas e ainda não são nem nove...

— Não venha me recriminar, sabe que tenho muito trabalho lá no escritório! — Ele disse irritado.

— Sei disso e não estou te recriminando, vou falar com seu tio e dizer que é preciso contratar alguém para te ajudar, você não pode continuar trabalhando dessa maneira! Quase não fica em casa e também quase não vê o Raul. Ele está crescendo e precisa sentir a presença do pai.

Sob a influência de Germano e dos outros, ele gritou:

— Não me amole, Luísa, não preciso de ninguém para me ajudar e não se atreva a falar com meu tio! Quando precisar de ajuda, eu mesmo falo! Estou chegando cedo e você me vem com essa conversa! Está vendo porque não gosto de chegar cedo em casa! Não suporto a tua presença!

Germano começou a rir sem parar, colocou-se ao lado de Luísa e ficou falando em seu ouvido.

— Ele não estava trabalhando... estava com outra mulher... ele não presta...

Imediatamente, ela falou, também alterada:

— Você nunca está trabalhando é tudo mentira, deve ter estado com uma das suas mulheres e algo não deu certo, por isso está tão irritado!

Um dos amigos de Germano estava ao lado de Plínio e começou a bater, com muita força, em sua cabeça, Plínio sentiu a dor aumentar ainda mais e disse, gritando mais alto:

— Cale a boca, Luísa, não estou para conversa, estou cansado de tudo e, principalmente, de você!

— Eu é que não suporto mais viver ao seu lado! Tenho marido, mas vivo sozinha! Você nunca está presente na minha vida nem na do nosso filho! Só não te abandono porque sei que nem meus pais nem seus tios aceitariam uma separação! Mas estou ficando cansada desta vida!

— Sabe que não pode me abandonar! Pare com essa conversa e me deixe em paz. Tenho minha vida, sim! E, se quer saber, tenho outras mulheres porque não encontro aqui em casa uma mulher que me satisfaça! Quem não consegue viver com você sou eu!! E pare de falar, porque, se não parar, já sabe o que pode te acontecer!

— Você é um canalha, mesmo! Não sei como pude me deixar enganar! Você não presta, Plínio.

— Cale a boca, Luísa!

— Por quê? Vai me bater outra vez?

— Sim!! E quantas eu quiser!

— Você é um canalha mesmo! — ela disse, partindo para cima dele. Germano e os outros rodopiavam e riam sem parar.

Plínio, tomado de ódio, deu uma bofetada violenta no rosto de Luísa. A pancada foi tão forte que ela caiu no chão. Em seguida, ele a chutou, depois levantou-a e começou a bater sem parar. Ela, por ser menor e mais fraca, não teve como reagir. Depois de bater muito, ele saiu e foi para seu quarto.

Nesse mesmo instante, Matias e seus companheiros entraram e, ao verem Luísa toda machucada e com um corte junto a boca, por onde escorria muito sangue, Matias se colocou ao seu lado e começou a jogar luzes sobre ela, que, aos poucos, foi se acalmando e parando de chorar.

Antes de ir para casa de Plínio, Matias pediu a um de seus companheiros para ir até a casa de Roberto e influenciá-lo a ir à casa de Plínio. A entidade chegou lá quando Roberto, Nadir, Flávia e as crianças terminavam de jantar. Devagar, aproximou-se de Roberto, dizendo em seu ouvido: *Precisa ir até a casa de Plínio...Luísa está precisando de sua ajuda...*

Como se realmente estivesse ouvindo, Roberto, disse:

— Estou com muita vontade de ir até a casa de Plínio. Preciso saber como anda o escritório, há muito tempo que ele não me faz um relatório.

— Agora, Roberto? Não acha que está um pouco tarde?

— Não é tão tarde assim, e sei que eles dormem tarde. Vamos?

— Está bem, se acha que não tem problema, vamos.

Luísa estava sentada no chão limpando o rosto com o vestido e cercada de luz, quando a campainha tocou. Luísa se assustou e, sem saber o que fazer, continuou sentada no chão, sem coragem de se levantar e ir atender a porta.

Plínio, em seu quarto, também ouviu a campainha e, nervoso, pensou: *Quem será a esta hora? Não vou atender!*

Roberto tinha visto o carro de Plínio na garagem e, por isso, sabia que ele estava em casa. Assim, insistiu na campainha. Plínio, vendo que, fosse quem fosse que estivesse ali, o insistente não iria embora, resolveu atender: *Vou ver quem é essa pessoa inconveniente que está aí fora!*

Saiu do quarto. Luísa continuava sentada no chão. Ele se aproximou, dizendo:

— Estou indo abrir a porta, vá para o quarto e não saia de lá até eu mandar!

Ela, envergonhada e não querendo que a vissem daquela maneira, obedeceu.

Plínio abriu a porta e levou um susto ao ver Roberto e Nadir. Roberto não percebeu e disse:

— Boa-noite, Plínio, resolvemos fazer uma visita. Faz muito tempo que Luísa não vai lá em casa... desde que me recuperei da pneumonia.

— Boa-noite, titio, mas que surpresa...

— Não vai nos convidar para entrar?

— Claro que sim, Luísa não estava sentindo-se bem e foi dormir.

— Já?

— Ela não estava bem... mas entrem...

— Roberto, acho melhor não entrarmos. Luísa não está bem...

Roberto ia desistir, mas a entidade que estava ao seu lado disse: *Você precisa entrar e procurar por Luísa...*

— Vamos entrar só por um pouco, preciso conversar com você, Plínio.

— Sobre o que, titio?

— Sobre o escritório. Preciso saber como está tudo por lá, faz algum tempo que não me traz um relatório.

— Estive muito ocupado, mas o relatório está quase pronto, amanhã mesmo enviarei para o senhor, tio.

— Faça isso... mas... posso entrar? Estou com sede.

Plínio, percebendo que Roberto não ia embora, afastou-se da porta. Roberto e Nadir entraram. Assim que entraram, notaram que a sala estava desarrumada e sentiram que algo estava errado. Desconfiado, Roberto perguntou:

— Plínio, Luísa está bem?

— Está, titio, ela só foi dormir mais cedo. Disse que estava com dor de cabeça.

— Gostaria de falar com ela...

— Não acho conveniente a acordarmos...

— Tem razão, titia. Ela realmente não estava se sentindo bem...

Germano e os outros viram quando Matias chegou, acompanhando Roberto. Ficaram irritados, Mas, como tudo estava dando certo, ficaram em um canto acompanhando os acontecimentos. Assim que ouviu Nadir falar, Matias disse com energia: *Não, Roberto, vocês não podem ir embora, precisam ver o que ele fez com ela!*

— Eu insisto, Nadir. Pelo estado em que se encontra esta sala, Plínio, parece que vocês brigaram, por isso gostaria de ver Luísa.

Plínio, percebendo que não teria mais como esconder, disse:

— Tem razão, titio, eu não queria contar para não preocupá-lo, tivemos uma discussão, mas não foi grave, apenas briga de casal, logo tudo ficará bem, o senhor sabe como é, não sabe?

— Sei sim... e por isso preciso ver Luísa.

— Ela está bem, titio...

—Preciso vê-la, Plínio! — Roberto disse, alterando a voz e demonstrando determinação.

Antes mesmo que Plínio dissesse algo, foi para o quarto de Luísa, abriu a porta e viu horrorizado o estado em que ela se encontrava, com o rosto vermelho e o vestido todo sujo de sangue. Nadir, que tinha acompanhado Roberto, assim que viu Luísa, correu até ela, perguntando:

— Que houve, Luísa, por que ele fez isso?

— Não, sei titia, mas não foi a primeira vez...

— Ele já te bateu antes? — Roberto perguntou.

— Sim, muitas vezes, e eu não agüento mais, titio... me ajude, por favor... — ela chorava desesperada.

Roberto voltou para sala, onde Plínio tinha ficado, e gritou furioso:

— Como pôde fazer isso, Plínio? Ela é uma mulher frágil!

— Ela me irritou, titio, e perdi a calma.

— Perdeu a calma? Quantas vezes já perdeu a calma? Foi criado em minha casa e lá nunca viu violência! Sabe muito bem o que penso a respeito! Não posso perdoar um homem que se aproveita da força física para bater e torturar uma mulher! Estou indo embora, sua mulher e seu filho irão comigo, e estou lhe adiantando que, antes de irmos para casa e enquanto Nadir leva seu filho para lá, Luísa e eu vamos passar por uma delegacia e fazer um boletim de ocorrência, por isso, não tente se aproximar nunca mais dela! Amanhã bem cedo irei até o escritório para saber o que está acontecendo por lá. Chegue cedo!

— O senhor não pode fazer isso, ela é minha mulher!

— Sua mulher, sim, mas não sua propriedade. Não só posso como vou fazer... e não se atreva a tentar me impedir! Posso perdoar tudo, menos que se bata em uma mulher! Ela terá toda a minha proteção e só retornará a esta casa se quiser! Esteja, amanhã bem cedo, no escritório!

Dizendo isso, voltou para o quarto onde Luísa estava sendo consolada por Nadir e perguntou:

— Luísa, quer continuar vivendo ao lado dele?

— Não, titio, só não o abandonei porque não tinha para onde ir, meus pais não me aceitam de volta, estão preocupados com o que as pessoas vão dizer...

— Pois eu não me preocupo com isso! O menino, onde ele está?

— Está dormindo em seu quarto. Ainda bem que não acordou... ele sempre fica muito assustado quando vê Plínio me batendo.

— Sei bem como ele se sente. Pegue algumas roupas suas e dele, e vamos embora. De hoje em diante, você só fará o que quiser. Amanhã, se achar que não está certo viver separada, poderá voltar, mas hoje vai comigo!

Luísa quase nem esperou que ele terminasse e disse:

— Nunca mais voltarei para esta casa, titio. Nunca mais ele ou outro qualquer me baterá...

— Está bem, arrume suas coisas e vamos.

Roberto retornou para a sala onde tinha deixado Plínio, mas ele não estava mais lá. Havia saído.

Luísa pegou suas roupas, acordou o menino e ambos, acompanhando Roberto e Nadir, saíram daquela casa.

Plínio, completamente desnorteado, saiu mas não pôde pegar o carro, porque o de Roberto estava atrás do dele. Assim, foi embora andando e pensava: *Como ele foi aparecer logo hoje? Parece coisa feita! Sei o que ele sente em relação a homem que bate em mulher, mas... que culpa eu tenho se a mãe dele apanhava do pai? Ele não pode ir ao escritório! Preciso de tempo para poder enganá-lo com documentos falsificados. Se Luísa quiser ficar ao lado dele que fique, não vou ligar nem um pouco, só não posso deixar que ele descubra que andei roubando seu dinheiro. Não posso me indispor com ele, por isso não vou atrás de Luísa, sei que ela não ficará muito tempo longe da sua casa e principalmente longe da minha companhia! Apesar de tudo, sei que ela me ama...*

Matias tentou segui-lo, mas os pensamentos de Plínio impediram que ele se aproximasse. O mesmo não aconteceu com Germano, pois, ao contrário do que acontecia com Matias, as energias de Plínio o atraíam. E ele, rindo, tripudiou:

— Não adianta tentar ajudar esse aí, Matias! Ele não presta! Além de não cumprir o que prometeu, não mudou sua atitude, continua sendo o mesmo ganancioso de sempre e, para ter o que deseja, não hesitará em matar outra vez! Pode ir embora, Matias, deixe que eu cuido dele direitinho!

— Infelizmente, neste momento, Germano, preciso concordar com você, mas ainda tenho a esperança de que ele volte a si e entenda o mal que tem feito a muitas pessoas e, principalmente, a si mesmo.

— Não adianta tentar, Matias! Ele nuca mudará!

— Sabe que isso não é verdade, Germano. Sabe que, por pior que pareça o erro, nem tudo está perdido. A qualquer momento podemos mudar para melhor ou para o pior. Você é a prova disso, meu amigo.

— Que está querendo dizer, Matias? — Germano perguntou.

— Que você, que conheceu a bondade e o amor do Pai, e que Ele está sempre de braços abertos nos esperando para nos receber com muito amor. Infelizmente, por sentimentos de ódio e de rancor, agora está se distanciando daquilo que levou muito tempo para conquistar. Está colocando tudo a perder e, agora, está se transformando e se colocando na qualidade de juiz, sabendo que não cabe a ninguém julgar, mas sempre perdoar. Você sabe que, por mais que se deseje uma vingança, quando a conseguimos não nos sentimos melhor, mas ao contrário, sentimos um vazio profundo. Só o perdão pode nos trazer a paz e a felicidade.

Germano ficou calado, sem saber o que pensar ou dizer. Um de seus companheiros percebeu que ele estava inseguro e gritou:

— Não dê ouvidos a esse aí, Germano! Sabe que ele está do lado dos traidores e não está nem um pouco preocupado com você!

— Não estou do lado deles — disse Matias —, mas ao lado do amor e do perdão, pois sabemos que Deus nos conhece muito bem, sabe que não somos perfeitos e, portanto, passíveis de cometer erros. Por isso também sabemos que, por piores que possam parecer nossos erros, nem tudo está perdido e, a qualquer momento, podemos nos reencontrar com o Pai. Não ignoramos que precisamos ficar sempre alertas, porque a qualquer momento, mesmo quando conhecemos a verdade, nos deixamos envolver por pensamentos que só nos fazem mal.

— Não dê atenção para essa conversa, Germano! Ele está tentando te enganar, sabe que você está certo em querer se vingar e que tem todo o poder para fazer o que quiser com esse aí, por que ele não presta mesmo!

Germano continuou calado, Matias continuou falando:

— Ele tem muito poder, mesmo, nisso você tem razão, mas esse poder pode ser usado para praticar o bem e ajudar esse nosso irmão que está perdido, sem nos esquecermos que é um filho de Deus. Não podemos nos esquecer da felicidade daquele pai quando o filho pródigo retornou para o seu lado. Tem poder, Germano, e cabe somente a você usar seu livre-arbítrio para ver como vai usá-lo — Matias disse, voltando-se para Germano que continuava calado e pensando.

O companheiro de Germano, vendo que ele estava se deixando envolver, ficou desesperado. Começou a xingar Matias e seus companheiros e a falar palavrões.

Plínio continuava caminhando e pensando no que faria para impedir que Roberto fosse ao escritório e descobrisse o desfalque que ele havia dado.

Matias, vendo que nada mais tinha para fazer ali, fez um sinal para seus companheiros e desapareceram. Germano e os outros continuaram ao lado de Plínio.

Roberto chegou em casa, Flávia admirou-se ao ver Luísa e ao perceber que ela estava chorando. Para o filho não continuar vendo a mãe daquele jeito, pegou o menino e levou-o para o quarto onde suas crianças estavam, depois voltou, perguntando:

— Que aconteceu? Por que está chorando, Luísa?

— Ela teve uma briga com o Plínio, minha filha, e vai ficar aqui em casa, até quando quiser.

— Uma briga, mamãe? Deve ter sido grave para querer sair de casa.

— Foi uma briga muito feia, Flávia, e não foi a primeira vez que ele me bateu.

— Bateu? O Plínio te bateu?

— Sim, ainda bem que seu pai chegou! Se ele não tivesse chegado, não posso imaginar o que teria acontecido comigo. Plínio estava transtornado...

— Nunca poderia pensar que uma coisa como essa estivesse acontecendo com vocês, Luísa, o Plínio sempre me pareceu um homem gentil e atencioso. Toda vez que vi vocês juntos, ele estava tentando te agradar, fazendo carinho e falando de quanto te amava...

— Fazia isso somente na frente das pessoas, mas, em casa, nunca me tratou bem. Sei que tem outras mulheres e chegava tarde em casa quase todas as noites, cheirando a perfume e bebida. Muitas vezes encontrei manchas de batom em suas roupas...

— Por que não nos contou, Luísa? Assim como a Flávia, sempre pensei que estivesse tudo bem em sua casa! Por que não o abandonou? — Roberto perguntou nervoso.

— Nunca tive coragem de contar, titio, sei o quanto o senhor gosta do Plínio e confia nele. Sei como ele é envolvente e encantador quando quer. Fiquei com medo que não acreditasse nas minhas palavras. Contei para minha mãe e disse que queria me separar e voltar para casa. Ela não deixou que eu terminasse. Muito nervosa, me interrompeu dizendo: "Não quero nem pensar em ter uma filha largada, Luísa! Já imaginou como ficaremos perante a sociedade e nossos amigos? Tem outra coisa, se Plínio te bate, é porque deve ter algum motivo! Tem mais, se um homem não gosta de parar em casa e sempre fica nervoso quando está nela, é sinal que a sua mulher não o está atendendo como se deve! O homem sempre tem razão, e a nós, como mulheres, só nos resta acatar e fazer tudo o que ele deseja! Trate melhor seu marido e verá que ele também vai te tratar bem! Não acredito que Plínio se comporte assim! Ele é um bom pai e nunca o vi comportar-se mal. Veja o que você está fazendo de errado, Luísa".

— Ao ouvir aquilo de minha própria mãe, imaginei o que o senhor e a senhora, titia, pensariam. Plínio foi criado nesta casa...

— Está enganada, Luísa. Se tivesse me contado, eu teria tomado uma providência. Não sei se sabe, mas fui criado em um lar violento, onde quase todos os dias meu pai espancava minha mãe e, a nós, seu filhos. Detesto homem covarde, que se aproveita da fraqueza das mulheres e as agride.

— Roberto tem razão, nunca permitiríamos uma agressão como essa. Plínio foi criado aqui em casa e dei a ele a mesma atenção, educação e carinho que dei à Flávia. Não sei por que ele se transformou nesse monstro. Mas, agora, tudo terminou. Está aqui em casa e poderá ficar o tempo que quiser. Você e seu filho são muito queridos e bem-vindos nesta casa.

— Obrigada, titia, só estou preocupada com o que meus pais vão dizer. Eles não vão acreditar...

— Deixe seu pai por minha conta, Luísa. Falarei com ele e contarei como a encontrei e, se ele não entender, não se preocupe. Aqui nesta casa terá todo o apoio que precisa. Poderá ficar aqui o tempo que quiser. Inclusive, se amanhã quiser voltar para sua casa, não a impedirei e não ficarei com raiva. O importante é que agora está protegida. Faça o que quiser com sua vida.

Luísa, por ter sido tão bem recebida e ver o quanto os tios a queriam, ia recomeçar a chorar. Mas parou e disse:

— Muitas vezes pensei em fugir para longe, levando meu filho, mas como poderia fazer isso? Não tenho uma profissão, nunca trabalhei e nem fui preparada para isso...

— Sabe, Luísa, acho que o papai veio para esta terra só para socorrer as mulheres que são espancadas pelo marido — Flávia disse, tentando esboçar um sorriso.

— Por que está dizendo isso, minha filha?

— Se o senhor não tivesse chegado na minha casa, naquele dia, nem sei o que eu ia fazer. Não agüentava mais aquela vida de sofrimento e cheguei a pensar em acabar com a minha vida e a das minhas crianças. Só não fiz por estar seguindo uma doutrina que ensina o quanto Deus nos ama, e nunca nos deixa sós, abandonados. Por pior que as coisas estejam, sempre haverá um caminho, uma ajuda, basta apenas confiarmos na bondade de Deus.

— Você também era espancada, Flávia?

— Sim, Luísa. Mauro, que a princípio era carinhoso e atencioso, transformou-se em um monstro. Assim como você não, o abandonei por não ter trabalho e nem meu próprio dinheiro. Sabia que, assim, não teria como me sustentar nem aos meus filhos. Só por isso continuei ao lado dele. Mas, naquele dia em que papai e mamãe chegaram, eu estava no fundo do poço e, na noite anterior, pedi para Deus uma ajuda ou um caminho... e Ele me ouviu.

— Acho que você tem razão, Flávia, seu pai deve ter vindo a este mundo somente para ajudar as mulheres espancadas. Essa deve ser a missão dele! — Nadir disse, com um tom de voz debochado, tentando fazer com que aquela conversa tomasse um rumo diferente.

— Não sei se essa é a minha missão, mas, sim, que é a minha obrigação e que apenas estou cumprindo uma promessa que fiz várias vezes quando criança, a de não permitir que mulher alguma fosse maltratada.

— Papai, estive pensando que Deus, o senhor e a mamãe me deram uma segunda chance, por isso preciso aproveitar e já sei o que quero fazer. O senhor sempre quis que eu estudasse e me formasse, mas eu nunca quis, talvez para afrontá-lo. Não sei por que eu pensava daquela maneira e queria tanto magoá-lo... Por outro lado, todo esse tempo em que vivi sozinha, longe desta casa, aprendi que a vida nem sempre é da maneira como imaginamos. Tive que viver no meio da violência para entender. Sei que muitas mulheres passam pelos mesmos tormentos que passei. Até Luísa, que eu nunca havia imaginado que poderia ser vítima, também passava por isso. Sei que muitas crianças sofrem o mesmo que meus filhos. Essas mulheres, papai, não têm a quem pedir ajuda. Não adianta pedir ajuda à polícia, por ser composta de homens ou por eles saberem que as mulheres precisam dos maridos para sobreviver, que na sua maioria elas não têm trabalho e são apenas donas de casa. Agora, vendo minhas crianças brincarem, irem à escola e dormirem tranqüilas, sem pesadelos, quero lhe dizer algo e fazer um pedido.

— O que quiser, minha filha. Sabe que sempre vivi para você e sua mãe. Até do Plínio sempre cuidei com carinho e, se trabalhei muito, foi para que vocês tivessem uma vida feliz. O que você quer dizer, me pedir?

— Se o senhor concordar e me perdoar, papai, quero continuar meus estudos, me formar advogada, ser policial, deputada, senadora ou não sei mais o quê. Quero lutar para que haja uma delegacia só para as mulheres, independente das dos homens, onde elas conversarão com outras mulheres e encontrarão ajuda para poderem abandonar aqueles homens que as escravizam! Elas só se mantêm ao lado deles por causa da sobrevivência!

— Estou feliz com a sua decisão, Flávia, e disposto a te ajudar, mas, aqui neste país, isso é um sonho quase impossível. Dificilmente se conseguirá criar uma delegacia só para mulheres. Sabe que vivemos em um país machista.

— Sei disso, papai, e por esse mesmo motivo me acovardei. Mas sei também que, se não tentarmos e começarmos um movimento nesse sentido, nunca conseguiremos mudar essa situação. Somente mulheres que viveram essas experiências na própria carne ou viram alguém muito próximo sofrer com isso, poderão lutar para que sejam formadas essas delegacias onde as mulheres serão respeitadas.

— Está bem, embora ache que seja um sonho distante, terá todo meu apoio. Escolha a faculdade que quiser, eu te ajudarei.

— Flávia, que coisas lindas você disse. Como precisei de uma delegacia como essa! Talvez a princípio não tivesse coragem de ir, mas, com o tempo, sabendo que existia, sei que acabaria indo. Quero te ajudar de alguma maneira. Desejei fazer uma faculdade, mas meus pais e Plínio disseram que não era necessário, pois eu teria de cuidar da minha casa e dos meus filhos. Gostaria de voltar a estudar e, junto a você, lutarmos para que esse sonho seja realizado.

— Está bem, as duas voltarão para a escola e eu serei o homem mais feliz deste mundo. Agora está na hora de irmos deitar e dormir. Amanhã bem cedo poderão buscar informações sobre o curso que querem fazer.

— Estou pensando. Não adianta a mulher ir a uma delegacia onde outra mulher somente a ouvirá e não terá como ajudá-la, é preciso que, além do conforto, de ser atendida, ouvida e acreditada, a mulher tenha também um lugar par ir e poder ficar com seus filhos, até que possa encontrar um trabalho e poder recomeçar sua vida.

— Tem razão, mamãe. Só assim ela poderá sonhar com o futuro!

— É isso mesmo, Nadir. Isso seria muito bom, mas continuo achando quase impossível.

— Para Deus nada é impossível, Roberto.

— Tem razão, mamãe. Essa doutrina que estou estudando diz que, quando algo de bom precisa acontecer, várias pessoas começam a pensar ao mesmo tempo e em vários lugares. Quem sabe, neste mesmo momento, em vários lugares, outras pessoas também estejam pensando a esse respeito...

— É isso mesmo, minha filha, e, para provar que nada é impossível, estou querendo acompanhar vocês duas e ir estudar, também. Só que tenho medo, porque sou velha...

— Velha nada, mamãe! Será ótimo tê-la como nossa companheira e acho que servirá de exemplo para outras mulheres que, quando chegam à sua idade, com os filhos criados, não têm mais o que fazer a não ser tricotar ou costurar. É uma boa idéia mesmo, não é, Luísa?

— Claro que é, Flávia!

— Bem, estou vendo que minha casa logo se transformará no

abrigo de três novas estudantes. Se essa é a minha missão, preciso que seja bem feita. Agora vamos dormir, já conversamos e sonhamos demais. Boa-noite! — Roberto disse isso enquanto se encaminhava para seu quarto.

Duas entidades, que tinham estado o tempo todo ao lado deles e que acompanharam Roberto até a casa de Plínio naquela noite, sorriram e, baixinho, disseram: *Boa-noite e que Deus os abençoe.* Em seguida desapareceram.

Decisão do mal

Germano e seus companheiros riam e rodopiavam à volta de Plínio, que andou sem destino por alguns quarteirões e começou a voltar para casa. Um dos que o acompanhavam, ao ver que Germano estava se deixando envolver pelas palavras de Matias, disse:

— Que é isso, Germano, deixou se envolver por aquilo que aquele santo cheio de luz, disse?

— Estou refletindo sobre o que ele me disse. Acho que em algumas coisas ele tem razão.

— Bobagem, Germano! Eles vêm sempre com a mesma conversa de que existe um lugar muito bom, onde todos são felizes e podem trabalhar e aprender. Mentira! Esse lugar não existe! O que existe é isso que estamos vivendo aqui, é podermos nos divertir com esse aí que só tem ganância e maldade!

— Esse lugar existe sim, já estive lá.

— Esteve lá? Ora, Germano, deixe de mentir! Vamos nos divertir, fazer com que ele abra uma garrafa de vinho e bebermos ao seu lado. Depois faremos com que ligue o rádio e até poderemos dançar! Vamos fazer isso, Germano!

— Se quiserem, podem fazer isso, mas eu preciso pensar.

Eles ficaram nervosos e começaram a xingar, esbravejar e ameaçar. Germano não se deixou intimidar e foi embora repetindo que precisava pensar.

Nervosos e revoltados por terem sido abandonados, continuaram ao lado de Plínio. Assim que ele chegou em frente à sua casa, viu que o carro de Roberto não estava mais ali, o que significava que ele havia ido embora. Entrou em casa, acompanhado por aqueles vultos negros que, girando à sua volta, riam e diziam: *Ela foi embora, mesmo! Você não pode permitir, é sua mulher e o seu tio não tinha o direito de levar ela daqui! Tem que ir até a casa dele para trazer ela de volta! É sua mulher, você tem esse direito!*

Imediatamente, Plínio, pensou: *Luísa não podia ir embora! Ela é minha mulher e me pertence! Como meu tio se atreveu a fazer isso? Veio com aquelas ameaças de ir ao escritório para conferir documentos! Quem ele pensa que é? Ele não sabe, mas vou ter documentos preparados e ele nunca descobrirá o que fiz! Mas sei que ele nunca me deixará em paz!*

Isso mesmo... e, enquanto ele estiver vivo, não vai permitir que sua mulher volte para casa! Ele precisa morrer! — um dos vultos disse, rindo muito.

O pensamento de Plínio continuou: *Ele precisa morrer! Por que não morreu quando ficou doente? Se tivesse acontecido, minha tia, aquela imprestável que, como todas as mulheres, não serve para nada a não ser cuidar da casa e dos filhos, entregaria os escritórios em minhas mãos e, assinando os documentos que ela não se daria ao trabalho de ler, em pouco tempo eu tiraria tudo dela. Ele precisava ter sobrevivido!? ...e ainda trazer para casa aquela insuportável da Flávia para infernizar a minha vida?*

Você precisa encontrar uma maneira de matar aquele intrometido... — o vulto continuou falando.

Preciso encontrar uma maneira de matar aquele intrometido! — Plínio repetia as palavras do vulto.

Estou com sede, você não está? Pegue uma bebida para que todos nós possamos beber...

Sem imaginar que estava fazendo o que o vulto lhe sugeria, Plínio foi até a cozinha, abriu a porta de um dos armários e pegou uma garrafa de vinho. Abriu encheu um copo e tomou quase de uma vez. Os vultos se colocaram à sua volta e começaram a cheirar o resto de vinho que sobrou no copo. Em seguida, Plínio encheu outro copo e bebeu mais um pouco, deixando um pouco no copo. Os vultos começaram a brigar entre si para poder cheirar a bebida que estava no copo.

Plínio começou a imaginar uma maneira de matar Roberto e de trazer Luísa de volta. *Ela não pode ficar longe daqui e levar meu filho! Meu tio não pode acolhê-la! Preciso pensar, sei que encontrarei uma solução!*

Encheu outro copo e bebeu. Os vultos sugeriram e ele obedeceu, foi até o rádio, ligou e uma música começou a tocar. Os vultos riam e dançavam à sua volta. Ele foi ficando com mais raiva e, intuído pelos vultos, pensou: *Não tem outro jeito, preciso matá-lo. Se ele for ao escritório, mesmo eu tentando lhe mostrar documentos falsos, ele é muito inteligente e descobrirá que o tenho roubado há muito tempo e me destruirá. Se Luísa não voltar para casa, minha vida perderá o sentido... já sei o que vou fazer!*

Foi para seu quarto, abriu uma das gavetas do guarda-roupa e, do fundo dela, pegou um revólver que estava enrolado em um tecido azul. Desembrulhou e pegou o revólver na mão, pensando: *Não tem outro jeito. Preciso fazer isso, antes que descubra o desfalque que dei. Mas posso ir preso. Não posso me arriscar a isso.*

Pode esperar que ele saia para trabalhar e no caminho lhe dar um tiro, ninguém vai desconfiar de você... — um dos vultos disse baixinho.

Já sei o que farei, irei até a casa dele, conversarei, pedirei perdão e convencerei Luísa a voltar para casa prometendo-lhe que não acontecerá outra vez. Sei que vou conseguir, pois sei como conquistar o que quero. Farei com que volte para casa e, depois, volto para lá e espero meu tio sair para o trabalho e lhe dou um tiro. Ninguém desconfiará. Vou até lá agora mesmo!

Estava voltando para a sala, mas sentiu que não conseguiria dar mais um passo. Estava completamente bêbado. Só teve tempo de desabar na cama e, no mesmo instante, caiu em um sono pesado.

A força do amor

Telma só conseguiu adormecer de cansaço, após chorar por muito tempo, e já dormia há algum tempo, quando viu Sara que, ao seu lado, pacientemente esperava que ela a percebesse:

— Mamãe! A senhora está aqui? Que bom! Tenho uma coisa para pedir à senhora...

— Estou aqui, sim, Telma, e muito triste com você... mas o que quer me pedir?

— Não agüento mais continuar vivendo sem a senhora, mamãe. Tudo está muito confuso, papai trouxe aqui para casa uma mulher e descobri que essa mulher foi a causadora de todo o nosso sofrimento e de todas as vezes que ele bateu na senhora. Não quero mais continuar nesta casa, mas não tenho o que fazer... o que recebo de salário não dá para eu viver sozinha, por isso acho melhor morrer e ir para junto da senhora...

— Nem pense nisso, Telma! Você ainda tem muito para viver. Sua vida está apenas começando e precisa saber que, por pior que tudo esteja, logo vai passar. As coisas boas, assim como as ruins, passam, minha filha.

— Não consigo continuar vivendo assim, mamãe... estou cansada... e quero morrer...

— Não é você quem quer, Telma, está sendo influenciada por um espírito a quem magoou muito e somente você poderá fazer com que ele a perdoe e se afaste. Nada posso fazer, pois ele tem o direito de exigir justiça.

— Não quero fazer nada, mamãe, só quero morrer. Nem gosto mais de ir no escritório. Só quero ficar dormindo. Dormir é muito bom, mamãe...

— Sim, dormir é muito bom, mas somente o necessário para que o corpo se recupere. Este sono que está sentindo não vem de você, mas do desencanto de tudo, Telma. Precisa criar forças para lutar contra ele e contra tudo que está te incomodando.

— Sua mãe tem razão, Telma, precisa reagir contra essa força que está te arrastando para longe de Deus.

— Quem é a senhora?

— É minha mãe e sua avó, Telma, e essa linda moça é minha irmã.

— Minha avó e a sua irmã que morreu?

— Sim, elas estão aqui para te ajudar a encontrar o caminho da volta. Eu deveria ter seguido o exemplo de minha mãe e me tornado forte e decidida. Mas não, preferi me acomodar a uma situação e a uma vida de sofrimento, sem nunca ter tentado ser feliz. Não devo permitir que o mesmo aconteça com você, minha filha... é muito jovem e tem a vida toda pela frente...

Telma começou a chorar e disse entre soluços:

— A senhora não sabe, mamãe, mas fiz muita coisa errada... me envolvi com o Plínio, a senhora sabe o quanto eu gostava dele, mas ele me enganou.

— Sim, eu sei. Mas isso já passou, Telma. Precisa recomeçar sua vida de onde parou. Precisa voltar a ter aqueles sonhos que fizeram com que você lutasse tanto. Vontade de trabalhar e estudar para conseguir tudo que desejar. Precisa reencontrar, dentro de você, aquela Telma lutadora...

— Não consigo, mamãe... a senhora não sabe o que fiz. Matei uma criança...

— Sei, minha filha, e é para falar sobre isso que estamos aqui.

— A senhora sabe? Mas eu não contei, não tive tempo. O dia em que eu ia contar a senhora morreu!

— A morte não existe, Telma, estou mais viva do que nunca e torcendo para que você consiga reagir e voltar a ser a menina cheia de sonhos que era...

Sara estava falando, quando Matias entrou e perguntou:

— Como está tudo por aqui?

— Olá, Matias, estamos conversando. Telma, este é Matias, um amigo nosso que, acompanhado de outros irmãos, também está aqui para te ajudar.

Telma olhou para Matias e para os outros. Não pode se conter:

— Outros amigos, mamãe?

— Sim, minha filha, você não imagina quantos mais! Estão dispostos, o tempo todo querendo ajudar. Como vê, apesar de pensar que tudo estava perdido, na realidade não está.

— Sua mãe tem razão, Telma. Embora às vezes pareça que estamos sozinhos, na realidade, nunca estamos.

— Quero agradecer por tanto empenho, mas está dando tudo errado na minha vida... fiz tudo errado e não quero mais viver...

— Não posso dizer que não tenha feito errado, mas é errando que se aprende e se cresce espiritualmente. E, para isso, Deus está sempre nos dando novas chances.

— O senhor talvez tenha razão, mas comigo não tem mais jeito. Perdi tudo que sempre desejei. Perdi o homem que amava, minha mãe e matei meu filho, nem tenho mais vontade de trabalhar e estudar. Estou muito triste e queria morrer para poder ficar com você, mamãe...

— Está dizendo isso, porque não confia em Deus e em tudo que Ele pode e sempre quer nos dar. Basta apenas confiar e se entregar ao Seu amor.

— Não sei o que fazer... está tudo perdido...

— Nunca está tudo perdido. Novas esperanças surgem a todo momento. O que precisa é lembrar-se desse espírito que não permitiu que renascesse e que deve estar sofrendo muito. Peça perdão a ele... Assim, sei que a Luz divina tocará o coração dele.

— Nem sei como era essa criança! Não tenho sequer idéia de como era seu rosto, como posso pedir perdão? E, se o que estiver dizendo for verdade, não me perdoará nunca, Matias!

— O mais difícil durante a caminhada é aprender a perdoar, mas, por experiência própria, sei que esse dia sempre chega, Telma. O sentimento de culpa faz com que fiquemos muito tristes e distantes de Deus, e Ele não quer isso. Todos, de uma maneira ou de outra, cometem enganos, mas todos têm a chance, também, de se redimir desses enganos. Temos e devemos fazer nossas escolhas, mas nem sempre elas são as melhores, tudo faz parte do aprendizado. Por isso, depois de ser feita uma escolha errada, não adianta ficarmos nos culpando e deixando que outras chances passem, Telma. Precisamos continuar fazendo novas escolhas até que um dia façamos a escolha certa. O que está feito, está feito. Agora, está na hora de irmos embora, por isso precisamos fazer uma oração e você, Telma, se sentir vontade, nos acompanhe — Matias disse, voltando-se para os outros que acompanhavam suas palavras. Em seguida, elevou seus olhos para o alto e começou a dizer:

— Obrigado, Senhor, por mais esta oportunidade de nos encontrarmos e tentarmos, através de Seu amor, ajudar a esses nossos irmãos que se encontram desviados da Sua presença e que em seus corações possam encontrar a esperança e a paz que só podem vir através de Suas mãos. Telma está aqui perdida, tomada pelo remorso e sentimento de culpa, mas somente o Senhor conhece os verdadeiros motivos. E, Senhor, nos conhece muito bem, para saber que somos imperfeitos, mas que todos estamos tentando encontrar Sua luz. Precisamos pedir também por Germano, que se encontra perdido no vale do ódio e do rancor. Sei que, para ele, embora ele mesmo não saiba, será fácil retornar aos Seus braços, pois já conhece o Seu amor e justiça. Ajude-nos, Senhor, a não fraquejarmos e a continuarmos sempre na sua luz, pois sabemos que, a qualquer momento, se deixarmos nos levar por sentimentos humanos, poderemos nos afastar Dela. Senhor, em suas mãos colocamos o nosso espírito e o de nossos irmãos.

Telma acompanhou, emocionada, as palavras de Matias. Em seu coração brotou um sentimento de amor por Germano, que ela não sabia quem era, mas sentiu que poderia ser o filho que ela havia impedido de nascer. Chorando, falou:

— Não sei quem é Germano, mas sinto que é alguém a quem amo e que, por um motivo que não sei qual foi, prejudiquei, por isso, Germano, esteja você onde estiver, quero te pedir perdão. Estou perdida por causa das minhas escolhas, mas pretendo encontrar meu caminho e sei que com a ajuda de todos que estão aqui, e principalmente de Deus, encontrarei a paz.

Uma luz muito forte a envolveu. A luz era tão forte que todos estranharam. Telma ficou estarrecida, pois nunca havia visto uma luz como aquela, e perguntou:

— Que luz é essa que está me envolvendo?

— É a luz do amor e do perdão de Deus, e ela está nos mostrando que Ele estará sempre de braços abertos para receber, em seus braços, o filho pródigo, a ovelha perdida — Matias respondeu com os olhos cheios de lágrimas.

— É verdade isso que está dizendo, Matias. Essa luz é para

nos mostrar o quanto Deus nos ama, principalmente a mim que, por sentimentos de ódio, mágoa e vingança, me desviei do Seu amor e deixei de acreditar. Estou aqui para pedir perdão por esse meu deslize e, agora mais do que nunca, confio em Sua bondade e amor, e quero dizer que não tenho o direito de julgar, pois sei que muitos dos meus erros foram perdoados. Perdão meu Pai...

Todos se voltaram para Germano que, com os olhos cheios de lágrimas, disse essas palavras. Depois ele se aproximou de Telma, abriu os braços... e ela, mesmo sem saber quem ele era, aconchegou-se, chorando, em seus braços. O amor havia provado que era mais forte que tudo e o único antídoto para o ódio, a mágoa e o rancor.

Os outros, ao presenciarem aquela cena, choraram emocionados. Ficaram ali até o momento em que o corpo de Telma se virou na cama e deixou de vê-los.

Assim que ela se acalmou e eles viram que dormia profundamente, Germano disse:

— Agora, com ela, está tudo bem.

— Sim, Germano, e graças a você, que a perdoou outra vez.

— Não tem que agradecer, Matias. Eu sim é que devo pedir perdão e agradecer o que fizeram. Obrigado por me trazerem de volta, por terem acreditado e me feito refletir sobre a bondade de Deus. Por pouco não perco tudo que tinha alcançado, o entendimento de que só o perdão pode nos conduzir à Verdade Suprema e à felicidade.

— Sabemos que, mesmo depois de encontrarmos a luz, não somos perfeitos e que a qualquer momento as energias do mal podem nos alcançar. Temos ainda um longo caminho para seguir, Germano, e espero que, se um dia eu precisar ser chamado de volta para a verdade, você esteja lá para me ajudar.

— Isso nunca acontecerá com você, Matias.

— Por que não? Assim como todos, sou apenas um espírito tentando caminhar para a perfeição.

— Estou bem e feliz, mas há algo que está me incomodando...

— O que é, Germano?

— Sei que Plínio não está bem, e por minha culpa...

— Sua culpa? Por que está dizendo isso, Germano?

— Precisamos ajudá-lo. Eu o deixei acompanhado de irmãos cheios de maldade, que eu atraí para seu lado, e sei que eles podem intuí-lo a fazer coisas más...

— Precisamos e vamos tentar ajudá-lo, Germano, mas não foi você quem os atraiu, foi o próprio Plínio, com seus pensamentos de ganância e crueldade. Se não fosse você, esses irmãos, ou outros iguais, estariam ao lado dele da mesma maneira. Não esqueça que são nossos pensamentos e sentimentos que atraem a companhia que temos.

— Sei que tem razão, Matias, mas mesmo assim não consigo deixar de pensar no que ele pode fazer se não for ajudado a se livrar desses mesmos pensamentos.

— Está certo. Agora que Telma está bem e dormindo, vamos todos para junto de Plínio, tentar ajudar a ele e àqueles que o acompanham.

— Fico feliz com sua decisão, meu irmão.

— Iremos até ele, mas precisamos estar preparados, pois será muito difícil ajudar Plínio, porque ele mesmo não quer ser ajudado. Mas faremos o possível e o impossível. Você, Sara, permanecerá ao lado de Telma e, se precisar, basta chamar em pensamento que viremos imediatamente — e Matias continuou — Para essa empreitada, precisaremos de muito amor e compreensão, e de muita ajuda. Por isso vamos pedir a Deus, por Plínio e por nós mesmos — ele falava emocionado, elevando os olhos para o alto:

— Senhor, meu Pai. Sabemos que nosso irmão Plínio se encontra em uma situação difícil, ajude-nos, Senhor, a poder ajudá-lo.

Depois da oração, com suas mãos dando adeus para Sara, desapareceram. Sara permaneceu ali, também rezando para que eles conseguissem fazer Plínio entender que só ele era responsável por tudo que lhe acontecia e pelas companhias que tinha.

Quando chegaram na casa de Plínio, encontraram ele e os vultos completamente embriagados.

Matias se aproximou e, com as mãos, tocou no ombro de Plínio adormecido, que abriu os olhos e os viu. Assustado e muito tonto pelo efeito da bebida, perguntou:

— Quem são vocês, como entraram no meu quarto?

— Somos seus amigos e estamos aqui para te ajudar.

— Ajudar? Ajudar no quê? E por que fariam isso?

— Por que somos seus amigos e sabemos que está assustado e com medo das conseqüências que terá de enfrentar quando Roberto descobrir o que fez.

— Não terá conseqüência alguma, pois o matarei antes que descubra!

— Não pode fazer isso, Plínio! Se o fizer, estará condenado por muito tempo e nada poderemos fazer para te ajudar.

— Condenado, eu? Está muito enganado, sei como fazer para que ninguém descubra que fui eu e, com a sua morte, ficarei com tudo o que é dele! Ficarei rico para sempre!

— Talvez consiga ficar rico, mas para sempre é muito mais distante do que imagina. O para sempre pode ser muito doloroso...

— Não quero saber dessa conversa, podem ir embora! Se não forem, chamo a polícia e dou queixa de invasão de domicílio! Saiam daqui!

Nesse momento, um dos vultos que tinha incitado Plínio a se embebedar abriu os olhos e, ao vê-los ali, começou a acordar seus companheiros. Acordados, eles tentaram se aproximar, mas, a um olhar de Matias, afastaram-se, indo sentar nos cantos do quarto. Matias continuou falando:

— Plínio, não adianta chamar a polícia, ela nada poderá fazer contra nós. Estamos aqui para te dizer que, se quiser, poderemos ir com você no encontro que terá com Roberto. Sabemos que podemos ajudá-lo a entender sua atitude. Conhece-o bem e sabe que ele pode esbravejar e xingar, mas depois te perdoará. Ele te ama e te considera um filho...

— Está querendo me fazer rir? Filho?!

— Claro que sim, ele te criou e te deu todas as oportunidades para que fosse um homem de bem...

— Criou... tudo bem. Deu oportunidades? também... Mas sua herança irá todinha para a sua filhinha querida! Aquela imprestável! — Plínio falou com muito ódio e desdém.

— Sabe que não é verdade! Roberto tem te preparado a vida toda para que fique à frente dos escritórios quando ele morrer ou resolver se aposentar.

— Ele sempre disse isso, mas nunca acreditei... sei que a minha única opção será matá-lo! Além do mais, agora ele levou Luísa e meu filho! Como posso ficar quieto?

— Ele os levou para livrá-los da sua violência. Mas, com o tempo, ao perceber que você está arrependido e mudado, Luísa voltará e poderão ser felizes.

— Isso não acontecerá e... quer saber?... não me importo nem um pouco. Tenho a mulher que quiser, a qualquer momento. Pensando bem, amanhã, depois de matar meu tio, vou procurar Telma. Sei que, com meia dúzia de palavras, faço ela voltar e ficar comigo até quando eu quiser.

— Talvez consiga, não posso dizer que não, mas sabe que está em dívida com ela também.

— Dívida? Que dívida? Ah, já sei, está falando do filho que ela está esperando? Não tenho nada a ver com isso! Ela é mulher, portanto deveria ter se cuidado. Quer saber mais? Nem sei se ela ainda está esperando aquela criança e também não me interessa... agora o que está me interessando é a morte do meu tio e todo o dinheiro que virá com ela.

— Pois deveria se interessar, aquela criança não nasceu. Telma o tirou e cometeu um erro muito grave. E também você é responsável!

— Problema dela! Mas, pensando bem, foi até bom a criança não ter nascido, porque seria outra cretina como a mãe!

Ao ouvir aquilo, Germano começou a tremer. Matias percebeu e disse:

— Germano, não se deixe envolver por essa energia ruim, sabe que já está feito e que nada poderá fazer para mudar, mas pode perder sua luz e felicidade. Concentre-se no perdão, sabe que esse é o único caminho.

— Perdão, Matias, tem razão...

Matias sorriu, passou a mão pelos cabelos de Germano e voltou-se novamente para Plínio.

— Plínio, entendo que não sabe o que está falando, mas estamos aqui para te dar uma nova chance de se redimir. Se quiser, poderemos te acompanhar quando for conversar com Roberto. Ele, hoje, é um homem bom, embora tenha sido seu cúmplice acobertando sua violência, arrependeu-se e está vivendo uma vida digna, cumprindo com galhardia sua missão.

— Acobertou minha violência? Como pode dizer isso se ele levou Luísa justamente por esse motivo?

— Sei que não está em condições de entender o que estou falando, deixe para lá... outro dia conversaremos sobre esse assunto. Sei também que já falei tudo que tinha para falar neste momento, portanto, pode voltar a dormir. Amanhã, quando acordar, falaremos outra vez.

No mesmo instante, Plínio adormeceu. Então Matias disse:

— Por hoje é tudo que podemos fazer. Vamos ficar aqui e esperar o dia amanhecer para ver se há algo mais a ser feito...

A verdade a Deus pertence

Na manhã seguinte, Dirce acordou e foi até ao quarto das crianças. Estranhou ao ver que Telma continuava em casa, pois, desde que ela tinha vindo para aquela casa, Telma sempre saía cedo e nunca mais tomou café ou fez as refeições ao lado deles. Percebeu, também, que ela dormia profundamente. Saiu do quarto e foi para a cozinha. Sílvio também tinha se levantado e estava lá, colocando a água para preparar o café. Dirce entrou, dizendo:

— Telma ainda está dormindo, parece que perdeu a hora.

— Não pode! Ela precisa trabalhar!

— Deixe ela dormir, Sílvio. Ela tem estado muito mal e acho que não tem dormido bem...

— Tem passado mal porque não quer aceitar que a sua vida mudou!

— E não quer me aceitar também, não é?

— Isso mesmo! Mas ela vai ter que aceitar! A gente vai se casar e você vai ser a dona desta casa! Ela precisa entender isso e aceitar!

— A gente precisa entender que, para ela, essa situação é muito difícil. Ela acha que sou a causadora de todo sofrimento que a mãe dela passou. Por que foi sempre tão cruel com a sua mulher, Silvio?

— Não sei. Por um motivo que não sei qual é, sentia muita raiva dela e achava que, de alguma maneira, ela havia me prejudicado.

— Prejudicado, como? Por tudo que sei dela, foi sempre uma mulher muito boa, cuidou bem da casa e das crianças. Você não tinha motivo para agir daquela maneira, Silvio...

— Não sei explicar, mas sempre achei que ela era a culpada de tudo o que se passava de ruim na minha vida.

— Ainda bem que comigo você é diferente... sabe que nunca aceitarei que você me bata e nem nas crianças. Se fizer isso, sabe que te abandonarei no mesmo instante. Tenho meu dinheiro, a herança que recebi dos meus pais, e não dependo de você para viver. Só vim para cá porque sabe que te amo... e você precisava de alguém para cuidar da casa e das crianças.

— Sei disso e não precisa ficar repetindo. Depois que a Sara morreu, tenho pensado muito no tempo que desperdicei com brigas e no sofrimento causei para ela e para as crianças. No dia em que ela foi enterrada, prometi que isso nunca mais se repetiria. Quero ser um outro homem e só trazer felicidade e segurança, para que meus filhos cresçam como crianças normais.

— Demorou muito para chegar a essa conclusão, papai.

— Estava ouvindo a nossa conversa, Telma?

— Sim... e fico muito triste de ver que precisou esperar minha mãe morrer para chegar a essa conclusão. Quanto à senhora, dona Dirce, não se preocupe, não vou mais me incomodar com a sua presença. Nunca vou aceitar a senhora como minha mãe, mas sei que é necessária nesta casa e, se conseguiu fazer com que meu pai mudasse, deve ter suas qualidades. Acordei tarde, mas já estou indo para o escritório.

— Jamais imaginei tomar o lugar da sua mãe, Telma, sequer desejei isso. Sei que ela foi uma grande mulher e mãe, só estou aqui porque o destino quis assim e só ficarei enquanto seu pai me respeitar... e principalmente a vocês.

— Está bem, dona Dirce. Sinto que a senhora vai fazer bem para os meus irmãos, não sei o que fez, mas eles a adoram.

— Espero que, um dia, a gente possa se tornar amigas, Telma.

— Não sei se isso será possível, mas eu a respeitarei como dona desta casa, até eu poder ser independente, ter o meu próprio dinheiro para decidir o que fazer com a minha vida.

— É assim mesmo que deve pensar, Telma. A mulher só vai conseguir a sua independência no dia em que tiver o seu próprio dinheiro. Não quer tomar um pouco de café, antes de sair?

Telma olhou para aquela mulher que havia entrado em sua casa de uma maneira que a deixou revoltada, mas não sabia por que não estava mais sentindo a mesma raiva que sentira até agora. Sorriu, sentou-se ao lado do pai e começou a tomar café. Sílvio permaneceu calado, sem olhar para a filha.

Dirce também ficou calada. Sueli, que também já havia acordado, foi para a cozinha, aproximou-se e estranhou a cena, primeiro, por ver Telma em casa e, depois, por vê-la tomando café ao lado de Dirce e de Sílvio. Perguntou intrigada:

— Não foi trabalhar, Telma?

— Dormi muito, Sueli, e perdi a hora, mas já estou indo para o escritório.

Sueli sorriu e voltou para o quarto. Telma terminou de tomar café e foi terminar de se arrumar para poder ir trabalhar. Assim que entrou no quarto, Sueli, perguntou:

— Não está mais com raiva da dona Dirce, Telma?

— Não sei o motivo, mas a raiva sumiu. Sonhei com a mamãe e acordei mais calma e decidida a continuar minha vida, meu trabalho e meus estudos.

— Sonhou com a mamãe? E o que ela disse?

— Não sei, não me lembro bem do sonho... somente que a vi e parecia que ela estava muito feliz... pelo menos bonita ela estava!

— Queria tanto sonhar com ela, Telma.

— Vai sonhar, Sueli, e vai ver como ela está bonita. Agora preciso terminar de me vestir para poder ir trabalhar.

Telma se vestiu e, ao passar pela cozinha, viu que seu pai não estava mais lá. Viu Dirce lavando louça e disse:

— Estou indo para o trabalho, dona Dirce. Até mais tarde.

— Estive pensando, Telma, por que não vem para o almoço? Está muito abatida e precisando se alimentar bem. Prometo que vou fazer uma comida bem gostosa.

Telma olhou para Dirce e lembrou-se da mãe, quando insistia para que ela e as crianças se alimentassem bem. Procurou dentro de si a mágoa que sentia por aquela mulher, mas não a encontrou mais lá. Sorrindo, respondeu:

— Estou precisando me alimentar, mesmo. Venho almoçar, dona Dirce, e obrigada pela atenção.

Dirce sorriu:

— Fico feliz com sua decisão e, com o tempo, espero poder demonstrar a você que não quero tomar o lugar da sua mãe, que só quero o bem-estar de vocês, meu e de meu filho.

Calada, Telma sorriu acenou com a mão e saiu. Estava chegando perto do portão, quando ouviu a voz de Laurinha.

— Bom-dia, Telma. Está atrasada para o trabalho?

— Estou, dona Laurinha, não sei o que aconteceu, perdi a hora...

— Preciso conversar com você e estava esperando uma oportunidade. Já que está atrasada poderia vir até aqui em casa para podermos conversar? Prometo que o que tenho para te dizer não vai demorar muito.

— Já que estou atrasada e vou ter que dar explicações, alguns minutos a mais não vão fazer diferença. Estou indo para aí.

Saiu pelo seu portão e entrou no de Laurinha. Juntas entraram na cozinha da casa e Laurinha mostrou uma cadeira para que Telma se sentasse ao lado da mesa. Assim que ela se acomodou, Laurinha disse:

— Telma, preciso conversar com você, porque tenho pensado muito em algo que me disse.

— Que foi que eu disse, dona Laurinha? Desculpe se disse alguma coisa que a ofendeu. Sabe que eu estava muito nervosa... e que minha vida também está uma bagunça, mas, não sei por que, de hoje em diante, acho que tudo vai mudar.

— Que bom ouvir você dizendo isso! Não, você não disse coisa alguma que tivesse me ofendido, ao contrário, sou em quem tem que te pedir perdão a você por...

— A senhora me pedir perdão? Nem pense nisso, desde que minha mãe morreu, a senhora esteve ao nosso lado e me ajudou muito! Não me lembro de coisa alguma que a senhora tenha feito ou dito que precisasse de desculpa!

— Estive pensando muito em tudo que fiz por vocês e em coisas que disse.

— Não sei sobre o que está falando, dona Laurinha...

— Quando disse que podia e queria te ajudar, foi de coração e com sinceridade, mas depois, achei que, por estar ajudando, tinha o direito de interferir na sua vida e julgar o que fazia...

— Que está dizendo, dona Laurinha? A senhora esteve ao meu lado nos piores momentos...

— Estive e não me arrependo por isso. E vou continuar estando sempre do seu lado e do de seus irmãos... mas, quando encontrei você na cama, no meio de todo aquele sangue, fiquei com muita raiva por saber o que você tinha feito e te julguei.

— A senhora me levou para o hospital...

— Levei, mas isso não quis dizer que eu não estava te condenando. Depois conversamos e eu me mantinha firme na minha posição, mas com o tempo fui pensando na nossa conversa e em algo que você me disse.

— O que foi que eu disse que a abalou tanto? Não me lembro, falei tanta coisa!

— Você disse que eu estava te condenando porque tinha um marido e um lar perfeito, mas, se estivesse no seu lugar, que talvez pensasse diferente.

— Sei que disse isso, mas a senhora tinha razão, não existe, neste mundo, motivo algum para que se tire uma criança e se evite que ela nasça. Sinto que, enquanto eu viver, não vou conseguir esquecer isso que fiz. Mas sinto que, apesar disso, preciso continuar minha vida e que um dia, se Deus quiser, poderei ter um filho e dar para ele todo carinho e amor que merece.

— Estou feliz por te ouvir falando assim, mas suas palavras não me redimem. Nunca deveria ter te julgado, não estava realmente na sua pele e estive pensando muito em qual seria a minha atitude se estivesse na sua situação... todas as vezes em que fiquei grávida... foi porque quis e as minhas crianças foram bem-vindas.

— Ora, dona Laurinha, não se preocupe, nunca pensei mal da senhora, sempre soube que é minha amiga e que, se disse qualquer coisa, foi por querer me ajudar.

— Você pode ter me perdoado ou mesmo não ter ligado para o que eu disse, mas eu nunca poderia ter agido daquela forma. Sigo uma doutrina que nos ensina tantas coisas! Entre elas, que tudo está sempre certo, que existe a lei de ação e reação e, principalmente, o livre-arbítrio... e, por cada um ter seu livre-arbítrio e não sabermos o motivo pelo qual as coisas acontecem, não temos o direito de julgar, e nem podemos. O que me deixa mais triste é que, apesar de ter estudado tanto e pensado que havia aprendido, constato que nada aprendi. Me considerei a dona da verdade e que a verdade só a Deus pertence. Qualquer pessoa poderia ter julgado você, Telma, menos eu, me perdoe, por favor...

— Não tenho o que perdoar. Hoje acordei decidida a continuar minha vida. Por isso estou feliz, mesmo sem saber por que, e só tenho que agradecer à senhora por tudo que me ajudou. Agora preciso ir, estou realmente muito atrasada. Até mais, dona Laurinha.

Dizendo isso, Telma se afastou e Laurinha ficou olhando ela seguir... *como pude julgar, Senhor? Logo eu, que freqüento uma casa espírita duas vazes por semana, que recebo e ministro passes, que ouço e dou palestras e que leio muitos livros? Julgava saber tudo sobre a espiritualidade, mas, na realidade, depois da minha atitude para com a Telma, constato que nada aprendi e que nada sei...*

Sara que o tempo todo esteve ao lado delas, sussurrou baixinho: *Parabéns, minha amiga por ter, sozinha, constatado isso! Mas não se preocupe, todos estamos apenas começando a caminhada e, portanto, todos erramos... é errando que aprendemos... e Deus, por nos conhecer muito bem, nos dá sempre novas chances de aprendizado. Fique com Deus e em paz!* Em seguida beijou de leve o rosto da amiga e se afastou acompanhando Telma.

Assim que se afastaram, Laurinha sorriu aliviada... *estou me sentindo tão bem por ter conversado com Telma... e essa brisa suave... deve ter sido uma manifestação do meu guia...*

Telma chegou no escritório e estava decidida a pedir desculpa pelo atraso, mas, como sempre, Roberto ainda não havia chegado. Foi para sua sala e começou a trabalhar. Faltava um pouco mais de meia hora para o almoço. Havia dito a Dirce que ia almoçar em casa, mas precisava conversar com Marieta e não podia demorar muito. Foi até a sala onde Marieta trabalhava, entrou e disse:

— Marieta, preciso conversar com você, pode dar um pulo lá na minha sala?

— Agora não, estou terminando um trabalho, daqui a uns dez minutos vou até lá... mas o que tem de tão urgente para falar comigo?

— Nada importante, é sobre trabalho — Telma mentiu, pois sabia que os outros funcionários que trabalhavam na mesma sala de Marieta estavam prestando atenção na conversa delas.

— Está bem, daqui a pouco vou até lá.

Telma voltou para sua sala e ficou trabalhando. Mais tarde, Marieta chegou.

— Que aconteceu, Telma, parece que está muito nervosa...

— Não estou nervosa, Marieta, ao contrário, esta manhã acordei muito bem e pensando no que tenho feito nos últimos dias. Decidi que vou retomar minha vida e deixar tudo o que fiz para trás, pois sei que não há como remediar. Mas, antes, preciso te pedir desculpas. Para me livrar da culpa, tentei transferir para você o que era só de minha responsabilidade. Você não teve culpa daquilo que fiz, fui eu que insisti para que me acompanhasse. Sei que, se me acompanhou, foi porque é minha verdadeira amiga. Perdão, Marieta pelas coisas que te disse...

— Telma, não pode imaginar como estou feliz por te ver tão bem. Falou coisas que me fizeram chorar, mas, agora, vejo que estava fora de si. Não tenho o que te perdoar, só desejo que seja feliz e que volte a ser minha amiga.

Telma abriu os braços e abraçaram-se com muito carinho. Depois, ela disse:

— Agora preciso terminar meu trabalho. Tenho que ir almoçar em casa.

— Está dizendo que aquela mulher foi embora?

— Não, ela continua lá, mas estou percebendo que a presença dela não é tão má como pensei. Além do mais, alguém tem de cuidar da casa e das crianças. Não te disse que hoje acordei diferente?

— Que bom, Telma, mas o que será que aconteceu durante a noite?

— Não sei, só sei que sonhei com minha mãe, mas não lembro nem um pouquinho do sonho.

— Parece que o sonho foi bom...

— Não sei, mas parece que sim. Agora, vamos tocar a vida?

— Vamos, sim, Telma. Que bom que voltou a ser a mesma de sempre.

— Também acho, Marieta, também acho...

Marieta saiu da sala e Telma foi almoçar em casa.

Ganância

Matias e os outros permaneceram ao lado de Plínio durante a noite toda e também as entidades que tinham vindo com Germano. A manhã já ia alta quando Plínio se virou na cama e abriu os olhos. Sua cabeça doía, devido a todo o vinho que havia tomado. Ainda deitado, pensou: *Não devia ter bebido tanto, minha cabeça continua doendo muito...*

As entidades também acordaram e tentaram se aproximar, mas Matias as impediu com um olhar. Uma delas disse, nervosa:

— Você não pode impedir a gente! Ele é nosso amigo, nós chegamos primeiro e foi esse traidor aí quem trouxe a gente!

— Tem razão, meu irmão, fui eu quem, num momento de fraqueza, me deixei dominar por sentimentos de ódio e revolta e fiz com que viessem até aqui. Mas agora me arrependi, quero ser merecedor daquele lugar de felicidade e luz que sei que existe, sim. Por isso, já que me acompanharam até aqui, estou convidando a todos para que me acompanhem até aquele lugar, sei que não se arrependerão.

— Está maluco? Quem disse pra você que a gente quer viver em um lugar de paz e luz? A gente quer é continuar se divertindo, como aconteceu ontem a noite! A gente quer beber, fumar e dançar! É isso que a gente quer! Esse aí pode dar tudo que queremos! Ele é nosso e, enquanto ele quiser a nossa companhia, vocês não podem impedir!

— Disse bem! Enquanto ele quiser... mas, para isso, terá de ter todas as chances para mudar de idéia! E é isso que faremos. Se, no final, não conseguirmos, por um bom tempo, infelizmente ele será só de vocês, nada poderemos fazer para impedir — disse Matias com a voz firme.

— Está bem, não queremos que depois digam que não cooperamos, não que o que vão dizer importe, mas, já que estamos lutando por ele, que vença o melhor! Está até divertido!

— Não se trata de uma luta, mas de salvação.

— Está bem, mas sabe que só estamos aqui porque fomos trazidos por esse traidor — disse olhando para Germano —, mas mesmo que ele não nos tivesse atraído, nós mesmos ou outros teriam vindo, atraídos pelo pensamento de Plínio. Por isso, já que ele tem o livre-arbítrio, vamos deixar que decida o que fazer. Você falará daí e eu daqui, aquele que ele resolver seguir, será o vencedor e o outro terá de ir embora.

— Isto aqui não se trata de um jogo! Estamos tentando ajudá-lo porque é nosso amigo de longa data.

— Não o conhecemos, mas também estamos tentando ajudar para que ele tenha exatamente o que deseja...

Nesse mesmo momento, antes que Matias respondesse, Plínio se levantou, foi para o banheiro, ligou o chuveiro, tomou um banho rápido e voltou ao quarto, pensando: *Como meu tio pôde fazer aquilo, levar Luísa e o meu filho? Não posso permitir! Sei que preciso impedir que vá ao escritório. Ontem, eu estava muito bêbado, mas aquela idéia que tive foi muito boa! Se ele morrer, tudo ficará bem na minha vida, além de eu ficar com todo seu dinheiro, ainda trarei Luísa e meu filho para casa!*

Matias se colocou ao seu lado e disse: *Plínio, mude de idéia, esse não é o caminho que deve seguir. Vá até a casa de Roberto converse com ele, ele é bom e entenderá.*

Plínio, por um instante, pensou: *Eu poderia ir até a casa do meu tio e tentar explicar o que aconteceu, talvez ele entenda e me perdoe...*

Nem pense nisso, Plínio! Ele não vai te perdoar e, mesmo que fizesse isso, você continuaria tendo que trabalhar feito um louco!

Matias olhou para a entidade que falou, mas, antes que dissesse qualquer coisa, ela disse:

— Você não pode me impedir! Você fala daí que eu falo daqui, vamos ver a quem ele atende. Se ele resolver ouvir o que você está dizendo, nós vamos embora e ele será inteiramente seu.

— Sei que não posso te impedir, mas, assim que demonstrar um mínimo de arrependimento e mudar seu pensamento, vocês terão de ir embora.

— Está bem, mas sei que esse aí não vai se arrepender nunca!

Plínio, alheio ao que se passava no plano espiritual, pensou, nervoso: *Não adianta eu ir lá! Mesmo que ele me perdoe e que Luísa volte para casa, ele continuará vivo e nunca terei o seu dinheiro e os seus escritórios... e terei de trabalhar feito um louco pelo resto da vida... e isso não quero mais! Já sei o que vou fazer!*

Foi até o guarda-roupa, abriu a porta e depois uma gaveta. De dentro dela, tirou o revólver embrulhado no pano azul, que no outro dia tinha posto bem no fundo. Colocou sobre a cama e foi desenrolando-o do pano, com um prazer misto de frieza e ódio. Pegou o revólver na mão e verificou se estava carregado, constatou que todas as balas estavam no pente. Sorriu e pensou: *Vou até lá, mas levo este revólver. Conversarei com ele e com Luísa, me farei de vítima e pedirei que ela volte para casa. Assim que ela concordar, direi que preciso ir ao escritório e que estarei esperando por ele, para lhe mostrar todos os documentos que quiser. Aí, saio e espero na esquina, assim que ele passar com o carro, atiro e dou o fora imediatamente. Aquela rua é tranqüila e, a esta hora da manhã, não vai ter ninguém. Depois de atirar, vou para o escritório e espero até que me comuniquem a sua morte. Sigo para lá voando... e serei o mais triste dos sobrinhos!!! Ninguém vai imaginar que fui eu..*

Matias, que o tempo todo acompanhou os movimentos de Plínio, ao ver o que estava pretendendo, olhou para seus companheiros que, imediatamente, colocaram-se em oração. Depois falou: *Plínio, não faça isso! Se o fizer, está condenado a um sofrimento que ainda pode ser evitado. Sabe que Deus te ama e quer que seja feliz! Você já voltou muitas vezes prometendo que lutaria contra a ganância e em todas elas fracassou. Não fracasse novamente! Sabe que somos seus amigos e que te queremos muito...*

Não dê ouvidos a ele, Plínio! Faça isso mesmo, vá lá e termine com a vida daquele imprestável. Não se preocupe, quando terminar estaremos ao seu lado para sempre!

Plínio, que continuava não dando ouvidos ao apelo de Matias, escondeu o revólver na cintura e saiu. Pegou seu carro e foi para a casa de Roberto. Matias, seus companheiros e os outros o seguiram.

Roberto, na noite anterior, assim como tinha feito com Flávia, levou Luísa até a delegacia, para que ela prestasse queixa e fizesse um boletim de ocorrência.

Agora, depois do merecido repouso, ele, Nadir, Flávia e Luísa tomavam café e conversavam. As crianças ainda estavam dormindo. Roberto, dizia:

— Assim que terminar de tomar café, vou até o escritório onde Plínio está trabalhando, preciso ver como andam as coisas por lá. Faz muito tempo que ele não me presta contas.

— Está desconfiado de alguma coisa, Roberto?

— Não, Nadir, nunca desconfiei, sei que ele é responsável e que posso deixar os escritórios em suas mãos sem problema algum. Espero que reflita sobre o que tem feito com Luísa e entenda que, se isso continuar, poderá perder tudo o que conquistou, principalmente a minha confiança. Nós o criamos e sabemos que ele tem um caráter bom. Sabe que meu sonho é parar de trabalhar, para podermos viajar e ficar mais tempo juntos, acho que está chegando a hora e não há ninguém melhor do que ele para ficar no meu lugar. Foi para isso que o preparei a vida toda.

— Tem razão, tio, ele pode ter todos os defeitos, mas trabalhador ele é.

Ouviram que alguém batia com força na porta de entrada. A empregada foi abrir a porta e voltou acompanhada por Plínio. Eles não viram, mas ele não estava sozinho. Ele se aproximou, olhou primeiro para o tio e depois para Luísa, e disse tímido e com a voz chorosa;

— Luísa, estou aqui para te pedir perdão, te levar para casa e jurar que o que aconteceu ontem jamais se repetirá. Amo, e muito, você e o nosso filho, não sei viver sem vocês.

Roberto, que havia se levantado quando ele chegou, olhou para Luísa, que disse:

— Sinto muito, Plínio, mas não voltarei mais para sua companhia. Seu tio me acolheu e está me dando a chance de mudar minha vida, de ser alguém e nosso filho está feliz aqui.

— Por favor, Luísa, não diga isso, sabe que sempre te amei e sei que errei muito, mas prometo que vou mudar e que nunca mais brigarei com você...

— Não pode ser, Plínio. Eu te disse várias vezes que, se tivesse uma chance de sobreviver sem estar ao seu lado, te abandonaria. E agora estou tendo essa chance. Cansei de sofrer. Quero e mereço uma nova vida!

Plínio tentou se aproximar dela, mas Roberto, disse:

— Não adianta, Plínio, deixe para conversar um outro dia. Ela está aqui e ficará até quando quiser. Se, amanhã, resolver voltar para você, não me oporei. Mas, por ora, vamos deixar as coisas como estão.

— O senhor não vai me roubar tudo que tenho! Quero minha mulher de volta e tem que ser agora! — gritou muito nervoso.

— Não insista, Plínio, ela ficará aqui até quando quiser e hoje ela não quer te acompanhar, quem sabe um outro dia.

— Ela não quer me acompanhar porque o senhor deve ter feito a cabeça dela para que não volte! Mas não permitirei! Já que não quer que ela volte, terá em sua casa uma morta, porque vou matá-la! Gritou transtornado e pegando o revólver da cintura.

Roberto, por instinto, sem pensar, atirou-se sobre ele tentando tirar o revólver de suas mãos e entraram em luta corporal.

Matias imediatamente se colocou ao lado dos dois e ficou jogando luzes. Rita e Selma ficaram ao lado das mulheres que, assustadas e paralisadas pelo medo, ficaram sem ação e só conseguiam gritar para que parassem. Matias e seus companheiros jogavam, luzes e pediam ajuda. Os outros riam e rodopiavam em volta dos dois que lutavam. Um deles dizia rindo muito: *...atire nele, Plínio! Ele é o responsável por tudo de ruim que aconteceu e acontece na sua vida!*

Ouviram o barulho de um tiro e, em seguida, os dois corpos caindo lentamente. Nadir e Flávia conseguiram sair do torpor em que se encontravam e correram para junto de Roberto, que já estava deitado e com os olhos fechados. Luísa foi para junto de Plínio, que também estava deitado e com os olhos fechados. Elas começaram a gritar e a chorar.

Roberto abriu os olhos e disse, tenso:

— Não estou sentindo nada, mas acho que ele me acertou, Nadir. Precisam chamar uma ambulância.

— Ele não o acertou titio, uma bala o atingiu bem no meio do peito. Acho que ele está morto... — disse Luísa, chorando e com a cabeça de Plínio em seu colo. Roberto, ainda tenso, se levantou, foi para junto dela e pode constatar que era verdade. Durante a luta, na tentativa de afastar o revólver, a mão de Plínio havia se voltado quando ele apertou o gatilho, acertando seu próprio corpo. O revólver ainda continuava preso em seus dedos.

Roberto ficou desesperado e começou a chorar sem parar. Matias e seus companheiros estavam cansados e abatidos. Não puderam impedir que os outros recolhessem Plínio, que, atônito, os viu e foi obrigado a segui-los. Rita perguntou:

— Que será dele agora, Matias?

— Será levado por eles para algum lugar onde sofrerá todo tipo de maldade. Vagará até o dia em que se arrepender e pedir perdão. Nesse dia, Deus, que o tempo todo estará esperando por ele, vai lhe dar uma nova chance. Infelizmente, tentamos mas não pudemos evitar que fizesse o que seu livre-arbítrio determinou. Vamos pedir que a luz o acompanhe, mesmo que seja à distância.

Epílogo

A polícia foi chamada e foi constatado que o próprio Plínio havia efetuado o disparo. E Roberto ficou livre de qualquer acusação, mas, por muito tempo, ele não ficou bem. As cenas da luta e do disparo não saíam de seu pensamento. Ele não aceitava ter sido o causador da morte de Plínio.

No escritório, todos os funcionários ficaram abalados, nunca teriam imaginado que Plínio morreria tão cedo e daquela maneira. Não entenderam o que havia acontecido, só sabiam que, por acidente, ele havia disparado um tiro e que tudo aconteceu na casa de Roberto. Telma ao saber, como todos, ficou abalada e pensou: *Sei que deveria ficar feliz com a morte dele, mas não estou. Apesar de me fazer sofrer tanto, eu o amava e nunca desejei que morresse, ainda mais dessa maneira. Era tão inteligente e poderia ter tido uma vida feliz! Mas se, como dona Laurinha diz, a vida após a morte continua, que Deus o proteja e tenha um bom lugar para ele.*

Duas semanas depois do enterro, após o jantar, Roberto, abatido, disse:

— Como uma coisa como essa pôde acontecer? Ele sempre foi como meu filho, pensei que havia lhe dado carinho e amor, mas parece que falhei. O meu sonho era que ele continuasse o meu trabalho. Não consigo me perdoar por ter sido o causador de sua morte.

— O senhor não foi o causador, titio. Se não o tivesse impedido, quem agora estaria morta seria eu. Ele estava transtornado. O senhor teve de fazer uma escolha, sei que não imaginou que o desfecho seria esse.

— É isso mesmo, Roberto. Todos somos testemunhas do estado em que ele se encontrava e, se não o tivesse impedido, teria matado todos nós. Não deve se culpar, meu querido, sei de todo amor que demos a ele, não foi nossa culpa ter se transformado nesse ganancioso e mau-caráter. Sabe que, às vezes, eu acho que não importa o tipo de educação que uma criança tenha, acho que cada um tem seus próprios instintos, bons ou maus, e que ao crescer será exatamente da maneira que quiser. Fizemos nossa parte, demos a ele condições para que se tornasse um homem de bem e, se isso não aconteceu, a culpa não foi nossa. Cada um é da maneira que quer.

— Sei que o que dizem tem fundamento, mas não gostaria que ele terminasse assim. Era tão jovem e tinha uma vida toda pela frente; quem deveria ter morrido era eu, que já vivi tanto.

— Viveu tanto, mas não o suficiente para que eu fique sozinha.

— Nem nós, não é, Luísa?

— Claro que sim, Flávia. Estou triste, pois o amava, mas ao me lembrar de todo sofrimento, medo e angústia que vivi ao lado dele, Deus me perdoe, mas sua morte foi um alívio. Só quero, daqui para frente, estudar, encontrar um trabalho e criar meu filho.

— Agora poderá voltar para sua casa e fazer o que quiser. Prometo que te ajudarei em tudo que precisar.

— Sei, titio, e só posso agradecer por todo carinho. Tenho ainda uma coisa para pedir. Não digam aos meus pais que eu saí de casa, não me perdoariam nunca. Já que o desfecho foi esse, não precisarão ficar sabendo e sei que talvez eu esteja incomodando, mas gostaria de continuar morando aqui. Sinto-me protegida ao lado de vocês.

— Você é quem sabe. Se quiser, pode continuar morando aqui, para nós será um prazer, não é, Nadir?

— Claro que sim, fiquei tanto tempo morando sozinha nesta casa, que agora me faz um bem enorme o barulho das crianças... e todos falando juntos.

— Quanto aos seus pais, não se preocupe, diremos que Plínio veio aqui em casa para brigar comigo e que você o acompanhou. Ninguém precisará ficar sabendo a verdade.

— Obrigada, titio.

— Além do mais, depois de ter me livrado da morte mais uma vez, acho que está na hora de parar de trabalhar e viver a vida. Já que as duas continuarão vivendo aqui, estive pensando e queria propor uma coisa a vocês.

— O que é, papai?

Gostaria que começassem a trabalhar em meus escritórios, para serem treinadas, assim eu poderei deixar tudo em suas mãos e começar a viver uma nova vida ao lado da minha esposa querida. Poderemos viajar e conhecer lugares diferentes. Que acham?

— Eu vou adorar, Roberto! Sabe como tenho vontade de conhecer a Europa.

— Aceito, titio, se me dá essa chance, sei que não se arrependerá. Farei o possível para ser uma boa colaboradora. Só há um problema, sabe que meus pais, por terem dinheiro e pertencerem à alta-roda, não vão permitir que eu trabalhe fora. Mas farei tudo para que entendam.

— Se não entenderem, Luísa. O que fará?

— Se não entenderem e não aceitarem, Flávia, terei de romper com eles. Estou conquistando minha liberdade e não me deixarei prender por convenções.

— Acho que está certa, Luísa. Eu também, papai, aceito! Só que terei de dividir meu trabalho com aquela idéia da delegacia da mulher... não esqueci, não.

— Está bem, Flávia. Não nos esquecemos também. Tomara que outras pessoas estejam pensando a esse respeito. Quem sabe um dia ela surgirá e ajudará a muitas mulheres.

— É isso que desejo, papai.

— Está bem, já que todas aceitaram, mãos à obra. A vida continua!

Matias dispensou seus companheiros e continuou ali, ao lado de Rita, Sara, Germano e Selma, que acompanharam a conversa que eles estavam tendo. Olhou para eles e disse:

— Bem, parece que aqui está tudo bem e eles voltaram à vida normal. Nossa missão aqui terminou. Vamos embora e torcer para que tudo continue bem. Agora, vamos dar uma passadinha na sua casa, Sara, para ver como tudo está por lá.

Saíram dali e foram para casa de Sara. Entraram e viram que Dirce terminava de colocar o almoço. As crianças estavam brincando no quintal, Sílvio estava chegando e elas correram para ele, que se abaixou para abraçar e beijar os três. E, juntos, entraram em casa.

Matias, feliz, disse:

— Aqui também a nossa missão terminou. Podemos voltar para casa, Rita. Sei que trabalha com outra equipe e só está aqui por seu interesse, mas você, Sara, se deu tão bem nesta missão, que gostaria de convidá-la para fazer parte permanente da minha equipe. Que acha?

— Eu não sei se serei de ajuda... — ela disse emocionada.

— Claro que será! Só há um problema... com isso terá pouco tempo para ficar aqui ao lado de seus filhos... Mas agora eles estão bem e poderão seguir a vida sem problemas; se precisarem, saberemos e voltaremos correndo.

— Sendo assim, aceito e espero poder fazer um bom trabalho.

— Já que perdi a oportunidade de renascer, queria te pedir, Matias para poder, também fazer parte da sua equipe.

— Gostaria muito, Germano, mas acho que não vai ser possível.

— Por que não? Por que fraquejei?

— Não. Por que, embora possa parecer, nem tudo está perdido. Deus sempre nos dá novas chances. Olhem ali!

Olharam para o lugar que ele apontava e viram Telma chegando, acompanhada por Rafael, que dizia:

— Sabe, Telma, ainda bem que nos encontramos no caminho vindo para casa. Sei que nos conhecemos desde crianças e sempre gostei muito de você.

— Também gosto muito de você, Rafael.

— Não estou falando de gostar como amigo, mas de uma maneira diferente. Vou logo ao assunto. Quer namorar comigo?

— O que?! — ela perguntou assustada e surpresa.

— Isso mesmo, gosto de você e quero namorar, casar e ter muitos filhos.

— Espere aí, Rafael, nunca pensei em você dessa maneira!

— Pois eu faz muito tempo que penso. Quer ir ao cinema comigo... no domingo?

Telma olhou em seus olhos e sentiu um tremor pelo corpo e pensou: *por que, não? Ele tem um jeito bom e... até que ele é bonito...*

— Está bem, Rafael, vamos ao cinema, mas nem pense em se casar agora, estou estudando e quero receber meu diploma.

— Só vamos namorar, Telma! Também estou estudando e, também, preciso receber meu diploma.

Ao ouvir isso, Matias sorriu e disse:

— Germano, pode se preparar...vai renascer em breve e em um lar, onde será bem recebido e onde terá amor, carinho e muita felicidade.

Germano começou a chorar, dizendo:

— Obrigado, meu Deus, por mais essa oportunidade...

— Como vê, Sara, tudo está bem em sua casa e poderá começar a trabalhar na minha equipe sem problema algum.

— Tem razão, Matias, e só posso agradecer a Deus por toda essa felicidade que estou sentindo, mas poderei voltar aqui, não poderei?

— Claro que sim, sempre que quiser e não estiver trabalhando.

E deram-se as mãos, desaparecendo em luz.

Fim

Leia, a seguir,
o 1º capítulo
do livro
Sempre existe
uma razão

Elisa Masselli

Sempre existe uma razão

Encarnação atual

Solange, nervosa, tocava a campainha e batia com força à porta do apartamento de Maria Clara. Já estava ali há alguns minutos. A cada pancada, seu coração batia mais forte. Estava com medo de que algo de grave houvesse acontecido com a amiga, dentro do apartamento. Chamava, gritando:

— Maria Clara, abra essa porta! Maria Clara, você está aí?

A porta do apartamento ao lado se abriu e surgiu uma senhora que, também parecendo preocupada, perguntou:

— O que está acontecendo, Solange?

— Não sei, dona Hilda, já faz três dias que a Maria Clara não vai ao escritório. Telefonei várias vezes, mas ninguém atende. Estamos preocupados, receio que aconteceu algo com ela!

A senhora saiu de sua porta e caminhou para junto de Solange. Nervosa, disse:

— Também não a tenho visto. Todas as tardes, quando chega do trabalho, costuma vir até o meu apartamento. Eu, sabendo disso, preparo um café, conversamos um pouco, depois ela vai para o seu apartamento. Notei que, há alguns dias, ela não veio. Entretanto, ao mesmo tempo, fiquei tranqüila, pois ela havia me dito que ia tirar férias e que, provavelmente, iria viajar. Estranhei que ela não se despedisse, mas você a conhece melhor do que eu e sabe como é cheia de manias. Além do mais, quando está namorando, também a vejo pouco. Ela se dedica totalmente ao namorado.

— Ela vai tirar férias, dona Hilda, sim, mas isso só vai acontecer na próxima semana. Por isso é que não estou entendendo e fiquei preocupada. Justamente por entrar em férias é que deveria deixar todo o seu trabalho em ordem.

— Agora, estou, também, começando a ficar preocupada, Solange. Será que aconteceu alguma coisa? Será que ela está aí dentro?

— Não sei, dona Hilda, mas, se ela não atender, vou chamar a polícia para que arrombem a porta.

— Acho que devemos fazer isso mesmo, Solange. Não estou vendo outra solução.

Solange, desesperada, bateu mais uma vez, tocou a campainha e chamou:

— Maria Clara! Maria Clara!

Não obtendo resposta, perguntou:

— Dona Hilda, podemos ir até seu apartamento para telefonar para a polícia? Estou muito preocupada. Deve, mesmo, ter acontecido alguma coisa!

Hilda, também preocupada, respondeu, apreensiva:

— Claro que sim! Vamos agora mesmo!

Estavam entrando no apartamento de Hilda, quando a porta se abriu e surgiu uma moça muito bonita. Loura, seus olhos verdes estavam vermelhos de tanto chorar. Ao vê-la, Solange disse, aliviada:

— Maria Clara! Ainda bem que está aí! Por que não atendeu o telefone nem abriu a porta quando toquei a campainha e chamei por você? Pelo tom de minha voz, pode perceber que eu estava desesperada!

— Por que eu não quero falar com ninguém!

— O que aconteceu? Parece que você está chorando há muito tempo, seus olhos estão inchados e vermelhos!

— Nada aconteceu, Solange, só estou cansada de viver! Minha vida não tem sentido... por isso, quero morrer...

— Não diz isso nem de brincadeira ! Está muito nervosa e não sabe o que está falando!

— Diz isso porque é minha amiga, mas sabe que estou dizendo a verdade... não presto para nada e não sei para que foi que eu nasci... quero morrer, Solange... — disse essas palavras, chorando, desesperada.

— Não diga isso nem de brincadeira! Você é linda e muito inteligente! Tem um ótimo emprego e um salário melhor ainda! Tem tudo para ser feliz, Maria Clara...

— Quem não me conhece e me vê, com um bom salário, vivendo bem, pode pensar assim, mas você, não, Solange. Conhece-me desde pequena e sabe como foi a minha vida. Estou cansada... do que adianta tudo isso se não tenho o resto...

— Que resto, Maria Clara?

— Uma família, pai, mãe, irmãos, marido e filhos! Nunca tive alguém... estou cansada. Não vejo um futuro, Solange...

— Como não? Você é ainda muito jovem, tem tempo para construir uma família e garanto que, quando isso acontecer, vai se arrepender do que está falando, porque família dá muito trabalho — Hilda disse, rindo.

— A senhora diz isso, porque teve pais, irmãos, primos, sobrinhos e agora tem marido, filhos... se não tivesse tido alguém, assim como eu, pensaria diferente...

— Por isso mesmo, por ter uma família grande é que estou dizendo que família dá muito trabalho. Cada um deles tem um problema, algumas vezes existem brigas e todos se dividem. Fica um sem conversar com o outro e, quando isso acontece, sou eu quem tem de resolver...

— É exatamente isso que me faz falta, dona Hilda. Queria ter todos esses seus problemas, mas não tenho... minha vida não tem sentido mesmo...

Solange, embora um pouco mais calma e aliviada por ver que Maria Clara estava bem, mas ainda nervosa, disse:

— Até agora não disse o que aconteceu para que ficasse assim, Maria Clara.

— O Claudinei me abandonou...

— O que está dizendo, Maria Clara?

— Assim como aconteceu com todos os outros, ele me abandonou...

Solange respirou fundo, pois já ouvira Maria Clara dizer aquilo muitas vezes. Disse:

— Você está com uma aparência horrível, Maria Clara. Acho que devíamos entrar. Você toma um banho, ajeita esse cabelo e depois vai nos contar o que aconteceu. Está bem assim?

— Não, preferia que fossem embora e que me deixassem sozinha...

— Nada disso! Não sei a Solange, mas eu não saio mais do seu lado, até que fique bem! Embora não tenha família, mora aqui ao meu lado há muito tempo e a considero como se fosse minha filha! Não vou deixar você nesse estado!

— Também não vou sair daqui, dona Hilda! Maria Clara, você vai ter de nos agüentar. — disse rindo e com uma ponta de ironia na voz.

Maria Clara, percebendo que não tinha como se livrar delas, disse:

— Está bem, vamos entrar. Vou tomar um banho, me arrumar e depois conversaremos. Acho que não é necessário, pois a história se repetiu, deviam estar acostumadas...

— A história pode ter se repetido, mas não é motivo para que fique assim. Vamos entrar e você vai nos contar tudo.

Maria Clara se afastou da porta e permitiu que elas passassem. Entraram e puderam perceber que a sala estava toda desarrumada. Estranharam, porque Maria Clara era organizada e gostava de ter seu apartamento sempre em ordem. Foram até a cozinha e viram que, sobre a pia, havia uma porção de copos sujos e sobre a mesa, várias garrafas de vinho. Qualquer um podia notar que Maria Clara havia bebido muito. Solange olhou para Hilda, que, depois de observar tudo, perguntou, nervosa:

— Maria Clara, você andou bebendo?

— Sim, mas o que tem de mais?

— Tem tudo, você nunca bebeu e sempre criticou aqueles que bebiam. Não estou reconhecendo você, Maria Clara...

— Depois do que Claudinei me disse, só senti vontade de beber para poder dormir...

— Bebida nunca foi nem é um bom remédio.

— Sei disso, mas não sabia o que fazer...

— Está bem, vai nos contar tudo. Agora, enquanto você toma banho, eu e a Solange vamos dar um jeito nesse apartamento. Vou abrir as janelas para que o ar entre e, depois de tudo arrumado, vou preparar um café para que possamos conversar com tranqüilidade. Está bem assim?

Maria Clara conhecia-as o suficiente para saber que elas não iriam embora. Impotente, respondeu:

— Está bem, façam o que quiserem...

Enquanto ela entrava no banheiro, Solange e Hilda começaram a arrumar tudo e a conversar. Solange disse:

— Não entendo por que Maria Clara é assim tão negativa.

— Também, não é para menos, Solange, parece que, realmente, nada dá certo para ela.

— Como não, dona Hilda? Ela tem um bom emprego. Olhe este apartamento, embora pequeno, é lindo! Sei que seu salário não é muito alto, mas dá para ela viver com tranqüilidade.

— Para algumas pessoas, não haveria problema algum por que gostam de estar sozinhas, Solange, mas para Maria Clara a solidão se transforma em suplício. Ela quer muito ter uma família, só fala nisso.

— Pois eu trocaria a minha vida, num piscar de olhos. Já imaginou chegar a um apartamento como este, dormir em uma cama como esta e no mais completo silêncio, sem ouvir crianças falando, chorando ou brigando ou marido reclamando porque a comida está sem sal? Seria a glória!

Hilda sorriu e disse:

— Eu também penso assim. Como gostaria de ter um momento só meu, na mais perfeita solidão, mas, como a Maria Clara disse, pensamos assim porque temos marido e filhos, mas, se não tivéssemos, será que pensaríamos dessa maneira?

— Será que não, dona Hilda?

— Pode ter certeza que não, Solange. O ser humano nunca está satisfeito com o que tem, sempre quer mais ou diferente.

— Não acredito que seja assim. Existem muitas pessoas que estão felizes com a vida que têm.

— Sei que sim, mas pode contar nos dedos. A maioria é da maneira como falei, daria tudo para ter a vida do outro.

— Falou o quê, dona Hilda?

— As duas se voltaram e viram Maria Clara saindo do banheiro. Estava enrolada em uma toalha azul e com outra pequena nos cabelos. Hilda respondeu:

— Não estava falando nada, só jogando conversa fora. Parece que você está melhor, não é, Solange?

— Parece, sim. Sente-se aqui, Maria Clara, vamos tomar um café e você vai se sentir ainda melhor.

Maria Clara sorriu e sentou-se na cadeira que Solange lhe apontava. Depois de sentada, disse:

— Sei que estavam preocupadas comigo, por isso, peço desculpas. Eu estava tão triste e desesperada que nem me lembrei de avisar que não iria trabalhar por alguns dias. Agora, como podem ver, estou bem.

— Amanhã, vai voltar ao escritório, Maria Clara?

Maria Clara estava com o olhar distante e não ouviu o que Solange perguntou.

Solange olhou para Hilda e tornou a perguntar.

— Amanhã, você vai trabalhar, Maria Clara?

— Não sei... não estou me sentindo bem...

— Precisa ir! Sabe que, antes de entrar em férias, precisa deixar tudo em ordem.

— Sei disso, mas estou cansada da minha vida, de tudo. Estou reavaliando tudo e vendo se vale a pena continuar...

Ao ouvir aquilo, Solange se preocupou e, quase gritando, perguntou:

— Vale a pena o quê?

— Viver, Solange... viver...

— Que bobagem é essa que está dizendo? Viver sempre valeu a pena!

— Pode me dizer por quê?

— Porque a vida é boa, existem alguns momentos de tristeza, sim, mas muitos de felicidade...

— Isso pode acontecer com você e com algumas pessoas, mas a maioria, tem mais momentos de tristeza do que de felicidade e outras, assim como eu, só de tristeza...

— Você está exagerando, Maria Clara...

— Não estou, Solange. Você conhece a minha história. Sabe que, quando eu era recém-nascida e não tinha nem perdido o umbigo, fui encontrada pela Irmã Maria Paula. Fui abandonada. Minha mãe não me quis e me jogou fora...

— Conheço sua história, ela não é diferente da de todas aquelas crianças que estavam no orfanato e das que estão hoje. Sempre existiram crianças abandonadas e, infelizmente, continuarão existindo.

— Também sei disso, mas não é justo. Toda criança deveria ter o direito de ter uma família e ser feliz.

— Penso da mesma maneira, mas não me revolto com isso. Só posso pensar que a mãe que abandona seu filho deve ter um problema muito grande e pensa que, se deixar sua criança abrigada, sofrerá menos do que se continuasse ao seu lado.

— Pois eu não penso assim. Acho que uma mãe deveria fazer tudo para ter o filho ao seu lado. Não aceito que uma criança seja abandonada, Solange.

— Pode não aceitar, mas, muitas mulheres, se não fizessem isso, só poderiam cometer um aborto e se sua mãe tivesse feito um aborto, você não estaria aqui para recriminá-la. Pelo menos, Maria Clara, ela permitiu que você nascesse e tivesse uma chance de ser feliz. Ela deve ter achado que você seria adotada e criada ao lado de pessoas que a amariam.

— Mas nunca fui adotada, Solange! Nunca ninguém me quis e nunca fui amada!

— Você está certa ao dizer que nunca fui adotada, até eu não entendo por que isso aconteceu, mas dizer que nunca foi amada, isso não é verdade. Você teve e ainda tem a Irmã Maria Paula que nunca escondeu o quanto gosta de você. Todas nós, no orfanato, sabíamos disso e muitas vezes ficamos com raiva.

Maria Clara sorriu e disse:

— Nisso você tem razão. Ela sempre me tratou com muito carinho.

— Está vendo como não é tão infeliz e como nunca esteve sozinha como diz? Reclama de ter sido criada em um orfanato, mas teve sorte de sua mãe tê-la deixado naquele onde a irmã Maria Paula era noviça. Lembra-se de como seus olhos brilhavam quando nos contava como havia encontrado você?

— Lembro-me e, naqueles momentos, eu me sentia privilegiada...

— Está vendo? Acho que se não houvesse um motivo para que vivesse, não teria nascido. A vida é um bem precioso, por isso temos de dar muito valor a ela.

— Não sei se existe um motivo para que eu nascesse e vivesse, pois até agora, não encontrei motivo algum. Minha vida é tão sem graça...

— Pode pensar assim, mas eu não acho. Deve haver algum motivo, Maria Clara, basta esperar que, a qualquer momento, você vai descobrir.

— Não sei, não, Solange, não sei mesmo...

— Você pode não saber, mas acredito que todos temos um motivo para haver nascido e nos tornado adultos. A qualquer momento, vai descobrir isso.

— Será?

— Claro que sim, se não fosse assim, por que está viva até hoje, por que teve a Irmã Maria Paula ao seu lado? Lembra-se de como ela ficava feliz quando nos reunia e começava a falar:

— Era uma manhã fria de junho, Maria Clara. Ouvi a campainha no grande portão do orfanato. Fui abrir e não havia qualquer pessoa. Estranhei, mas pensei que devia ter sido alguma criança que, só para brincar, tocava a campainha e saía correndo. Estava voltando, quando ouvi um choro, choro não, um grunhido. Voltei e olhei para o lado e para baixo e vi um pacote de roupas. Peguei e encontrei você, Maria Clara. Assim que a vi, não sei o porquê, me emocionei. Você, embora fosse muito pequena e ainda estivesse um pouco inchada, o que demonstrava que havia acabado de nascer, era linda, carequinha,e quando, fazendo um esforço enorme, conseguiu abrir os olhos, percebi que eram verdes. Entrei correndo e a levei para a madre superiora que, assim como eu, achou você linda. Ela, com você nos braços, disse:

— Maria Paula, essa criança é linda e de fácil adoção. Vamos cuidar dela e comunicar ao juizado de menores.

— Vai ser fácil, mesmo, madre. Ela é tão linda, precisamos dar-lhe um nome.

— Pense em algum nome, depois me comunique.

— Já sei qual vai ser o seu nome. Tão branquinha, que tal Maria Clara?

— Para mim está bem.

— Peguei você novamente no meu colo e a levei até a enfermaria, onde lhe dei um banho rápido e troquei suas roupas. Depois de vestida, olhei novamente e disse em pensamento: você é linda mesmo, estou muito feliz por estar aqui. Seja bem-vinda a este mundo e tomara que seja feliz...

Maria Clara, ao ouvir Solange e relembrando-se do dia em que foi encontrada, disse:

— É verdade, a Irmã Maria Paula sempre contava essa história, mas nada daquilo se realizou. Embora todos achassem que, por eu ser bonita, seria logo adotada, isso não aconteceu. Você também morava lá, Solange.

— Morava e era três anos mais velha do que você. Fomos crescendo e nos tornamos as melhores amigas.

— É verdade. Quando pequena, não entendia que morava em um lugar criado para crianças sem pais. Nem sabia o significado dessa palavra, mas, com o tempo, fui aprendendo e percebi que as outras crianças eram levadas por casais que, sorridentes e felizes, saiam com elas nos braços, mas eu não, sempre continuava ali. Quando os casais andavam pelo orfanato escolhendo a criança que levariam, me olhavam, sorriam e eu ficava feliz e ansiosa por ser escolhida, porém eles sempre seguiam adiante. A cada criança que ia embora, eu sofria e chorava muito.

— Também sentia isso e achava que o motivo era minha cor negra, pois a criança escolhida era sempre branca e bonita. Lembro-me de que lhe disse uma vez:

— Maria Clara, sei que você vai embora depressa, mas eu vou continuar aqui...

— Por que está falando isso, Solange?

— Você é bonita, branca e eu sou negra, ninguém vai me querer.

— Será que a cor tem alguma coisa a ver com isso?

— Claro que tem, Maria Clara. Quantas crianças negras você viu serem escolhidas?

— Depois de pensar um pouco, você disse:

— Nenhuma, Solange...

— *Está vendo, agora sabe por que vou continuar aqui, ainda mais porque já estou com dez anos!*

— Naquele dia, fiquei pensando no que me disse e, ao mesmo tempo, pensei: *se isso que ela está dizendo for verdade, eu vou ser adotada logo...*

— Mas isso não aconteceu, Solange. Quando você ia completar onze e eu, oito, continuávamos as melhores amigas e vivíamos sempre juntas. Um dia, a Irmã Maria Paula nos chamou e disse:

— *Pedi que vocês duas viessem até aqui porque tenho uma notícia muito boa para você, Solange, e sei que muito triste para você, Maria Clara.*

— *Que notícia?* — perguntamos quase juntas.

— *Solange, lembra-se daquele casal que esteve aqui na semana passada e que conversou muito tempo com você?*

— *Sim...*

— *Eles resolveram, conversaram com o juiz e conseguiram uma permissão para levá-la com eles. Querem ser seus pais. Eles me pareceram ser boas pessoas, tenho certeza de que cuidarão muito bem de você.*

— Ela tinha razão, eles foram os melhores pais que alguém já teve, pois além de me darem um lar e carinho, me deram estudo e, hoje, tenho um bom trabalho graças a isso. Eu tive muita sorte, Maria Clara

— Teve mesmo. Eles são mesmo maravilhosos.

— Eles e toda a família. Nunca senti diferença alguma entre mim e os meus primos. No dia do meu casamento, estava colocando o meu vestido de noiva, quando minha mãe entrou no quarto, me abraçou e, chorando, disse:

— *Espero que você seja muito feliz, minha filha.*

— Eu, também a abraçando e chorando, disse:

— *Devo essa felicidade à senhora e ao papai, por terem me adotado. Se não fosse isso, talvez eu nunca tivesse saído dali.*

— *Não diga isso, Solange. Não tem o que agradecer. Você foi a razão de nossa existência e só nos trouxe felicidade. Sei que, se tivesse nascido de mim, não me faria mais feliz. Obrigada por ser quem é.*

— Eu a abracei e agradeci a Deus por ter colocado aquela família em minha vida. Nunca pensei muito na minha mãe verdadeira ou na outra família que poderia ter tido. Estava feliz com a que tinha.

— Você, sendo mais velha, sabia o que aquilo representava em sua vida. Eu, ao contrário, por ser mais nova e por sempre haver vivido ao lado de outras crianças sem família, não tinha a dimensão do que significava ser adotada. Naquele momento, somente sabia que você, minha melhor amiga, ia embora. Fiquei muito triste, mas, com o tempo, aos poucos e graças ao carinho da Irmã Maria Paula, quase me esqueci de você. Fui crescendo, tendo outras amigas que também foram embora. A cada partida, eu sentia muita dor e ficava três ou quatro dias chorando. Embora muitos casais me vissem, conversassem comigo, para espanto da Irmã Maria Paula, nunca fui adotada. Quando tive a noção certa do que significava uma mãe, me perguntava: *por que minha mãe me abandonou? Como ela teve coragem? Não entendia e queria porque queria saber onde estava, não só ela, mas meu pai e possíveis irmãos.*

— Quando falava sobre isso com a Irmã Maria Paula, ela dizia:

— *Não pense muito nessas coisas, Maria Clara. Não há como saber quem é sua mãe. Ela deixou você no portão do orfanato, sem pista alguma. Precisa cuidar da sua vida. Precisa estudar para que, quando tiver de sair daqui, possa ter um trabalho que a sustente.*

— Ao ouvir aquilo disse:

— *Irmã, quando crescer e me casar, vou ter um marido e muitos filhos! Quero ter uma família muito grande!*

— Quando completei quinze anos, aceitei a minha situação e, seguindo os conselhos da Irmã Maria Paula, decidi que, enquanto não encontrasse um homem para me casar a fim de ter a minha família, deveria estudar para ter um bom futuro. O colégio tinha uma educação acadêmica muito rígida. Mesmo assim, estudando muito, consegui terminar o colegial. Quando completei dezoito anos, precisava sair do orfanato. Com a ajuda da madre superiora e da Irmã Maria Paula, consegui um emprego na empresa de um amigo delas e foi onde nos reencontramos, Solange.

— Lembro-me daquele dia, Maria Clara. Quando chegou, percebemos que você era tímida. O gerente nos reuniu e a apresentou, pedindo que a ajudássemos e lhe ensinássemos o trabalho. Enquanto ele falava, eu olhava para você, sabia que a conhecia, só não conseguia me lembrar de onde. Só quando ele disse o seu nome e que estava vindo do orfanato, foi que me lembrei e fiquei muito feliz. Quando ele terminou de falar e saiu, me aproximei e disse:

— *Maria Clara! Você não se lembra de mim?*

— Você ficou me olhando, sem conseguir se lembrar. Entendi que seria muito difícil isso acontecer. Quando nos separamos, você só tinha sete anos e eu dez. Éramos crianças e durante todo aquele tempo mudamos muito. Aos poucos, conversando, fiz com que você se lembrasse. Sua felicidade foi igual à minha. Nós nos abraçamos e, daquele dia em diante, nunca mais nos separamos. Eu estava me preparando para me casar. Você e minha mãe adotiva, que foi a melhor mãe que alguém poderia desejar, me ajudaram com o enxoval, o vestido de noiva e a festa, enfim, em tudo. No dia do meu casamento, você estava radiante.

— Estava mesmo. Seu marido parecia gostar muito de você. Eu tinha certeza de que seria muito feliz.

— Realmente, fui e sou muito feliz. Quando minha primeira filha nasceu, você foi a madrinha.

— É verdade, mas ela, como sempre acontecia, nunca gostou de mim e sempre que eu ia à sua casa, ela se escondia sem querer me ver.

— Não fale assim, Maria Clara! Ela era só uma criança...

— Você sabe que estou dizendo a verdade, pois, até hoje, ela só conversa o necessário e só responde a alguma pergunta que faço. Ela não me suporta, Solange.

— Como sempre, você está exagerando, Maria Clara...

Maria Clara riu e continuou:

— Está bem, posso até estar exagerando, mas que ela não gosta de mim, não gosta mesmo.

— Eu preciso lhe confessar, Solange, que, muitas vezes, senti inveja da sua felicidade, da sua família.

— Não se preocupe com isso, Maria Clara. Conheço seus motivos e sei que gosta de mim, do meu marido e dos meus filhos. Sei o quanto deseja uma família. Você está só com trinta anos, é bonita, logo encontrará o homem da sua vida. Terá muitos filhos e será feliz, como sou.

— Só trinta anos? Já sou uma solteirona! Desde os meus dezoitos anos, por ser bonita, senti a aproximação de vários homens. Sempre que comecei a namorar, entreguei me totalmente, fui carinhosa e fiz tudo o que estava ao meu alcance para que quem estivesse ao meu lado fosse feliz, mas de nada adiantou. Eles, a princípio, pareciam apaixonados, porém quando eu falava em casamento e filhos, eles desapareciam sem dar explicações. O último foi o Claudinei. Há três dias, eu lhe falei do meu desejo de ter uma família, ele sorriu da mesma maneira que os outros fizeram e disse que também queria uma família. Foi embora e não voltou mais. Quando telefonei para seu trabalho, me disseram que ele havia pedido transferência para o Rio de Janeiro. Vocês entenderam o que aconteceu? Ele, como os outros, me abandonou sem dar explicação. Eu sou uma azarada! Nunca vou ter uma família! Estou condenada a viver na solidão! Nunca ninguém me amou, me fez um carinho!

Solange olhou para Hilda e, não conseguindo esconder sua tristeza, disse:

— Ele, como os outros, foi embora, porque não era um homem de caráter e estava querendo só se aproveitar do seu amor e do seu carinho. O homem certo ainda vai aparecer, Maria Clara. Também não pode dizer que nunca ninguém a amou nem lhe fez carinho. A Irmã Maria Paula sempre a tratou com muito carinho e amor. Ela foi, para você, muito mais mãe do que tantas mães que conheço. Sei que, se você a procurar, neste momento, vai encontrar o mesmo carinho e amor que ela sempre lhe dedicou.

Maria Clara pensou um pouco e disse:

— Nisso você tem razão, se existe alguém que realmente gosta de mim, é a Irmã Paula...

— Então, já que sabe disso, por que não vai conversar com ela?

— Vou até lá, mas já sei o que vai me dizer:

— *Maria Clara, você é linda! Vai encontrar alguém que realmente a mereça e vai conseguir ter aquela família com que tanto sonha!*

— Ela tem razão, Maria Clara! Não existe motivo algum para que você não consiga o que tanto quer!

— Eu também não encontro motivo! Sei que sou bonita, inteligente e bem educada. Sou uma pessoa boa, se não faço bem, com certeza também não faço mal a ninguém. Por saber o que pensam crianças internadas em um orfanato, duas ou três vezes por mês, vou até lá, conto-lhes histórias, penteio seus cabelos, pego-as no colo, abraço-as, beijo-as e brinco com elas. Não entendo. Não quero muito desta vida, não me importo com dinheiro, pois o que tenho, embora seja pouco, dá para que eu viva muito bem. Já que não tive pais nem irmãos, só quero ter uma família!

Levantou as mãos para o alto e gritou:

— É pedir muito, Deus?

Hilda, que o tempo todo ficou calada ouvindo, disse:

— Parece que não existe motivo algum para que não realize o seu sonho, Maria Clara. Enquanto conversavam, fiquei pensando. Embora não conheça nada a respeito, já ouvi falar em reencarnação. Será que você foi muito má na passada?

— Também já ouvi falar sobre isso, mas, se eu fui má, foi na passada e não é justo pagar nesta!

— Mas, dizem que há um motivo e uma razão para tudo o que nos acontece.

Maria Clara começou a rir e disse:

— Levando em conta que eu acredite em reencarnação, por tudo o que tenho sofrido nesta, eu devo ter sido aquele soldado que pregou Jesus na cruz ou um feitor de escravo muito ruim.

As três riram. Hilda disse:

— Quem sabe não foi isso o que aconteceu?

Elas não sabiam, mas prestando atenção em tudo o que falavam, e intuindo Hilda, estavam duas entidades, uma de homem, outra de mulher. O homem disse:

— Ela nem imagina, Matilde... nem imagina...

— Tem razão, Gusmão...

Editora Mensagem de Luz

Títulos da Escritora:

A vida é feita de escolhas
A missão de cada um
À beira da loucura
Deus estava com ele
É preciso algo mais
Encontros com a verdade
Nada fica sem resposta
Nem tudo está perdido
O destino em suas mãos
O passado não importa
Quando o passado não passa
Sempre existe uma razão
Tudo a seu tempo

Recomendado pela escritora:

Desfazendo nós, criando laços
Autor: Wadson P. Souza

Mulheres Fênix - recomeçando a vida
Suas verdades o tempo não apaga
Autor: Américo Simões

Se não amassemos tanto assim
Autor: Américo Simões

Este livro foi impresso na
LIS GRÁFICA E EDITORA LTDA.
Rua Felício Antônio Alves, 370 – Bonsucesso
CEP 07175-450 – Guarulhos – SP – Fax: (11) 3382-0778
Fone: (11) 3382-0777 – e-mail: lisgrafica@lisgrafica.com.br